CB030229

rMED

Coleção Residência Médica

Volume

ANESTESIOLOGIA

Coleção Residência Médica

SAL
SERVIÇO DE ATENDIMENTO AO LEITOR
Tel.: 08000267753

www.atheneu.com.br

Facebook.com/editoraatheneu Twitter.com/editoraatheneu Youtube.com/atheneueditora

rMED
Coleção Residência Médica
Volume

ANESTESIOLOGIA

Editores da Coleção
Davi Jing Jue Liu
Flavio Taniguchi

Editores Associados do Volume
Elio Barbosa Belfiore
José Hélio Zen Junior
Fabrício de Paula Leite Battisti
Luiz Fernando dos Reis Falcão

EDITORA ATHENEU

São Paulo — Rua Jesuíno Pascoal, 30
Tel.: (11) 2858-8750
Fax: (11) 2858-8766
E-mail: atheneu@atheneu.com.br

Rio de Janeiro — Rua Bambina, 74
Tel.: (21)3094-1295
Fax: (21)3094-1284
E-mail: atheneu@atheneu.com.br

Belo Horizonte — Rua Domingos Vieira, 319 —
conj. 1.104

CAPA: Paulo Verardo

PRODUÇÃO EDITORIAL: MKX Editorial

CIP - BRASIL. CATALOGAÇÃO NA PUBLICAÇÃO
SINDICATO NACIONAL DOS EDITORES DE LIVROS, RJ

A586

Anestesiologia / editores associados do volume Elio Barbosa Belfiore ...
[et al.] ; editores da coleção Davi Jing Jue Liu , Flavio Taniguchi. – 1. ed. –
Rio de Janeiro : Atheneu, 2018.
    il.   (Residência médica ; 1)

Inclui bibliografia
ISBN 978-85-388-0872-5

1. Anestesiologia. I. Belfiore, Elio Barbosa. II. Liu, Davi Jing Jue. III.
Taniguchi, Flavio.

18-50337

CDD-617.96
CDU-616-089.5

Meri Gleice Rodrigues de Souza - Bibliotecária CRB-7/6439

LIU, D.J.J.; TANIGUCHI, F.; BELFIORE, E.B.; ZEN, J.H. JUNIOR;
BATTISTI, F.P.L.; FALCÃO, L.F.R.
Anestesiologia – Coleção Residência Médica

AMERESP

Associação de Médicos Residentes do Estado de São Paulo

Fundada em setembro de 1973, a Associação de Médicos Residentes do Estado de São Paulo (AMERESP) foi idealizada a partir de um constante debate sobre a regulamentação da Residência Médica, suas normas de ensino e de trabalho, assim como a representação formal dos médicos residentes.

A importância histórica da AMERESP se estende à própria criação da Comissão Nacional de Residência Médica (CNRM). Em trabalho conjunto com a Associação Nacional do Médicos Residentes (ANMR), a influência sobre a criação desse órgão, pertencente ao Ministério da Educação e Cultura (MEC), foi fundamental para que todos os Programas de Residência Médica do país fossem devidamente regulamentados pela CNRM.

As reinvindicações pela ampliação e melhoria dos vários campos de atuação do médico em processo de especialização sempre fizeram parte da atuação da AMERESP. Ao longo dos últimos 45 anos, diversas instituições de saúde e governantes foram cobradas pela AMERESP, com o único e exclusivo intuito de aperfeiçoar o ensino das especialidades médicas.

Hoje, a Residência Médica é considerada pós-graduação *lato sensu*, o "padrão ouro" de formação do médico especialista, e a AMERESP faz parte dessa conquista.

Com grande orgulho, a AMERESP comemora o 45º ano de sua fundação com o lançamento da *Coleção Residência Médica*, uma parceria com a Editora Atheneu em prol da educação médica de qualidade.

Esperamos que esta coleção de livros auxilie o médico residente no seu dia a dia como um material de consulta, estudo e aprimoramento da Medicina.

Guilherme Andrade Peixoto
Presidente da AMERESP
Gestão 2017/18

DIRETORIA AMERESP
Gestão 2017-2018

Presidente
Guilherme Andrade Peixoto
Médico Residente em Urologia – Faculdade de Medicina do ABC (FMABC)

Vice-Presidente
Davi Jing Jue Liu
Médico Residente em Oncologia Clínica – Escola Paulista de Medicina da
Universidade Federal de São Paulo (EPM/Unifesp)

Secretária Geral
Janaína Bulhões Miranda
Residente em Pediatria – Hospital Municipal de São José dos Campos

Primeiro Tesoureiro
Vinícius Benetti Miola
Médico Residente em Clínica Médica – Universidade Estadual
de Campinas (Unicamp)

Segundo Tesoureiro
Leandro Ryuchi Iuamoto
Médico Residente em Fisiatria – Faculdade de Medicina da Universidade de
São Paulo (FMUSP)

Diretoria Adjunta
MR. Claudia Moura Ribeiro da Silva – FMABC
MR. Gustavo Fitas Manaia – FMABC
MR. Guilherme Di Camillo Orfali – EPM/Unifesp
MR. Vicente Hidalgo Rodrigues Fernandes – Unicamp
MR. Haroldo Maluf Barretto – Hospital Mário Gatti

Davi Jing Jue Liu

Médico Residente em Cancerologia Clínica pela Escola Paulista de Medicina da Universidade Federal de São Paulo (EPM/Unifesp).

Flavio Taniguchi

Graduado em Medicina pela Faculdade de Medicina da Universidade de São Paulo (FMUSP). Presidente da Associação de Médicos Residentes do Estado de São Paulo (AMERESP) Gestão 2016-17. Presidente da Associação Nacional dos Médicos Residentes (ANMR) 2017. Membro da Câmara Tematica do Médico Jovem do Conselho Regional de Medicina do Estado de São Paulo (CREMESP). Membro da Câmara de Integração do Médico Jovem do Conselho Federal de Medicina (CFM). Residência em Medicina Preventiva e Social da Universidade de São Paulo (USP) no Programa de Estudos Avançados em Administração Hospitalar e Sistemas de Saúde (PROAHSA). *Master Business Administrator* (MBA) em Gestão Hospitalar e Sistemas de Saúde pela Fundação Getulio Vargas (FGV-SP). Fundador e Primeiro Presidente da Associação dos Estudantes de Medicina do Brasil (AEMED-BR). Ex-Tesoureiro da Associação Brasileira das Ligas Acadêmicas de Medicina (ABLAM). Fundador e Presidente da Primeira Empresa Júnior de Medicina do Mundo – Medicina Jr. da FMUSP.

Elio Barbosa Belfiore

Graduado em Medicina pela Faculdade de Ciências Médicas da Universidade Estadual de Campinas (FCM-Unicamp). Residência Médica em Anestesiologia pela FCM-Unicamp.

José Hélio Zen Junior

Graduado em Medicina pela Universidade Estadual de Campinas (Unicamp). Residência Médica em Anestesiologia pela Unicamp. Médico Instrutor Avanced Trauma Life Support (ATLS) do American College of Surgeons.

Fabrício de Paula Leite Battisti

Graduado em Medicina pela Escola Paulista de Medicina da Universidade Federal de São Paulo (EPM/Unifesp). Médico Residente em Anestesiologia pela EPM/Unifesp.

Luiz Fernando dos Reis Falcão

Professor de Anestesiologia e Chefe do Serviço de Anestesia da Escola Paulista de Medicina da Universidade Federal de São Paulo (EPM/Unifesp). Diretor de Relações Internacionais da Sociedade de Anestesiologia do Estado de São Paulo (SAESP). Sócio-Diretor do Grupo de Anestesiologistas Associados Paulista (GAAP). *Fellow* pela Harvard University, Massachusetts General Hospital.

Ana Carolina Reiff Janini

Médica Anestesiologista no Hospital Paulista, Hospital Santa Rita e Hospital Sancta Maggiore. Graduada pela Universidade Federal de São Carlos (UFSCar). Residência Médica no Centro de Ensino e Treinamento da Sociedade Brasileira de Anestesiologia (CET-SBA) nas Faculdades Integradas Padre Albino (FIPA). Título de Especialista pela SBA.

Ana Flávia Marques

ME3 do Centro de Ensino e Treinamento (CET) do Hospital da Pontifícia Universidade Católica de Campinas (PUC-Campinas).

André Marcos de Oliveira

Anestesista pela Universidade Estadual de São Paulo (UNESP) – Botucatu.

Angélica de Fátima de Assunção Braga

Professora Titular do Departamento de Anestesiologia da Faculdade de Ciências Médicas da Universidade Estadual de Campinas (FCM-Unicamp).

Arthur Sevalho Gonçalves

Graduado em Medicina pela Escola Paulista de Medicina da Universidade Federal de São Paulo (EPM/Unifesp). Residência Médica em Anestesiologia pela EPM/Unifesp.

Ayrton Bentes Teixeira

Responsável pelo Centro de Ensino e Treinamento da Sociedade Brasileira de Anestesiologia (CET/SBA) da Santa Casa de São Paulo (SCSP). Título Superior em Anestesiologia (TSA/SBA). Mestre em Medicina pela Faculdade de Ciências Médicas (FCM) da SCSP. *Master Business Administrator* (MBA) em Gestão de Saúde pelo Instituto de Ensino e Pesquisa do Hospital Israelita Albert Einstein (Insper/HIAE). Coordenador da Pós-graduação *lato sensu* em Anestesiologia no Insper/HIAE.

Barbara Pelegrini Castro

Graduada pela Universidade Estadual de Campinas (Unicamp). Residência do terceiro ano em Anestesiologia pela Santa Casa de Santos/MEC.

Bruna Antenussi Munhoz
Médica Residente em Anestesiologia pela Faculdade de Medicina do ABC (FMABC).

Bruno Storch
Graduado em Medicina pela Universidade Federal de Sergipe (UFS). Médico Residente em Anestesiologia pelo Centro de Ensino e Treinamento (CET) Catanduva – São Paulo.

Cássio de Pádua Mestieri
Graduado em Medicina pela Faculdade de Medicina de Marília (FAMEMA). Médico Residente em Anestesiologia pelo Hospital das Clínicas da Faculdade de Medicina de Ribeirão Preto da Universidade de São Paulo (FMRP-USP).

Celso Schmalfuss Nogueira
Professor da Disciplina de Anestesiologia da Faculdade de Medicina da Universidade Metropolitana de Santos (Unimes). Corresponsável pelo Centro de Ensino e Treinamento da Sociedade Brasileira de Anestesiologia (CET/SBA) na Santa Casa de Santos.

Cibele Mari Shinike
Graduada pela Universidade Federal do Paraná (UFPR). Residente em Anestesiologia do segundo ano pela Irmandade da Santa Casa de Misericórdia de São Paulo (ISCMSP).

Daniele Luize Garcia da Silva
Médica Anestesiologista. Ex-Residente do Centro de Ensino e Treinamento (CET) da Beneficência Portuguesa de São Paulo.

Davi Ratts Barbosa Coutinho
Título de Especialista em Anestesiologia pela Sociedade Brasileira de Anestesiologia (TEA/SBA).

David Ferez
Professor Adjunto da Disciplina de Anestesiologia, Dor e Medicina Intensiva na Escola Paulista de Medicina da Universidade Federal de São Paulo (Unifesp).

Débora Philippi Bressane
Graduada em Medicina pela Faculdade Evangélica do Paraná (FEPAR). Médica Residente em Anestesiologia pelo Hospital das Clínicas da Faculdade de Medicina de Ribeirão Preto da Universidade de São Paulo (FMRP-USP).

Desiré Carlos Calegari

Mestre e Doutor em Ciências da Saúde na Anestesiologia e pela Faculdade de Medicina do ABC (FMABC). Professor Titular da Disciplina de Anestesiologia da FMABC. Superintendente do Hospital Escola da FMABC – Hospital Estadual Mário Covas de Santo André. Médico Especialista pela Sociedade Brasileira de Anestesiologia (SBA), registrado no Conselho Regional de Medicina do Estado de São Paulo (CREMESP). Médico Especialista em Medicina do Trabalho pela Associação Brasileira de Medicina do Trabalho (ABMT), registrado no CREMESP. Conselheiro Diretor do CREMESP. Membro do Colegiado do Conselho Estadual de Residência Médica do Estado de São Paulo (CEREM).

Eduardo Toshiyuki Moro

Responsável Centro de Ensino e Treinamento da Sociedade Brasileira de Anestesiologia (CET/SBA) na Faculdade de Ciências Médicas e da Saúde da Pontifícia Universidade Católica de São Paulo (PUC-SP).

Emilio Carlos Del Massa

Responsável pela Residência Médica em Anestesiologia. Corresponsável pelo Centro de Ensino e Treinamento da Sociedade Brasileira de Anestesiologia (CET/SBA) na Casa de Saúde Santa Marcelina. Professor de Anestesiologia na Faculdade Santa Marcelina.

Enéas Eduardo Sucharski

Médico Residente em Anestesiologia no Hospital Israelita Albert Einstein (HIAE).

Esther Alessandra Rocha

Médica Residente da Disciplina de Anestesiologia da Faculdade de Medicina do ABC (FMABC). Membro do Centro de Ensino e Treinamento da Sociedade Brasileira de Anestesiologia (CET/SBA) Integrado da FMABC. Título Superior em Anestesiologia pela SBA (TSA-SBA). Anestesiologista do Hospital Estadual Mário Covas, Santo André, SP.

Everton Sidney da Conceição Carvalho

Residência Médica no Centro de Ensino e Treinamento (CET) da Beneficiência Portuguesa de São Paulo. Anestesiologista do Hospital Bandeirantes, SP. Anestesiologista do Hospital Cruz Azul de São Paulo.

Eyder Figueiredo Pinheiro

Médico com Residência em Anestesiologia pelo Hospital Santa Marcelina em São Paulo. Graduação pela Faculdade de Medicina Estácio de Juazeiro do Norte, CE.

Fabiana Di Pietro Magri

ME3 do Centro de Ensino e Treinamento (CET) do Hospital da Pontifícia Universidade Católica de Campinas (PUC-Campinas).

Fabio Alexandre de Moraes

Médico formado pela Faculdade de Medicina do ABC (FMABC). Anestesiologista pela FMABC. Titulo de Especialista em Anestesiologia pela Sociedade Brasileira de Anestesiologia (TEA/SBA).

Fábio Escalhão

Médico em Especialização (ME2) do Centro de Ensino e Treinamento (CET) do Centro Médico Campinas. Credenciado pela Sociedade Brasileira de Anestesiologia (SBA).

Felipe Souza Thyrso de Lara

Título Superior em Anestesiologia pela Sociedade Brasileira de Anestesiologia (TSA/SBA). Mestre em Clínica Médica. Responsável pela Residência em Anestesiologia da Irmandade da Santa Casa de Misericórdia de Santos (MEC/SBA).

Fernanda Marques Ferraz Savoia

Médica Assistente do Serviço de Anestesiologia do Instituto Central do Hospital das Clínicas da Faculdade de Medicina da Universidade de São Paulo (IC-HCFMUSP). Serviço de Urgência e Emergência. Médica Assistente do Serviço de Anestesiologia do Hospital Maternidade Santa Joana, São Paulo. Pós-Graduada em Cuidados ao Paciente com Dor no Hospital Sírio-Libanês (HSL), SP.

Fernando Eduardo Féres Junqueira

Residência Médica em Anestesiologia pela Faculdade de Ciências Médicas da Universidade Estadual de Campinas (FCM-Unicamp). Mestre em Farmacologia pela FCM-Unicamp. Anestesiologista do Hospital Pitangueiras, Jundiaí-SP. Anestesiologista do Hospital da Unimed Jundiaí, SP.

Francisco Dias de Oliveira Neto

Médico Residente em Anestesiologia no Hospital Beneficiência Portuguesa de São Paulo.

Francisco Ricardo Marques Lobo

Professor Adjunto da Disciplina de Anestesiologia na Faculdade de Medicina de São José do Rio Preto (FAMERP). Mestre e Doutor em Ciências da Saúde pela FAMERP. Responsável pelo Centro de Ensino e Treinamento do Hospital de Base da Fundação Faculdade de Medicina de São José do Rio Preto (CET H. B. Funfarme) da Sociedade Brasileira de Anestesiologia (SBA). Professor Adjunto da Disciplina de Anestesiologia da FAMERP. Responsável pelo Serviço de Anestesiologia e de Anestesia em Cirurgias de Grande Porte e Transplante de Fígado do H. B. Funfarme. Membro da Comissão Científica da Sociedade de Anestesiologia do Estado de São Paulo (SAESP). *Fellow* na Unidade de Transplante de Fígado no Queen Elizabeth Hospital em Birminghan, no Reino Unido. *Fellow* na UTI-Hematologia do Hopital Erasme, Bruxelas, Bélgica.

Gabriel José Redondano Oliveira

Corresponsável pelo Centro de Ensino e Treinamento (CET) do Hospital Vera Cruz, Campinas-SP. Título Superior de Anestesiologia pela Sociedade Brasileira de Anestesiologia (TSA/SBA). Certificado de Atuação na Área da Dor (CAAD).

Gabriela Ramires Silveira

Graduada em Medicina pela Universidade do Oeste Paulista (Unoeste). Colaboradora da Associação dos Médicos Residentes do Estado de São Paulo (AMERESP) – Gestão 2015/2016. Graduada em Anestesiologia pelo Hospital Beneficência Portuguesa de São José do Rio Preto.

Guilherme Frederico Ferreira dos Reis

Título de Especialista em Anestesiologia pela Sociedade Brasileira de Anestesiologia (TEA/SBA). Responsável pelo Centro de Ensino e Treinamento (CET) da Casa de Saúde de Campinas.

Guilherme Haelvoet Correa

Médico Formado na Universidade Estadual de Campinas (Unicamp). Residente de Anestesiologia na Santa Casa de Misericórdia de São Paulo (SCMSP).

Higor Fernando de Lima Cardoso

Médico pela Universidade do Oeste Paulista (Unoeste). Residente de Anestesiologia no Hospital Beneficência Portuguesa de São José do Rio Preto.

Idelberto do Val Ribeiro Júnior

Titulo Superior em Anestesiologia (TSA). Instrutor do Centro de Ensino e Treinamento da Universidade Estadual de Campinas (CET-Unicamp). Centro de Atenção Integral à Saúde da Mulher (CAISM) e do Hospital Pitangueiras do Grupo Sobam.

Igor Lopes da Silva

Formado pela Faculdade de Medicina de Catanduva (Fameca). Residência Médica na Santa Casa de Misericórdia de Ribeirão Preto (CARP). Título de Especialista em Anestesia (TEA) e Título Superior em Anestesia (TSA). Instrutor do Serviço de Residência Médica no Centro de Ensino e Treinamento da Faculdade de Medicina da Fundação Padre Albino de Catanduva (CET FIPA). Vice-Diretor Clínico e Membro da Comissão de Padronização de Medicamentos do Hospital São Domingos, em Catanduva-SP.

Isabela Borges de Melo

Graduado em Medicina pela Universidade Federal do Triângulo Mineiro (UFTM). Médica Residente em Anestesiologia pelo Hospital das Clínicas da Faculdade de Medicina de Ribeirão Preto da Universidade de São Paulo. (FMRP-USP).

Ivan Moreno Ferreira Ducatti

Título de Especialista em Anestesiologia pela Sociedade Brasileira de Anestesiologia (TEA/SBA).

João Abrão

Professor-Associado do Departamento de Biomecânica, Medicina e Reabilitação do Aparelho Locomotor. Docente da Disciplina de Anestesiologia da Faculdade de Medicina de Ribeirão Preto da Universidade de São Paulo (FMRP-USP).

Jorge Marcio Soranz

Professor Chefe da Disciplina de Anestesiologia da Faculdade de Ciências Médicas e da Saúde da Pontifícia Universidade Católica de São Paulo (PUC-SP).

José de Brito Magalhães Neto

Médico em Especialização (ME2) do Centro de Ensino e Treinamento (CET) do Centro Médico Campinas. Credenciado pela Sociedade Brasileira de Anestesiologia (SBA).

José Eduardo Bagnara Orosz

Residência Médica em Anestesiologia pela Faculdade de Ciências Médicas da Universidade Estadual de Campinas (Unicamp). Mestre e Doutor em Anestesiologia pela Faculdade de Medicina de Botucatu da Universidade Estadual Paulista (UNESP). Corresponsável pelo Centro de Ensino e Treinamento da Sociedade Brasileira de Anestesiologia (CET-SBA) da Pontifícia Universidade Católica de Campinas (PUC-Campinas).

José Luiz de Campos
Especialista em Anestesiologia pela Associação Médica Brasileira (AMB) e pela Sociedade Brasileira de Anestesiologia (SBA). Especialista em Tratamento da Dor pela Faculdade de Medicina de Ribeirão Preto da Universidade de São Paulo (FMRP-USP). Formação em Terapia Intervencionista da Dor pelo World Institute of Pain (WIP) com a realização de Cursos, Simpósios e Palestras na University College London. Título de *Fellow of Interventional Pain Practice*, obtido em Cleveland/Ohio, EUA.

Jucelio Saraiva Borges
Graduado em Medicina pela Universidade Estadual do Maranhão (UEMA). Residência Médica em Anestesiologia pelo Hospital Santa Marcelina, SP.

Laís Helena Navarro e Lima
Professora-Assistente Doutora do Departamento de Anestesiologia da Faculdade de Medicina de Botucatu da Universidade Estadual Paulista (Unesp). Supervisora da Residência Médica em Anestesiologia da Faculdade de Medicina de Botucatu (Unesp). Vice-Diretora de Pesquisa Científica da Sociedade de Anestesiologia do Estado de São Paulo (SAESP).

Larissa de Castro e Sá Oliveira
Médica Anestesista do Centro de Ensino e Treinamento (CET) do Hospital Vera Cruz, Campinas, SP.

Leonardo de Andrade Reis
Instrutor Associado do Centro de Ensino e Treinamento (CET) da Casa de Saúde Campinas, SP.

Lucas Esteves Dohler
Médico graduado pela Faculdade de Medicina da Universidade Federal de Juiz de Fora-MG. Residente de Anestesiologia pelo Hospital das Clínicas da Faculdade de Medicina de Botucatu. Doutorando pelo Programa de Anestesiologia da Faculdade de Medicina de Botucatu.

Lucas Siqueira de Lucena
Médico pela Universidade Federal do Ceará (UFC). Anestesiologista pelo Hospital das Clínicas da Faculdade de Medicina da Universidade de São Paulo (HCFMUSP). Doutorado em Anestesiologia pela FMUSP. Médico-Assistente do Pronto-Socorro do HCFMUSP.

Luis Henrique Cangiani

Responsável pelo Centro de Ensino e Treinamento (CET) do Centro Médico Campinas. Título Superior em Anestesiologia pela Sociedade Brasileira de Anestesiologia (TSA/SBA).

Luiz Guilherme Villares da Costa

Médico Preceptor do Programa de Residência Médica em Anestesiologia do Hospital Israelita Albert Einstein (HIAE). Título Superior em Anestesiologia pela Sociedade Brasileira de Anestesiologia (TSA/SBA). Especialista em Medicina Intensiva pela Associação de Medicina Intensiva Brasileira (AMIB). Doutor em Ciências pela Disciplina de Anestesiologia da Faculdade de Medicina da Universidade de São Paulo (FMUSP).

Maíra Soliani Del Negro

Doutorado em Ciências da Cirurgia pela Faculdade de Ciências Médicas da Universidade Estadual de Campinas (FCM-Unicamp). Médica-Assistente do Serviço de Anestesiologia do Instituto Central do Hospital das Clínicas da Universidade de São Paulo (IC-HCFMUSP). Equipe de Coordenação do Serviço de Urgência e Emergência (2013-2016) do IC-HCFMUSP. Médica-Assistente do Serviço de Anestesiologia do Hospital de Clínicas da FCM-Unicamp.

Marcelo Stucchi Pedott

Coordenador da Equipe de Anestesia do Hospital Santa Marcelina. Instrutor do Centro de Ensino e Treinamento (CET) da Casa de Saúde Santa Marcelina. Título Superior em Anestesiologia pela Sociedade Brasileira de Anestesiologia (TSA/SBA). Residência Médica em Anestesiologia pelo CET da Casa de Saúde Santa Marcelina. Graduação de Medicina pela Universidade Estadual Paulista (Unesp).

Marcos Rodrigues Pinotti

Corresponsável do Centro de Ensino e Treinamento da Sociedade Brasileira de Anestesiologia (CET-SBA) na Fundação Padre Albino (FIPA) de Catanduva.

Maria José Nascimento Brandão

Professora Doutora do Departamento de Anestesiologia da Faculdade de Ciências Médicas da Universidade Estadual de Campinas (FCM-Unicamp).

Maria Laura Viliotti Soranz

Residente do Centro de Ensino e Treinamento da Sociedade Brasileira de Anestesiologia (CET/SBA) da Faculdade de Ciências Médicas e da Saúde da Pontifícia Universidade Católica de São Paulo (PUC-SP).

Mario Marcos Silva
Residente Médico em Anestesiologia pela Faculdade de Ciências Médicas da Universidade Estadual de Campinas (FCM-Unicamp). Anestesiologista do Hospital Vivalle em São José dos Campos, SP.

Matheus Miranda
Médico Residente de Anestesiologia da Disciplina de Anestesiologia, Dor e Medicina Intensiva da Escola Paulista de Medicina da Universidade Federal de São Paulo (EPM/Unifesp).

Mauricio Miranda Ribeiro
Título de Especialista em Anestesia (TEA). Título Superior em Anestesia (TSA). Residência em Clínica Médica pelo Hospital do Instituto de Assistência Médica ao Servidor Público Estadual (IAMSPE) de São Paulo. Coordenador do Centro de Ensino e Treinamento (CET) da Beneficência Portuguesa.

Murillo Gonçalves Santos
Médico graduado na Faculdade de Medicina de Botucatu da Universidade Estadual Paulista (Unesp). Residente e Mestrando em Anestesiologia na Faculdade de Medicina de Botucatu (Unesp).

Olympio de Hollanda Chacon Neto
Anestesiologista do Instituto do Câncer do Estado de São Paulo (ICESP), do Hospital das Clínicas da Faculdade de Medicina da Universidade de São Paulo (HCFMUSP).

Patricia Mara Beltrame
Médica Residente de Anestesiologia na Santa Casa de Misericórdia de São Paulo (SCMSP). Especialista em Clínica Médica pelo Hospital Guilherme Álvaro, Santos-SP.

Pedro Augusto Ramacioti Silva
Residente do Centro de Ensino e Treinamento da Sociedade Brasileira de Anestesiologia (CET/SBA) da Faculdade de Ciências Médicas e da Saúde da Pontifícia Universidade Católica de São Paulo (PUC-SP).

Pedro Solfa Campos Oliveira
Anestesiologista do Hospital da Pontifícia Universidade Católica de Campinas (PUC-Campinas).

Pedro Veloso Margarido
Médico em Especialização em Anestesiologia pela Universidade Estadual de Campinas (Unicamp).

Rafael Oliveira Telles

Graduado em Medicina pelo Centro Universitário de Gurupi (UnirG). Médico Residente em Anestesiologia pelo Centro de Ensino e Treinamento (CET) da Sociedade Brasileira de Anestesiologia (SBA) em Catanduva, São Paulo.

Rafael Takamitsu Romero

Médico Residente do Hospital Israelita Albert Einstein (HIAE).

Raisa Melo Souza

Médica pela Universidade Federal do Ceará (UFC). Residente de Anestesiologia do Hospital Israelita Albert Einstein (HIAE).

Rebecca Melo Zanellato

Médica Residente em Anestesiologia do Centro de Ensino e Treinamento (CET) da Faculdade de Medicina do ABC (FMABC).

Renato Franscisco Moya

Graduado em Medicina pela Faculdade de Medicina de Ribeirão Preto da Universidade de São Paulo (FMRP-USP). Médico Residente em Anestesiologia pelo Hospital das Clínicas da FMRP-USP.

Renato Lucas Passos de Souza

Médico Anestesiologista Assistente do Hospital das Clínicas da Faculdade de Medicina de Ribeirão Preto da Universidade de São Paulo (FMRP-USP). Ex-Membro da Equipe de Anestesiologia para Cirurgias de Transplante de Órgãos do Hospital Israelita Albert Einstein (HIAE).

Renato Sena Fusari

Médico em Especialização (ME2) do Centro de Ensino e Treinamento do Centro Médico Campinas. Credenciado pela Sociedade Brasileira de Anestesiologia (SBA).

Ricardo Zanlorenzi

Médico Especializado em Anestesiologia do Centro de Ensino e Treinamento do Grupo de Anestesiologistas Associados Paulista (CET GAAP) do Hospital São Camilo.

Rodrigo Viana Quintas Magarão

Médico graduado pela Escola Bahiana de Medicina e Saúde Pública (EBMSP). Anestesiologista pelo Hospital das Clínicas da Faculdade de Medicina da Universidade de São Paulo (HCFMUSP).

Roseli de Almeida Campos Preto

Graduada em Medicina pela Faculdade de Medicina de Catanduva. Especializada em Anestesiologia no Hopsital das Clínicas da Faculdade de Medicina de Ribeirão Preto (HC-FMRP-USP). Título Superior em Anestesiologia pela Sociedade Brasileira de Anestesiologia (TSA/SBA). Chefe do Serviço de Anestesia MEC do Hospital Beneficência Portuguesa da São José do Rio Preto.

Roseny dos Reis Rodrigues

Médica Anestesiologista e Intensivista. Título Superior de Anestesia pela Sociedade Brasileira de Anestesiologia (TSA-SBA). Título de Especialista em Terapia Intensiva pela Associação de Medicina Intensiva Brasileira (AMIB). Doutorado na Universidade de São Paulo (USP). Supervisora da Anestesia do Pronto-Socorro do Instituto Central do Hospital das Clínicas da Faculdade de Medicina da Universidade de São Paulo (IC-HCFMUSP). Intensivista da Unidade de Terapia Intensiva (UTI) Adulta do Hospital Israelita Albert Einstein (HIAE). Corresponsável na Residência de Anestesia do Centro de Ensino e Treinamento (CET) do HCFMUSP.

Sandra Cristina Amaya

Graduada em Medicina pela Universidade Estadual de Campinas (Unicamp). Residência Médica em Anestesiologia pela Unicamp.

Thais Moura Artiolli

Residente do Centro de Ensino e Treinamento da Sociedade Brasileira de Anestesiologia (CET/SBA) da Faculdade de Ciências Médicas e da Saúde da Pontifícia Universidade Católica de São Paulo (PUC-SP).

Thiago Chaves Amorim

Médico Anestesiologista pelo Hospital Israelita Albert Einstein (HIAE).

Thiago Ramos Grigio

Anestesiologista com Título de Especialista em Anestesiologia pela Sociedade Brasileira de Anestesiologia (TEA/SBA). Mestrado em Pesquisa em Cirurgia pela Irmandade da Santa Casa de Misericórdia de São Paulo (SCMSP). Especialista em Tratamento da Dor pela Associação Médica Brasileira (AMB) pela Irmandade da SCMSP e Instituto do Câncer do Estado de São Paulo (ICESP). Preceptor do Centro de Estudo e Treinamento (CET) em Anestesiologia da SCMSP.

Thiago William Barreto

Médico pela Universidade Federal da Paraíba (UFPB). Membro Assistente da Sociedade Brasileira de Anestesiologia (SBA) no Hospital Santa Marcelina, SP.

Tomas Vitor de Souza Gama Queiroz Teixeira de Barros

Médico pela Universidade Federal da Paraíba (UFPB). Residente do terceiro ano em Anestesiologia na Santa Casa de Santos pela Sociedade Brasileira de Anestesiologia (SBA).

Vanessa Henriques Carvalho

Título Superior em Anestesiologia pela Sociedade Brasileira de Anestesiologia (TSA/SBA). Mestre e Doutora em Farmacologia pela Faculdade de Ciências Médicas da Universidade Estadual de Campinas (FCM-Unicamp). Título de Especialista em Dor. Professora e Doutora MS3-1 do Departamento de Anestesiologia da FCM-Unicamp. Diploma Europeu de Anestesiologia (European Diploma In Anaesthesiology and Intensive Care – EDAIC).

Vivian Aguiar de Ré Rylko

Título de Especialista em Anestesiologia pela Sociedade Brasileira de Anestesiologia (TEA/SBA). Anestesiologista do Hospital de Base de São José do Rio Preto (Fundação Faculdade Regional de Medicina de São José do Rio Preto – Funfarme).

Introdução

A proposta deste livro não é, de modo algum, esgotar todo o conhecimento disponível da anestesiologia, mas sim trazer aos médicos em especialização um resumo dos principais temas a serem abordados nos centros de ensino e treinamento (CETs) de anestesiologia brasileiros.

Assim, procuramos abordar conhecimentos básicos e especializados, que certamente serão úteis na prática diária, bem como no preparo teórico.

Para tanto, convidamos anestesiologistas de diversos CETs do Estado de São Paulo, juntamente com médicos em especialização, obtendo um valioso registro atualizado e focado na realidade do ensino.

O aumento expressivo de conhecimento médico, pautado sobretudo pela medicina baseada em evidências, associado aos avanços tecnológicos proporcionam uma imensidão de conhecimento, cada dia maior na anestesiologia, e esta obra tenta aliar o estado da arte à ciência básica em cada uma das subáreas de atuação.

Em suma, nossa intenção com este livro é estruturar a busca e o raciocínio dos médicos em especialização para adquirirem um conteúdo organizado em meio ao vasto conhecimento atual; no entanto, não se limitando aos assuntos em questão, mas sim incitando aprofundamentos ainda maiores pelos mecanismos de divulgação científica disponíveis.

Elio Barbosa Belfiore

Prefácio

Preservar a vida. Este é o maior objetivo desta obra!

A transitoriedade das verdades que constituem o arcabouço da ciência médica faz da prática clínica desafio permanente dos dedicados a essa arte. O medo pode ser superado a cada instante, se estivermos apoiados na razão e no conhecimento. Assim, acesso rápido ao conteúdo médico de qualidade e atualizado pode determinar o desfecho do nosso paciente.

Da eleição da profissão à graduação médica vão-se seis anos, vividos na intensidade da multiplicação da informação. Não obstante o formidável crescimento técnico e humano encerrado nessa etapa, bem concluí-la traz apenas a certeza do muito ainda a ser explorado. Assim, o jovem médico inicia na Especialização a exponencial escalada que caracteriza essa riquíssima etapa.

A rapidez da evolução da ciência faz da atualização desafio constante comum às diversas áreas da atividade humana. Não há, nesse contexto, exceções a assinalar e, no campo da Anestesiologia, faz-se acima de tudo fundamental ter à mão informação correta, atualizada e estruturada.

Não é outro que este o objetivo da obra que apresentámos aos colegas: servir-lhes de apoio na atuação da Anestesiologia; oferecer-lhes conhecimentos rápidos, precisos e atualizados de modo a apoiá-los na melhor decisão clínica, contribuindo para a preservação da vida dos nossos pacientes.

Na Anestesiologia, não há assuntos irrelevantes, não há informação médica a ser deixada em segundo plano. Tudo vem ao caso, porque a avaliação pré-anestésica, a intervenção central e o pós-operatório são os detalhes divisores entre resultados bons e medíocres. Neste livro, o esforço de seis Editores e 86 Colaboradores torna as informações mais relevantes da Anestesiologia em um guia rápido e conciso. O conteúdo programático, exposto em forma de capítulos didaticamente ordenados e escritos com vernáculo adequado, torna a leitura agradável e de fácil compreensão.

Os autores envolvidos nesta obra, profundos conhecedores da especialidade, estão de parabéns por legarem aos médicos residentes da Anestesiologia e aos pertencentes a outras especialidades, bem como aos anestesistas brasileiros, tão importante livro, que deverá fazer parte do arquivo bibliográfico de todos os que exercem a medicina na sua plenitude.

Luiz Fernando dos Reis Falcão

Sumário

Avaliação Pré-Anestésica

André Marcos de Oliveira
Laís Helena Navarro e Lima
Lucas Esteves Dohler
Murillo Gonçalves Santos

▬ INTRODUÇÃO

A avaliação pré-anestésica representa uma tarefa complexa e multidisciplinar. Engloba avaliação cirúrgica e anestésica, realização de exames, preparação dos pacientes para cirurgia e obtenção do consentimento para realização do procedimento cirúrgico.

No Brasil, foi detalhada com a Resolução CFM N° 2.174/2017, publicada no início do ano de 2018.

▬ RISCO ANESTÉSICO – CIRÚRGICO

A determinação do estado clínico do paciente implica a avaliação do risco perioperatório ou da probabilidade de mortalidade. Com base nesses objetivos, foram criadas diversas classificações e escores, sendo o mais utilizado aquele proposto pela American Society of Anesthesiologists (ASA) (Tabela 1.1).

Tabela 1.1 Risco anestésico		
Classificação	**Descrição do paciente**	**Mortalidade (%)**
ASA I	Paciente hígido, saudável. Sem distúrbios fisiológicos, bioquímicos ou psiquiátricos.	0,06-0,08
ASA II	Paciente com doença sistêmica leve ou moderada, sem limitação funcional. Leve ou moderado distúrbio fisiológico, controlado. Sem acometimento da atividade normal. A condição pode afetar a cirurgia ou a anestesia.	0,27-0,4

Continua

Continuação

Classificação	Descrição do paciente	Mortalidade (%)
ASA III	Paciente com doença sistêmica grave com limitação funcional, mas não incapacitante. Distúrbio sistêmico importante, de difícil controle, com comprometimento da atividade normal e com impacto sobre a anestesia e a cirurgia. Seria um paciente que se enquadraria no ASA II, mas que no momento não apresenta seu distúrbio controlado.	1,8-4,3
ASA IV	Paciente com doença sistêmica grave e incapacitante. Desordem sistêmica severa, potencialmente letal, com grande impacto sobre a anestesia e a cirurgia. Geralmente, trata-se de um paciente que já está internado no hospital com alguma desordem que, se não corrigida ou amenizada, traz um grande risco de morte ao paciente durante o ato cirúrgico ou anestésico. O procedimento deve ser adiado até que sua desordem seja controlada.	7,8-23
ASA V	Paciente moribundo, sem esperança de vida por mais de 24 horas, com ou sem cirurgia. Ele só é operado se a cirurgia ainda for o único modo de salvar a sua vida.	9,4-51
ASA VI	Paciente com morte cerebral, doador de órgãos. Paciente doador de órgãos com diagnóstico de morte encefálica.	-
E	Deve ser adicionado a qualquer classificação do ASA em caso de emergências/urgências.	Dobrar o risco

EXAME FÍSICO

O exame físico mínimo deve incluir sinais vitais (frequência cardíaca, pressão arterial, frequência respiratória, saturação de oxigênio), altura e peso do paciente.

Devem ser avaliados coração (ausculta cardíaca), pulmão (ausculta respiratória) e pele (Tabela 1.2).

Tabela 1.2
Componentes para avaliação da via aérea
• Comprimento dos incisivos superiores;
• Condição dos dentes;
• Tamanho da língua;

Continua

Continuação

- Comprimento e circunferência do pescoço;
- Habilidade de protrusão dos incisivos inferiores à frente dos superiores;
- Distância esternomento (>12,5 cm);
- Amplitude de movimento da cabeça e do pescoço.

■■▶ Via aérea

- Representa isoladamente a avaliação mais importante.
- Classificação de Mallampati: realizada com o paciente sentado, pescoço em posição neutra, boca em abertura total e língua em protrusão máxima (Figura 1.1).

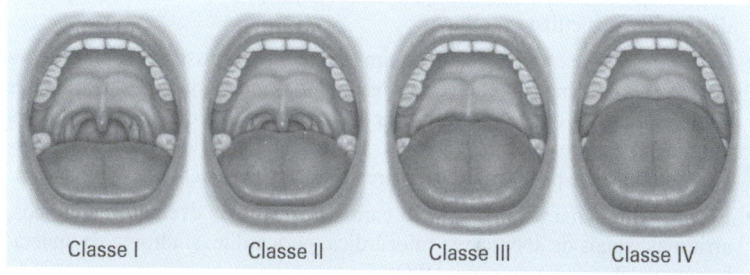

Figura 1.1 – *Classificação de Mallampati. Classe I: palato mole, fauce, úvula e pilares amigdalianos visíveis; Classe II: palato mole, fauce e úvula visíveis; Classe III: palato mole e base da úvula visíveis; Classe IV: palato mole totalmente não visível.*

● EXAMES COMPLEMENTARES

- **Hematócrito (Hb/Ht e plaquetometria):** importante para determinar possíveis anemia e plaquetopenia pré-operatórias e utilizado como referência durante e após a cirurgia. Necessário solicitar para pacientes submetidos a cirurgia de grande porte, em extremos de idade, com antecedentes pessoais de neoplasias, nefropatias, tabagismo, coagulopatias e em uso de anticoagulantes.

- **Tempo de protrombina e tempo de tromboplastina parcial ativada (TP/TTPA):** avalia a função da coagulação sanguínea dos pacientes. Necessários para cirurgias com alto risco de sangramento e pacientes sabidamente com distúrbios de coagulação, com hepatopatias crônicas ou em uso de anticoagulantes.

- **Eletrólitos:** necessário para avaliar deficiências de sódio, potássio, cálcio e magnésio, que podem comprometer funções cognitivas, cardiovasculares e respiratórias no perioperatório. Devem ser solicitados a pacientes com diabetes mellitus, em uso de diuréticos e/ou anti-hipertensivos (classe IECA/

BRA), com doenças cardiovasculares (IAM/ AVC), em uso crônico de corticosteroides e digoxina.

- **Creatinina:** marcador de função renal mais comum, embora com certas limitações, permite classificar os pacientes quanto a possíveis lesões renais para escolha de drogas anestésicas com menor taxa de extração renal e orientação da reposição volêmica no perioperatório. Útil em pacientes com nefropatias em tratamento, diabéticos, com doenças cardiovasculares, em uso de diuréticos e digoxina.

- **Glicose:** avalia a metabolização glicêmica do paciente cirúrgico e o controle em pacientes diabéticos e em uso crônico de corticosteroides.

- **Enzimas hepáticas (transaminases – TGO/TGP):** juntamente com o TP e o TTPA, auxiliam na determinação da função hepática para orientar a administração de anestésicos e a escolha de medicamentos com menor taxa de eliminação hepática. Importante em pacientes com hepatites crônicas, neoplasias de fígado e nos etilistas crônicos.

- **Raios X de tórax:** avalia o parênquima pulmonar e possíveis complicações decorrentes do tabagismo, infecções respiratórias graves, tumores pulmonares ou de mediastino, congestão pulmonar decorrente de ICC classes 3 e 4, doença pulmonar obstrutiva crônica (DPOC). Também ajuda na identificação de desvios de traqueia e para avaliação da área cardíaca do paciente.

- **Eletrocardiograma:** avalia o ritmo cardíaco, possíveis eventos isquêmicos, arritmias, sinais de sobrecarga miocárdica, pericardite, síndrome da apneia/ hipopneia obstrutiva do sono, DPOC.

- **Ecocardiograma:** estima a função miocárdica, a ejeção ventricular, distúrbios valvulares, tamponamento cardíaco, aneurismas ventriculares pós-infarto e tumores.

- **Tipagem sanguínea:** necessário solicitar a todos os pacientes que serão submetidos a cirurgias de médio e grande porte, com potencial sangramento e necessidade de transfusão de hemoderivados, para pacientes com anemia pré-operatória, nefropatias e com neoplasias de medula óssea.

- **Teste de gravidez:** a todas as mulheres em idade fértil.

● MEDICAMENTOS DE USO CRÔNICO E ANESTESIA

- **Inibidores da enzima conversora de angiotensina:** podem causar hipotensão após a indução anestésica em pacientes desidratados. Não há consenso quanto a sua suspensão ou manutenção no dia da cirurgia.

- **Bloqueadores beta-adrenérgicos:** estabelecem bloqueio simpático com depressão miocárdica e bradicardia potencializada por anestésicos. Porém, devem ser mantidos em todo perioperatório, pois previnem taquicardia e picos hipertensivos durante a anestesia e sua recuperação.

- **Clonidina:** usado também como medicação pré-anestésica, pode causar sedação prolongada por ampliar a ação de opioides. Também reduz a

CAM de anestésicos inalatórios e pode causar hipertensão de rebote após sua eliminação.

- Diuréticos: estão relacionados à hipovolemia e a distúrbios hidroeletrolíticos no perioperatório. Não se recomenda suspensão no dia da cirurgia, desde que o paciente esteja em boas condições volêmicas, sem desidratação, hiponatremia ou hipocalemia.

- Hipoglicemiantes orais: importante a suspensão 48 horas antes ou no dia da cirurgia, a fim de se evitar acidose láctica em pacientes com doenças renais principalmente. A manutenção de euglicemia pode ser obtida com insulina de curta duração (Regular).

- Insulina: necessário suspensão de insulinas de longa duração (NPH) no dia da cirurgia e manutenção de euglicemia com insulina de curta duração (Regular) com 1/3 da dose diária durante o jejum.

- Anticoncepcionais: orienta-se suspensão cerca de 1 mês antes da cirurgia, devido ao risco aumentado de eventos tromboembólicos no perioperatório.

- Beta-agonistas inalatórios: devem ser mantidos ao longo de toda a internação para cirurgia eletiva, de modo a se evitar possíveis crises de broncoespasmo em pacientes com asma e DPOC.

- Antidepressivos tricíclicos: não se recomenda suspensão para cirurgias, porém, por se tratar de medicamentos anticolinérgicos, a presença de catecolaminas está proporcionalmente maior no plasma, com predomínio de noradrenalina e adrenalina sobre acetilcolina. Com isso, vasopressores diretos e indiretos podem ter seus efeitos potencializados após a administração, gerando eventuais crises hipertensivas e arritmogênicas. Orienta-se evitar o uso de cetamina e pancurônio em pacientes usuários dessa classe de antidepressivos, uma vez que é possível acentuar o efeito simpaticomimético desses anestésicos.

JEJUM PRÉ-OPERATÓRIO

O jejum pré-operatório foi instituído com o objetivo de garantir o esvaziamento gástrico e prevenir complicações como regurgitação e broncoaspiração (síndrome de Mendelson). (Tabela 1.3)

Tabela 1.3	
Tempo mínimo de jejum por tipo de alimento	
Tipo de alimento	*Tempo mínimo de jejum*
Líquido sem resíduo	2 horas
Leite materno	4 horas
Fórmula infantil	6 horas
Leite não materno	6 horas
Dieta leve	6 horas
Carnes e frituras	8 horas

■ MEDICAÇÃO PRÉ-ANESTÉSICA

A medicação pré-anestésica tem como objetivos principais: diminuição do medo e da ansiedade, amnésia e potencialização de fármacos anestésicos.

Em geral, são utilizadas medicações com início de ação rápido, curta duração, sendo a mais comum o midazolam. Essa medicação pertence ao grupo dos benzodiazepínicos, tem perfil de metabolização que se ajusta a um amplo número de pacientes (crianças a idosos), tem efeitos de hipnose, amnésia, relaxamento muscular e mínimos efeitos sobre os sistemas respiratório e cardiovascular.

- Em adultos podem ser utilizadas as vias: oral (5 a 15 mg) e intramuscular (2,5 a 15 mg).
- Em pediatria podem ser utilizadas as vias: intramuscular (0,05 a 0,1 mg/kg), oral (0,25 a 0,75 mg/kg), sublingual (0,2 a 0,3 mg/kg), nasal (0,2 a 0,3 mg/kg) e retal (0,3 a 0,35 mg/kg).
  - Contraindicações: história de reação paradoxal ou alérgica à medicação, abuso de álcool e drogas, portadores de DPOC, síndrome de apneia obstrutiva do sono, miopatias e miastenia grave.

■ REFERÊNCIAS BIBLIOGRÁFICAS

1. Cangiani LM, Slullitel A, Poterio GMB, Pires OC, Posso IP, Nogueira CS, Ferez D, Callegari DC. Tratado de anestesiologia – SAESP. 7ª edição, Vol. 2. São Paulo: Atheneu, 2004. p.1299-322.
2. Manica J, et al. Anestesiologia: princípios e técnicas. 3ª edição. Porto Alegre: Artmed, 2004. p. 323-41.
3. Miller RD, Eriksson LI, Fleisher LA, Wiener-Kronish JP, Young WL. Millers Anesthesia. Seventh Edition. Elsevier Health Sciences, 2009.
4. Bagatini A, Cangiani LM, Carneiro AF, Nunes RR. Bases do ensino da anestesiologia. 1ª edição. SBA , 2016.
5. American Society of Anesthesiologists Task Force on Preanesthesia Evaluation: Practice advisory for preanesthesia evaluation: A report by the American Society of Anesthesiologists Task Force on Preanesthesia Evaluation. Anesthesiology 2002; 96:485-96. The Practice Advisory was amended by the ASA House of Delegates on October 15, 2003.
6. Solca M. Evidence-based preoperative evaluation. Best Practice & Research Clinical Anaesthesiology 2006; 20(2): 231-6.
7. American Society of Anesthesiologists. Practice guidelines for preoperative fasting and the use of pharmacologic agents to reduce the risk of pulmonary aspiration: Application to healthy patients undergoing elective procedures – a report by the American Society of Anesthesiologists Task Force on Preoperative Fasting. Anesthesiology 1999; 90:896-905.

Capítulo 2

Manejo da Via Aérea

Matheus Miranda
Fabrício de Paula Leite Battisti
Arthur Sevalho Gonçalves
Luiz Fernando dos Reis Falcão

■ INTRODUÇÃO

A anestesia está relacionada a perda da patência da via aérea (VA), de seus reflexos protetores e do *drive* respiratório. Portanto, o manejo da VA é uma habilidade básica e fundamental para a prática anestésica, possibilitando a adequada oxigenação e ventilação, proteção contra broncoaspiração, manutenção anestésica, correção de distúrbios acidobásicos, monitorização respiratória e hemodinâmica, entre outros.

Nas últimas duas décadas tem-se observado importante redução da morbidade e mortalidade relacionadas ao gerenciamento da VA; contudo, esse ainda constitui um desafio diário na prática anestésica.

Espera-se que o anestesiologista tenha como habilidades básicas: conhecimento anatômico da VA, capacidade de avaliá-la e de prever dificuldades em manter sua patência e conhecimento dos algoritmos e instrumentais capazes de auxiliar nas situações de via aérea difícil (VAD).

■ ANATOMIA BÁSICA DA VIA AÉREA E SUAS IMPLICAÇÕES

■❯ Cavidade nasal

São duas cavidades separadas por um septo, tendo o palato como assoalho e a lâmina cribriforme do etmoide como teto. Sua mucosa é altamente vascularizada, demandando cuidado e uso de lubrificantes e/ou vasoconstritor ao passar sondas, termômetros ou tubo traqueal através da cavidade nasal. Observa-se alta prevalência de deformidades do septo nasal, sendo recomendada a exploração digital para a escolha da cavidade mais adequada para a realização de procedimentos. Casos em que há suspeita de fratura da base do crânio (equimose periorbitária e rinorreia liquórica, por exemplo) constituem contraindicação ao uso de dispositivos pela via nasal.

■❭ Cavidade oral

É a principal via de acesso para intubação traqueal e o uso de dispositivos supraglóticos. A presença de secreções, tumores, macroglossia, micrognatia e disfunção temporomandibular pode trazer dificuldades ao manejo da VA.

■❭ Faringe

Subdividida em orofaringe, nasofaringe e laringofaringe, constitui-se em região de importância tanto ao aparelho respiratório quanto ao aparelho digestório. É o sítio mais comum de obstrução durante anestesia ou sedação devido a perda do tônus da musculatura faríngea, o que é facilmente resolvido por meio de manobras de hiperextensão cervical/anteriorização da mandíbula ou uso de cânula oro ou nasofaríngea.

■❭ Laringe

É formada pelas cartilagens tireoide, cricoide, epiglote, aritenoides, corniculadas e cuneiformes e inervada pelos nervos laríngeos superior e inferior. A presença de tumorações e lesão de nervo laríngeo recorrente pode causar obstruções e dificuldades da manutenção da patência da VA.

■❭ Traqueia e brônquios

A traqueia possui de 12 a 14 cm e bifurca-se na carina, dando origem aos brônquios. No adulto, o brônquio direto apresenta-se mais retificado em relação à traqueia, sendo mais predisposto a broncoaspiração e intubação seletiva.

■ AVALIAÇÃO DA VIA AÉREA

A avaliação clínica da VA é parte fundamental da avaliação pré-anestésica. Nesse momento é que serão identificados os fatores que podem dificultar a ventilação sob máscara facial ou intubação traqueal.

■❭ Abertura oral

É desejada abertura oral mínima de 4 cm (ou largura de três dedos). Trismo, disfunção temporomandibular e história de radioterapia de cabeça ou pescoço podem reduzir a abertura oral. Nesse momento deve-se avaliar e documentar o estado de conservação da dentição, a presença de próteses e deformidades da cavidade oral.

■❭ Classificação de Mallampati

Deve ser realizada com o paciente sentado, com abertura oral máxima e protrusão da língua, sem fonação. A classificação é dividida em quatro classes, segundo a visibilização das estruturas da cavidade oral:

- Mallampati I: pilares amigdalianos, fauces, úvula, palato mole e palato duro;
- Mallampati II: fauces, úvula (parcialmente), palato mole e palato duro;

- Mallampati III: úvula (base), palato mole e palato duro;
- Mallampati IV: palato duro.

■■) Distância tireomentoniana

Corresponde à distância entre a cartilagem tireoide e o mento durante a manobra de máxima hiperextensão cervical, sendo satisfatória uma medida maior do que 6 cm. Algumas condições como diabetes, artrite reumatoide, espondilite anquilosante e cirurgia ou trauma cervical podem dificultar ou mesmo impossibilitar a hiperextensão cervical.

■■) Protrusão voluntária da mandíbula

É a avaliação da capacidade de cobrir o lábio superior com os dentes incisivos inferiores.

■■) Fatores preditores de dificuldade de ventilação sob máscara facial[1]

- Idade > 55 anos;
- Índice de Massa Corpórea (IMC) > 26 ou 30 kg/m^2;
- Ausência de dentes;
- Presença de barba;
- História de roncos ou de apneia do sono;
- Sexo masculino;
- Mallampati III ou IV;
- Distância tireomentoniana < 6 cm;
- Protrusão da mandíbula inadequada.

■■) Fatores preditores de dificuldade para colocação de dispositivo supraglótico[2]

- Abertura oral < 4 cm;
- Hipertrofia amigdaliana;
- Sexo masculino;
- Obesidade;
- Pescoço curto ou com restrição à movimentação;
- Dentes em mau estado de conservação;
- Rotação da mesa cirúrgica.

■■) Fatores preditores de dificuldade para intubação orotraqueal[3]

- História prévia de dificuldade de intubação;
- Mallampati > 2;

- Abertura oral < 4 cm;
- Distância tireomentoniana < 6 cm;
- Distância esternomentoniana < 12 cm;
- Dificuldade ou incapacidade de protrusão mandibular voluntária;
- Mobilidade cervical reduzida;
- Circunferência cervical > 40 cm;
- A visão laringoscópica é graduada de I a IV segundo a escala de Cormack-Lehane.

■ CONTROLE DA VIA AÉREA E A PRÁTICA ANESTÉSICA

A estratégia para controle da via aérea é parte fundamental do planejamento anestésico. Nele devem ser contemplados: dados clínicos do paciente, avaliação pré-anestésica, tipo de anestesia e procedimento cirúrgico realizados, quais dispositivos de via aérea serão utilizados, se a indução anestésica ocorrerá antes ou após a intubação traqueal, como será mantida a patência da via aérea no pós-operatório e quais decisões serão tomadas caso o plano inicial falhe. Para auxiliar a tomada de decisões, é importante que o anestesiologista esteja familiarizado com o algoritmo de via aérea difícil da American Society of Anesthesiologists (ASA).

- Posicionamento: etapa fundamental, porém frequentemente subestimada por médicos generalistas e anestesiologistas. Pacientes adultos devem ser posicionados em decúbito dorsal horizontal, com coxim suboccipital, em hiperextensão cervical ("posição olfativa"), objetivando alinhamento adequado entre os eixos oral, faríngeo e laríngeo.

- Pré-oxigenação: passo comum a todos os cenários de abordagem da VA, por possibilitar aumento do tempo de apneia e aumento da margem de segurança do procedimento. Esse procedimento é realizado sob máscara facial utilizando o circuito do aparelho de anestesia ou circuito aberto do tipo Mapleson, com FiO_2 100% e alto fluxo. Essa etapa deve ter duração mínima de 3 minutos ou realização de quatro ou oito manobras de capacidade vital em 30 ou 60 segundos, respectivamente.

- Indução anestésica: pode ser realizada com o uso de fármacos intravenosos ou inalatórios, devendo prover profundidade anestésica suficiente para inibir as respostas fisiológicas da intubação orotraqueal. A escolha da técnica ou dos fármacos deve ser feita com base nos dados clínicos do paciente, nas condições de jejum e no tipo de dispositivo de VA utilizado.

- A técnica de indução mais comumente utilizada inicia-se com pré-tratamento com opioide (alfentanil, fentanil ou sufentanil), seguido do uso de hipnótico (propofol, etomidato, tiopental, midazolam, cetamina, diazepam etc.) e de bloqueador neuromuscular (succinilcolina, atracúrio, cisatracúrio, rocurônio, vecurônio etc.).

- Ventilação sob máscara facial: Apesar de contraindicada em pacientes com risco aumentado de aspiração do conteúdo gástrico, a ventilação manual sob máscara facial é a maneira mais comum de garantir a oxigenação do paciente em apneia, por ser minimamente invasiva e necessitar de equipamento menos sofisticado. É primordial que o médico domine esta técnica. Com os dedos indicador e polegar, o profissional segura a máscara envolvendo nariz e boca, aplicando pressão vertical para baixo com o intuito de vedar e evitar vazamento de ar pelas laterais da máscara. Os demais dedos se apoiam no ramo da mandíbula, realizando uma pressão no sentido horizontal na direção do profissional que ventila, de modo a estender o pescoço.

O uso da cânula orofaríngea (COF) ou nasofaríngea é de grande auxílio na ventilação sob máscara facial. Esse instrumento tem como princípio manter a VA aberta mecanicamente. Para escolha do tamanho certo a cânula deve ser posicionada na lateral do rosto e seu tamanho deve ser a distância entre a comissura labial e o ângulo da mandíbula. A COF deve ser introduzida virada com a extremidade distal apontando para o palato e introduzida na boca; ao chegar no palato mole, deve-se efetura um giro de 180° com a cânula, seguindo o contorno anatômico da cavidade, quando é rodada até que sua curvatura interna esteja em contato direto com a língua, afastando-a da parte posterior da faringe, com suas abas apoiando-se na superfície externa dos dentes.

Consideram-se dificuldades de ventilação a incapacidade do profissional de manter $SpO_2 > 92\%$, escape importante de gás pela máscara, ausência de movimentação torácica ou curva de capnografia e necessidade de duas mãos para acoplamento de máscara.

- Intubação traqueal: a intubação traqueal via oral ou nasal é realizada na maioria das vezes pela laringoscopia direta. O cabo do laringoscópio é articulado com a lâmina escolhida e é empunhado com a mão esquerda; com o polegar e o indicador da mão direita faz-se a abertura dos lábios e da arcada dentária. Segue-se a introdução da lâmina escolhida pela direita da boca do paciente, promovendo o afastamento dos tecidos para a esquerda. Avançando lentamente, procura-se a visibilização da epiglote. Após a identificação da epiglote, a valécula deve ser alcançada com a ponta do laringoscópio. Nesta posição o cabo forma um ângulo aproximado de 45° com o horizonte. Logo se promove o movimento de "pistão" em sentido para cima. Este movimento permite a subluxação da articulação temporomandibular e leva ao deslocamento da língua sobre o espaço retromandibular. O movimento de báscula deve ser evitado devido à possibilidade de lesão dentária. A conjunção dessas manobras gera a congruência dos três eixos (oral, faríngeo e laríngeo) e, portanto, a visibilização das estruturas da laringe superior. Após a identificação correta das estruturas da laringe, o tubo traqueal é seguro com a mão direita e é inserido pelo lado direito da boca do paciente seguindo uma linha que deve interseccionar com a linha da ponta da lâmina do laringoscópio na altura da glote. Isso deve ser feito para que a introdução do tubo não dificulte a visão da laringe superior. Na ocorrência de dificuldade de visibilização das cordas vocais pode-se utilizar a manobra conhecida como BURP (*Backward, Upward Right Pressure*) para facilitar a intubação. Essa manobra é realizada deslocando-se a cartilagem tireoide para a região dorsal, cefálica e direita do paciente.

Em algumas situações é necessária a intubação traqueal por via nasal, que envolve algumas peculiaridades:

- Escolher a cavidade nasal mais patente e introduzir gaze embebida em anestésico local com vasoconstritor;

- Pré-oxigenação;

- Escolher cânula mais adequada (cânulas aramadas, polar norte ou polar sul, por exemplo) e desinsuflar o *cuff*;

- Retirar a gaze embebida em anestésico local e introduzir a cânula nasal;

- Laringoscopia;

- Pinçamento da cânula nasal com auxílio de pinça de Magill, que possibilitará o direcionamento e a introdução da cânula até a fenda glótica;

- Insuflar o *cuff*;

- Checar ausculta e capnografia;

- Contraindicações à intubação por via nasal: suspeita de fratura da base do crânio, epistaxe ativa ou recente, cirurgia nasal recente, deformidade anatômica.

■ INTUBAÇÃO EM SEQUÊNCIA RÁPIDA

A aspiração pulmonar é uma complicação da intubação traqueal cuja incidência varia conforme a população estudada. Deve-se ressaltar que determinados grupos como: pacientes obstétricas, atendimentos em unidade de urgência e emergência, reanimação cardiopulmonar, sepse, obstrução intestinal, doença do refluxo gastroesofágico e gastroparesia diabética, entre outros, elevam de modo importante a sua frequência. Portanto os pacientes de risco devem ser conduzidos como pacientes com estômago cheio, sendo indicada a intubação em sequência rápida, especialmente nos pacientes que apresentam contraindicação de intubação traqueal acordados. Cirurgias em caráter eletivo devem respeitar os critérios de jejum estabelecidos pela American Society of Anesthesiologists (ASA).

A técnica utilizada para a intubação em sequência rápida envolve muitas controvérsias como: posicionamento do paciente (cefaloaclive *versus* cefalodeclive), tempo de pré-oxigenação (3 minutos *versus* 10 minutos), concentração de oxigênio (80% *versus* 100%), eficácia da manobra de Sellick (pressão sobre cartilagem cricoide em direção posterior) etc. Classicamente ela é descrita seguindo estas etapas:

1. Preparo e avaliação do material necessário e monitorização do paciente;

2. Posicionamento adequado como: coxins, altura da mesa, cefaloaclive;

3. Pré-oxigenação por 10 minutos com 100% de oxigênio através de máscara facial coaptada ao rosto;

4. Indução de anestesia com fármacos de ação rápida como: fentanil, alfentanil ou sufentanil; propofol, midazolam ou etomidato; succinilcolina ou rocurônio (dose de 3 a 4 DE_{95}, ou seja, 0,9 a 1,2 mg/kg);

5. Manobra de Sellick (passo opcional);
6. Em princípio não se deve ventilar o paciente;
7. Intubação traqueal;
8. Confirmação da intubação traqueal;
9. Liberação da manobra de Sellick (se realizada).

Na dificuldade de intubação traqueal deve-se, aos poucos, liberar a manobra de Sellick, uma vez que essa manobra dificulta a intubação. No desencadeamento de uma hipoxemia, pode-se dar início à ventilação pulmonar mantendo-se a manobra de Sellick.

◼ INTUBAÇÃO SOB SEDAÇÃO CONSCIENTE ("ACORDADO")

Na presença de suspeita sobre dificuldade para ventilação, é possível realizar o acesso à via aérea com preservação da ventilação espontânea, mantendo o paciente sob sedação consciente. Para tal, é necessária uma boa cooperação do paciente, que deve ser orientado sobre a necessidade e a importância do procedimento. Além disso, é primordial anestesiar a VA.

A anestesia da VA inclui anestesia tópica das cavidades nasal e oral, bloqueio dos nervos laríngeos superiores bilateralmente e instilação traqueal de anestésicos locais.

A anestesia tópica é a alternativa mais adotada para promover insensibilidade das cavidades nasal e oral. É realizada na cavidade nasal com a instalação de lidocaína com vasopressor, seguida de embrocamento com cotonete embebido na mesma solução e tamponamento com gaze igualmente preparada. Lidocaína em geleia pode ser usada para lubrificação do tubo traqueal.

A aposição de gaze embebida em lidocaína a 4% nas fossas piriformes possibilita o bloqueio dos nervos laríngeos superiores. A aspersão de lidocaína a 4% a 10% (*spray*) na mucosa oral e na língua anestesia estas estruturas. Em virtude da rápida absorção através das mucosas, deve-se respeitar a dose tóxica dos anestésicos locais. A anestesia da traqueia faz-se pela injeção de 2 a 3 mL de lidocaína a 2% através da membrana cricotireóidea (por punção) ou das cordas vocais (por fibroscopia ou laringoscopia).

Com anestesia da via aérea efetiva e cooperação do paciente é possível realizar as técnicas de intubação convencionais, como laringoscopia direta, videolaringoscopia ou fibroscopia. Após a intubação, prossegue-se com a indução anestésica venosa habitual.

◼ DISPOSITIVOS SUPRAGLÓTICOS

Os dispositivos supraglóticos incluem uma ampla gama de equipamentos que são inseridos na faringe às cegas com o intuito de prover ventilação sem a necessidade de intubar o paciente. A máscara laríngea (ML) é a mais utilizada e um dos equipamentos mais importantes no resgate da via aérea. Existem diversos modelos, cada um com suas particularidades, mas com o mesmo princípio de um *cuff* oval que é posicionado na hipofaringe, formando um selo nos tecidos periglóticos, podendo conter um canal de aspiração gástrica.

Técnica de inserção da ML:

1. A ponta do *cuff* é pressionada para cima, contra o palato duro, pelo dedo indicador, enquanto o dedo médio abre a boca;
2. A ML é pressionada para trás num movimento suave, e a mão não dominante é utilizada para estender a cabeça;
3. A ML é avançada até que é sentida uma resistência definitiva;
4. A mão não dominante segura a ML para impedir o seu desalojamento durante a remoção do dedo indicador;
5. O *cuff* é insuflado até a pressão máxima de 60 mmHg.

VIA AÉREA DIFÍCIL

Situação clínica na qual um anestesiologista convencionalmente treinado se depara com dificuldade para ventilar sob máscara facial, dificuldade ou impossibilidade de intubação traqueal, ou ambas as situações.

Segundo a Task Force on Difficult Airway Management da ASA, deve-se:[4]

1. Avaliar a probabilidade e o impacto clínico do manejo dos seguintes problemas:
- Dificuldade de colaboração ou de compreensão;
- Dificuldade de ventilação sob máscara facial;
- Dificuldade de posicionamento de dispositivo supraglótico;
- Dificuldade de laringoscopia;
- Dificuldade de intubação traqueal;
- Dificuldade de acesso cirúrgico à via aérea.
2. Buscar ativamente oportunidades de oferecer oxigênio suplementar ao paciente durante o manejo da via aérea difícil;
3. Considerar o mérito relativo e a viabilidade dos seguintes métodos:
- Intubação acordado *versus* intubação após indução anestésica;
- Técnica não invasiva para abordagem inicial *versus* técnica invasiva para abordagem inicial;
- Preservação *versus* interrupção da ventilação espontânea.

Deve-se destacar que um instrumento de auxílio para laringoscopia direta de grande valia é o Bougie, que consiste em um estilete semimaleável que pode ser introduzido na traqueia durante uma laringoscopia com visibilização apenas da epiglote, sem ser possível enxergar as cordas vocais, passando a servir como guia para o tubo traqueal.

REFERÊNCIAS BIBLIOGRÁFICAS

1. Kheterpal S, Healy D, Aziz MF, et al. Incidence, predictors, and outcome of difficult mask ventilation combined with difficult laryngoscopy: a report from the multicenter perioperative outcomes group. Anesthesiology 2013; 119:1360.

2. Ramachandran SK, Mathis MR, Tremper KK, et al. Predictors and clinical outcomes from failed Laryngeal Mask Airway Unique™: a study of 5,795 patients. Anesthesiology 2012; 116:1217.

3. Cook TM, MacDougall-Davis SR. Complications and failure of airway management. Br J Anaesth 2012; 109 Suppl 1:i68

4. Apfelbaum JL, Hagberg CA, Caplan RA, et al. Practice guidelines for management of the difficult airway: an updated report by the American Society of Anesthesiologists Task Force on Management of the Difficult Airway. Anesthesiology 2013; 118:251.

Capítulo 3

Anestesia do Neuroeixo

Gabriel José Redondano Oliveira
Larissa de Castro e Sá Oliveira

RAQUIANESTESIA

Introdução e histórico

Em 1884, Carl Koller, um oftalmologista, obteve analgesia ocular com o uso tópico de cocaína.[1] O uso como anestésico local em nervos e tecidos da cocaína foi descrito por William Halsted e Richard Hall.[2] Em 1885, um neurologista chamado James Corning aplicou cocaína intratecal em cachorros. Nesse experimento, não foi descrita a saída de líquido cefalorraquidiano (LCR) e foi descrita uma longa latência, o que leva à conclusão de que, possivelmente, foi realizada uma peridural em vez de raquianestesia.[3]

Em 1898, August Karl Gustav Bier realizou raquianestesia em seis pacientes, com relativo sucesso, e, entusiasmado com o resultado, ele e seu assistente, Otto Hildebrandt, passaram pela experiência da raquianestesia. Ambos desenvolveram cefaleia pós-punção dural (CPPD), a qual Bier relacionou à perda de LCR.[4]

O desenvolvimento precoce das agulhas espinhais acompanhou o desenvolvimento precoce da anestesia espinhal. Corning escolheu uma agulha de ouro que tinha um ponto de bisel curto, cânula flexível e parafuso de fixação que fixa a agulha à profundidade de penetração dural. Corning também usou um introdutor para a agulha, que estava em ângulo reto. Quincke usou uma agulha chanfrada que era afiada e oca. Bier desenvolveu sua própria agulha afiada, que não exigia um introdutor. A agulha era de maior diâmetro (15 ou 17G), com um bisel de corte longo. Os principais problemas com a agulha de Bier foram dor na inserção e perda de anestésico local devido ao grande orifício na dura após a punção dural. A agulha de Barker não tinha uma cânula interna, era feita de níquel e tinha um chanfro de comprimento médio e afiado com um estilete correspondente. Labat desenvolveu uma agulha de níquel inquebrável que tinha um chanfro afiado, de comprimento curto, com um estilete correspondente. Labat acreditava que o bisel curto minimizava os danos aos tecidos quando inserido na parte de trás.

Herbert Greene percebeu que a perda de LCR foi um grande problema na anestesia espinhal e desenvolveu uma ponta lisa em agulha de menor calibre, que resultou em uma menor incidência de CPPD.[5] Barnett Greene descreveu o uso em obstetrícia de uma agulha espinhal de calibre 26, com uma incidência diminuída de CPPD.[23] A agulha Greene foi muito popular até a introdução da agulha Whitacre. Hart e Whitacre usaram uma agulha de ponto de lápis para diminuir CPPD de 5-10% para 2%. Sprotte modificou a agulha de Whitacre e publicou seu julgamento de mais de 34.000 anestésicos espinhais em 1987. As modificações da agulha de Sprotte ocorreram nos anos 1990 para produzir a agulha que está em uso hoje[6] (Figura 3.1).

A raquianestesia tem progredido muito desde 1885 e é usada com sucesso em várias situações clínicas diferentes. No entanto, a anatomia, a escolha do anestésico local, os efeitos fisiológicos da raquianestesia, o posicionamento do paciente e a abordagem da raquianestesia devem ser considerados. O paciente deve sempre ser avisado sobre os possíveis efeitos colaterais e complicações que podem ocorrer com a realização de uma anestesia espinhal, a fim de se obter o consentimento informado antes do procedimento. Se todos esses fatores são propícios para o paciente receber um bloqueio neuroaxial, cuidado deve ser tomado para evitar complicações. Aprender a realizar anestesia espinhal é uma habilidade inestimável, que todos os anestesistas devem ter em seu arsenal.

■■▶ Anatomia funcional do bloqueio espinhal

Ao analisar a anatomia funcional do bloqueio espinhal, deve-se ter conhecimento profundo da coluna vertebral, da medula espinhal e dos nervos espinhais. Este capítulo revisa brevemente as curvas da coluna vertebral, os ligamentos da coluna vertebral, as membranas e comprimento da medula espinhal. A coluna vertebral é constituída por 33 vértebras: sete cervicais, 12 torácicas, cinco lombares, cinco sacrais e quatro segmentos coccígeos. A coluna vertebral geralmente contém três curvaturas, como mostra a Figura 3.2. As curvas cervical e lombar são convexas anteriores, e a curva torácica é convexa posterior. As curvas da coluna vertebral, juntamente com a gravidade, a baricidade do anestésico local e a posição do paciente, influenciam a disseminação de anestésicos locais no espaço subaracnóideo. A Figura 3.3 ilustra a coluna vertebral, as vértebras, os discos intervertebrais e os forames.

Cinco ligamentos juntos mantêm a coluna vertebral. Os ligamentos supraespinhosos conectam os ápices dos processos espinhosos da sétima vértebra cervical (C7) ao sacro. O ligamento supraespinhoso é conhecido como ligamento nucal na área acima de C7. Os ligamentos interespinhosos conectam

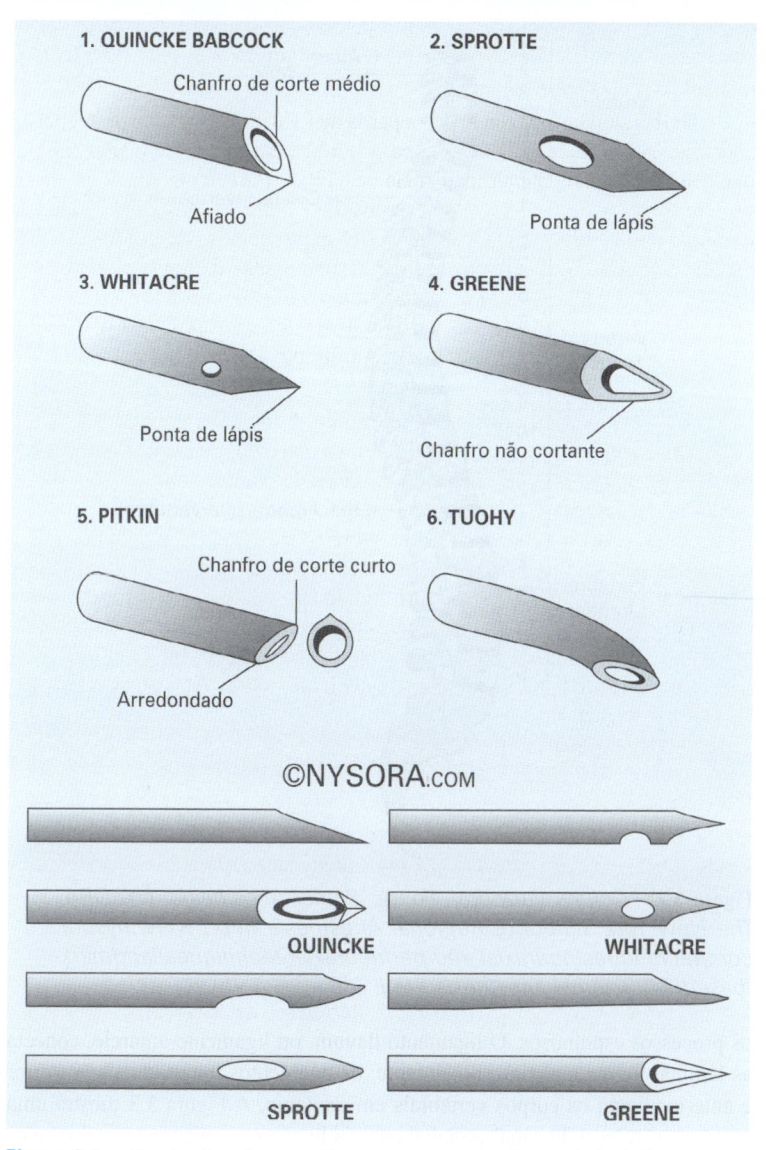

Figura 3.1 – *Evolução das agulhas para anestesia espinhal. Fonte: Spinal Anesthesia. NYSORA - The New York School of Regional Anesthesia http://www.nysora.com/techniques/neuraxial-and-perineuraxial-techniques/landmark-based/3423-spinal-anesthesia.html*

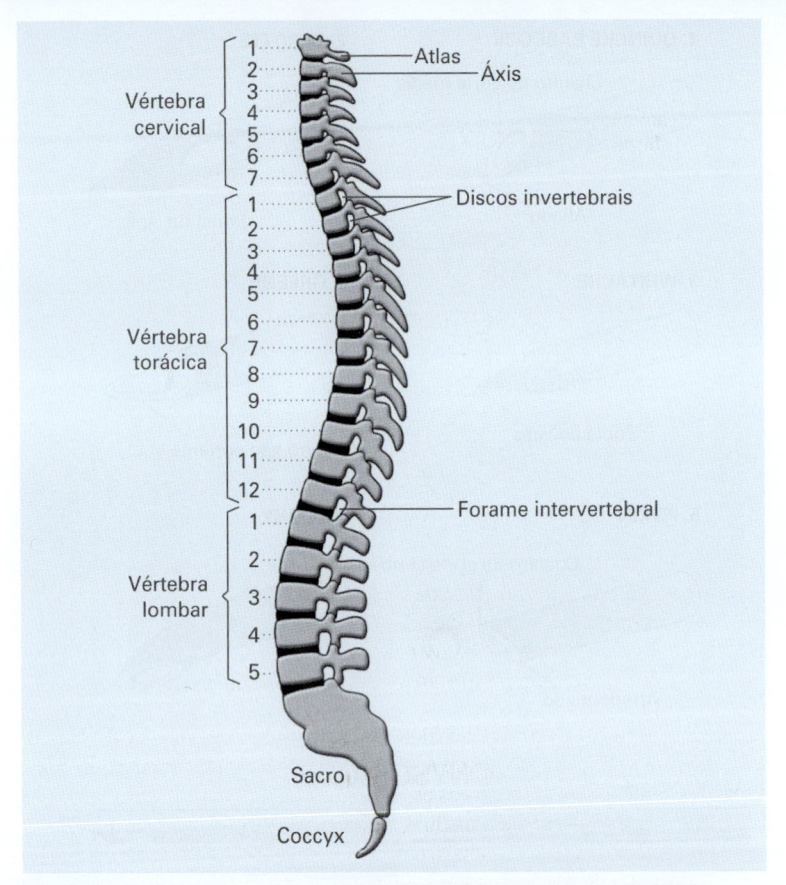

Figura 3.2 – *Coluna vertebral. Fonte: Spinal Anesthesia. NYSORA - The New York School of Regional Anesthesia http://www.nysora. com/techniques/neuraxial-and-perineuraxial-techniques/landmark- -based/3423-spinal-anesthesia.html.*

os processos espinhosos. O ligamento flavum, ou ligamento amarelo, conecta as lâminas acima e abaixo. Finalmente, os ligamentos longitudinais posterior e anterior ligam os corpos vertebrais em conjunto. A Figura 3.3 mostra uma secção transversal do canal espinhal com os ligamentos, o corpo vertebral e os processos espinais.

As três membranas que protegem a medula espinhal são a dura-máter, a aracnoide e a pia-máter. A dura-máter é a camada mais externa. O saco dural estende-se até a segunda vértebra sacral (S2). A aracnoide é a camada média, e o espaço subdural situa-se entre o dura-máter e a aracnoide. A aracnoide também termina em S2, como o saco dural. A pia-máter adere à superfície

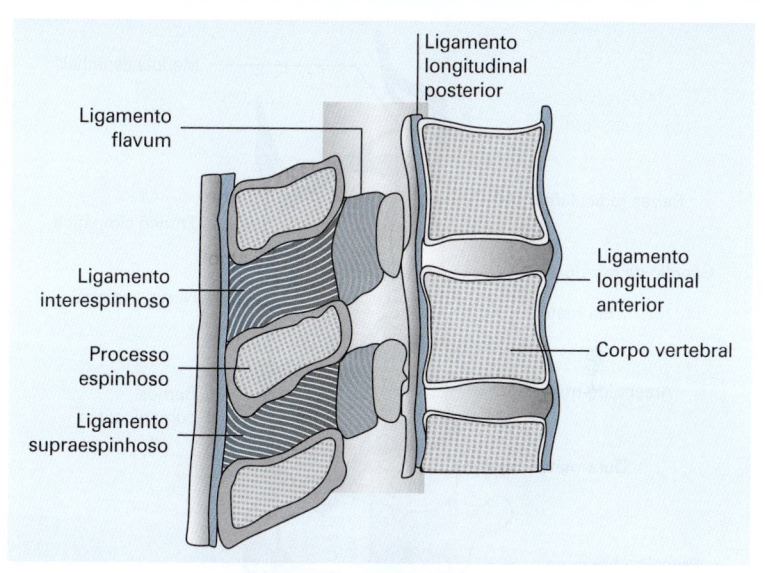

Figura 3.3 – *Secção transversal das vértebras lombares e da medula espinhal. Fonte: Spinal Anesthesia. NYSORA - The New York School of Regional Anesthesia http://www.nysora.com/techniques/neuraxial-and-perineuraxial-techniques/landmark-based/3423-spinal-anesthesia.html.*

da medula espinhal e termina no filo terminal, que ajuda a manter da medula espinhal ao sacro . O espaço entre a aracnoide e a pia-máter é conhecido como espaço subaracnóideo, e os nervos espinhais correm nesse espaço, assim como o LCR. A Figura 3.4 retrata a medula espinhal, os gânglios da raiz dorsal e as raízes ventrais, os nervos espinhais, o tronco simpático, os ramos comunicantes e a pia, a aracnoide e a dura-máter.

O comprimento da medula espinhal varia de acordo com a idade. No primeiro trimestre da formação, a medula espinhal estende-se até a extremidade da coluna vertebral, mas, à medida que o feto se desenvolve, a coluna vertebral aumenta mais que a medula espinhal. Ao nascimento, a medula espinhal termina em aproximadamente L3. No adulto, a medula termina em L1 em 60% das pessoas, em 30% termina em T12 e em 10%, em L3. A Figura 3.5 mostra uma secção transversal das vértebras lombares e da medula espinhal. A posição do cone medular, cauda equina, terminação do saco dural e filo terminal é mostrada. A medula espinhal sacra já foi relatada em adulto, porém isso é extremamente raro.

O nível do término da medula espinhal deve ser sempre mantido em mente quando um bloqueio neuraxial é realizado, uma vez que a injeção no cordão pode causar grandes danos e resultar em paralisia.[7] Ao se preparar para o bloqueio anestésico espinhal, é importante encontrar marcos no paciente. As cristas ilíacas posteriores geralmente marcam o espaço entre L4-L5, e uma

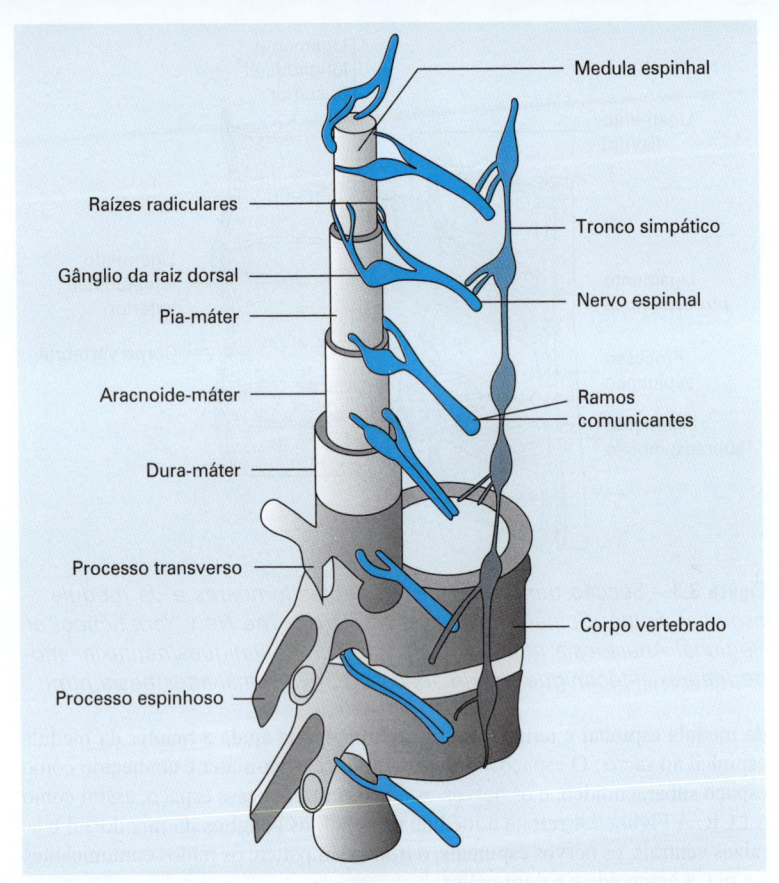

Labels in figure:
- Medula espinhal
- Raízes radiculares
- Gânglio da raiz dorsal
- Pia-máter
- Aracnoide-máter
- Dura-máter
- Processo transverso
- Processo espinhoso
- Tronco simpático
- Nervo espinhal
- Ramos comunicantes
- Corpo vertebrado

Figura 3.4 – *Coluna vertebral. Fonte: Spinal Anesthesia. NYSORA -The New York School of Regional Anesthesia http://www.nysora.com/techniques/neuraxial-and-perineuraxial-techniques/landmark-based/3423-spinal-anesthesia.html.*

linha, a linha de Tuffier, pode ser desenhada entre elas para ajudar a localizar esse espaço.

Embora a correlação anatômica dos espaços intervertebrais demonstre considerável variação, que pode ser confirmada com uso da sonoanatomia, algumas referências anatômicas são demonstradas na Figura 3.6.

Na realização do bloqueio do neuroeixo, temos que considerar qual a altura desejada do bloqueio, ou seja, até qual dermátomo deverá ser anestesiado, como ilustrado na Figura 3.7, e os níveis necessários mostrados na Tabela 3.1, lembrando que o bloqueio simpático atinge de dois a seis dermátomos, acima do bloqueio sensitivo.

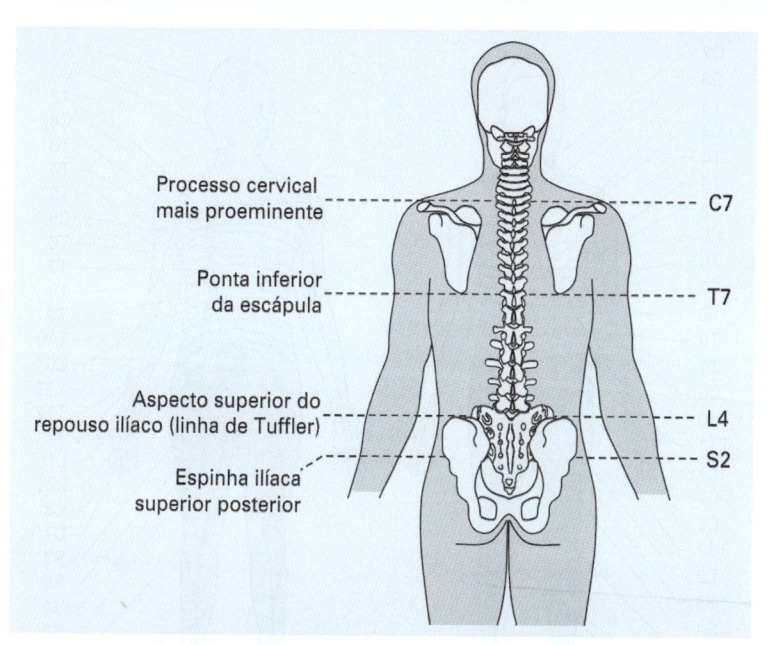

Figura 3.5 – *Identificação de pontos na coluna vertebral. Fonte: Spinal Anesthesia. NYSORA - The New York School of Regional Anesthesia http://www.nysora.com/techniques/neuraxial-and-perineuraxial-techniques/landmark-based/3423-spinal-anesthesia.html.*

■▶ Farmacologia

A escolha do anestésico local baseia-se na potência do agente, no início e na duração da anestesia e nos efeitos colaterais do fármaco. São utilizados dois grupos distintos de anestésicos locais na anestesia espinhal: ésteres e amidas, que se caracterizam pela ligação da porção aromática à cadeia intermédia. Os ésteres contêm uma ligação éster entre a porção aromática e a cadeia intermédia, e os exemplos incluem procaína, cloroprocaína e tetracaína. As amidas contêm uma ligação amida entre a porção aromática e a cadeia intermédia, e os exemplos incluem bupivacaína, ropivacaína, etidocaína, lidocaína, mepivacaína e prilocaína. Embora o metabolismo seja importante para a determinação da atividade dos anestésicos locais, a solubilidade lipídica, a ligação às proteínas e o pKa também influenciam a atividade.

A farmacocinética dos anestésicos locais inclui a absorção e a eliminação da droga. Quatro fatores desempenham um papel na captação de anestésicos locais do espaço subaracnóideo para o tecido neuronal:

• Concentração de anestésico local no LCR;

• Área superficial do tecido nervoso exposto ao LCR;

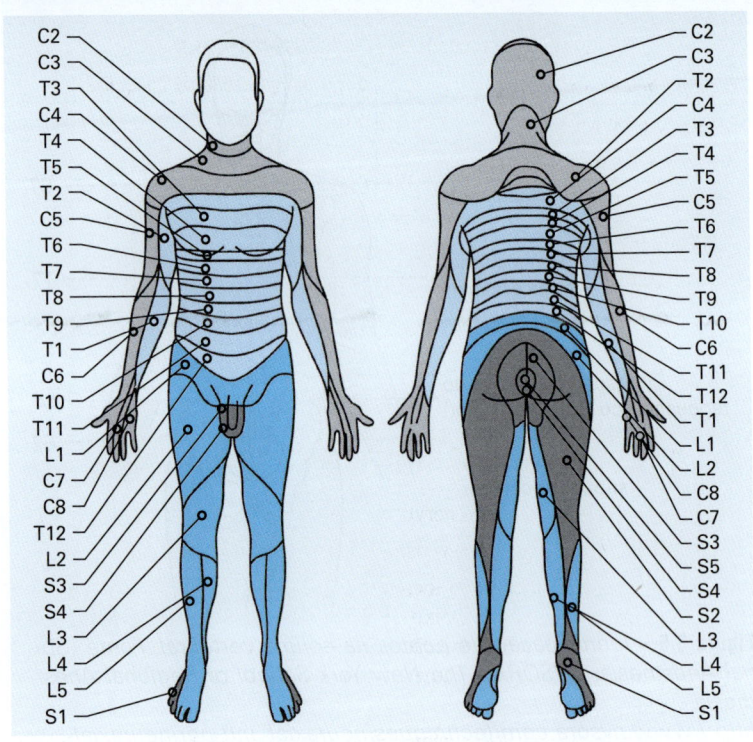

Figura 3.6 – *Correlação anatômica dos espaços intervertebrais.*

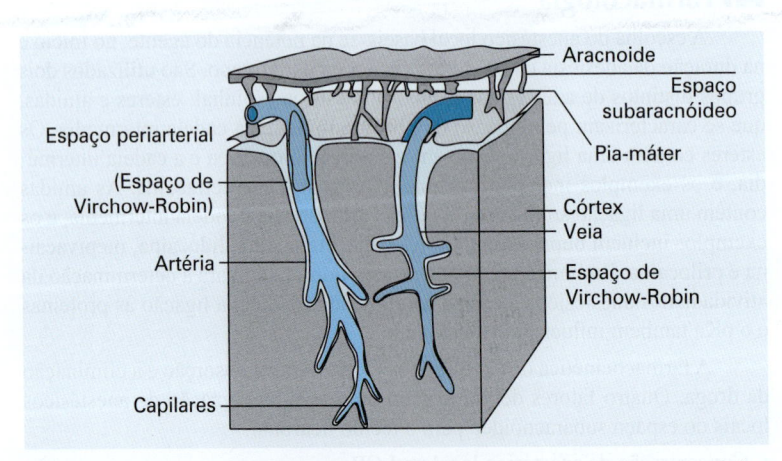

Figura 3.7 – *Estruturas das três membranas que protegem a medula espinhal.*

Tabela 3.1
Correlação anatômica dos espaços intervertebrais

Local do bloqueio sensitivo	Local da aplicação da anestesia
Cicatriz umbilical	T10
Apêndice xifoide	T6
Mamilos	T4
Abdome alto	T4
Ginecológicas	T6
Parto Quadril	T10
Amputação de perna	L1
Pés	L2
Perineais	S2-S5

- Conteúdo lipídico do tecido nervoso;
- Fluxo sanguíneo ao tecido nervoso.

A captação de anestésico local é maior onde há maior concentração no LCR e é diminuída acima e abaixo desse ponto. A captação e a disseminação de anestésicos locais após a injeção espinhal são determinadas por múltiplos fatores, incluindo a dose, o volume e a baricidade do anestésico local e o posicionamento do paciente.

Tanto as raízes nervosas quanto a medula espinhal absorvem anestésicos locais após a injeção no espaço subaracnóideo. Quanto mais área superficial da raiz nervosa exposta, maior a captação de anestésico local. A medula espinhal tem dois mecanismos para captação de anestésicos locais. O primeiro mecanismo é a difusão do LCR para a pia-máter e para a medula espinhal, que é um processo lento. Somente a porção mais superficial da medula espinhal é afetada pela difusão de anestésicos locais. O segundo método de captação de anestésico local é, por extensão, nos espaços de Virchow-Robin, que são as áreas de pia-máter que rodeiam os vasos sanguíneos que penetram no sistema nervoso central. Os espaços de Virchow-Robin se conectam com as fendas perineuronais que cercam os corpos das células nervosas na medula espinhal e penetram através das áreas mais profundas da medula espinhal. A Figura 3.7 é uma representação dos espaços periarteriais de Virchow-Robin em torno da medula espinhal.

A altura do bloqueio espinhal vai ser influenciada por:[9]

- Dose do AL (volume e concentração);
- Local de injeção;
- Baricidade do AL;
- Postura do paciente;

- Volume de LCR;
- Densidade do LCR.

A baricidade desempenha um papel importante na determinação da disseminação do anestésico local no espaço espinhal e é igual à densidade do anestésico local dividida pela densidade do LCR a 37 °C. Os anestésicos locais podem ser hiperbáricos, hipobáricos ou isobáricos em relação ao LCR, e a baricidade é o principal determinante de como o anestésico local é distribuído ao ser injetado no LCR. A Tabela 3.2 compara a densidade, a gravidade específica e a baricidade de diferentes substâncias e anestésicos locais. A Tabela 3.3 apresenta informações sobre dose, duração e latência dos anestésicos locais mais utilizados na raquianestesia.

Muitos fármacos são utilizados como adjuvantes nos bloqueios do neuroeixo, porém podem ser acompanhados de efeitos colaterais, tendo

Tabela 3.2 Densidade, gravidade específica e baricidade de diferentes substâncias e anestésicos locais		Densidade	Gravidade Específica	Baricidade
Água		0,9933	1,0000	0,9930
LCR		1,0003	1,0069	1,0000
Hipobárico				
Tetracaína	0,33% em água	0,9980	1,0046	0,9977
Lidocaína	0,5% em água	N/A	1,0038	0,9985
Isobárico				
Tetracaína	0,5% em 50% LCR	0,9998	1,0064	0,9995
Lidocaína	2% em água	1,0003	1,0066	1,0003
Bupivacaína	0,5% em água	0,9993	1,0059	0,9990
Hiperbárico				
Tetracaína	0,5% em 5% dextrose	1,0136	1,0203	1,0133
Lidocaína	5% em 7,5% dextrose	1,0265	1,0333	1,0265
Bupivacaína	0,5% em 8% dextrose	1,0210	1,0278	1,0207
Bupivacaína	0,75% em 8% dextrose	1,0247	1,0300	1,0227

Tabela 3.3 Dose, duração e latência dos anestésicos locais mais utilizados na raquianestesia				
	Dose (mg)		Duração (min)	Latência (min)
	p/T10	p/T4		
Lidocaína 5%	50-75	75-100	60-70	3-5
Bupivacaína 0,5%	8-12	14-20	90-150	5-8

sido descritos até mesmo danos neurológicos graves, como se observa na Tabela 3.4.

Tabela 3.4
Fármacos adjuvantes nos bloqueios do neuroeixo

Droga	Ação	Benefício	Efeitos colaterais
Opioides	• Receptores opioides	• Analgesia	• Náusea, retenção urinária, depressão respiratória
Vasoconstritor	• Proteína G • Fosfolipase C • Influxo de Ca	• Prolonga efeito • Diminui absorção	• Efeitos simpáticos • Isquemia
Bicarbonato	• Aumenta PH • Fração NI	• Diminui latência	
Cetamina	• Receptores NMDA	• Prevenção dor crônica	• Cefaleia, dor lombar • Neurotoxicidade IT
Midazolam	• Receptores GABA • Canais de cloro	• Prolonga analgesia • Baixa NVPO	• Neurotoxicidade
Neostigmina	• Inibe colinesterase Receptores M e N	• Analgesia sem bloqueio motor	• Náusea e vômito
Clonidina	• Alfa 2	• Prolonga analgesia	• Sedação, hipotensão, bradicardia

■❱ Técnicas de punção

A punção lombar pode ser feita com o paciente sentado ou em decúbito lateral, podendo ser mediana, paramediana ou utilizando a técnica de Taylor.

■❱ *Punção mediana*

Se a abordagem mediana for utilizada, deve-se palpar o espaço desejado e injetar anestésico local na pele e tecido subcutâneo. A agulha introdutora é colocada com um ligeiro ângulo cefálico de 10 a 15 graus, mais próximo do processo espinhoso inferior, e, em seguida, a agulha espinhal é passada através do introdutor. A agulha passa pelo tecido subcutâneo, ligamento supraespinho-so, ligamento interespinhoso, ligamento amarelo, espaço peridural, dura-máter e aracnoide, para atingir o espaço subaracnóideo.

A resistência muda à medida que a agulha espinhal passa por cada nível no caminho para o espaço subaracnóideo. O músculo tem menos resistência à agulha espinhal do que os ligamentos. Quando a agulha espinhal vai perfurar a dura-máter, muitas vezes é sentido um "pop". Assim que esse "pop" é sentido, o estilete deve ser removido do introdutor para verificar o fluxo de LCR. Para agulhas espinhais de pequeno calibre (calibres 26-29), isso geralmente leva 5-10 segundos, mas em alguns pacientes pode levar 1 minuto ou mais. Se não houver fluxo, a agulha pode estar obstruída, e girá-la 90 graus pode ser útil. A agulha pode ser obstruída por fragmentos de ligamento, gordura ou até osso, sendo necessário, em alguns casos, retirar a agulha e limpar o orifício antes de tentar outra punção. Finalmente, se o LCR não flui livremente, a agulha espinhal pode não estar na posição correta, devendo então ser reposicionada.

■❙❱ Punção paramediana

Se o paciente tiver um ligamento interespinhoso fortemente calcificado ou dificuldade em flexionar a coluna vertebral, pode ser utilizada uma abordagem paramediana para se conseguir anestesia espinhal. O paciente pode estar sentado ou em decúbito lateral. Após identificar o nível correto para a realização da anestesia espinhal, o processo espinhoso é palpado. A agulha deve ser inserida 1 cm lateral à linha mediana e direcionada para o centro, em um ângulo entre 10-15 graus. O ligamento amarelo é, geralmente, a primeira resistência identificada, uma vez que nessa punção não passamos pelos ligamentos supra e interespinhoso, mas às vezes a lâmina é contactada. Se esse for o caso, o redirecionamento da agulha deve ser realizado.

■❙❱ Técnica de Taylor

A abordagem de Taylor, ou lombossacra, para a raquianestesia é uma abordagem paramediana direcionada para o espaço L5-S1. Devido ao fato de que este é o maior espaço, a abordagem de Taylor pode ser usada quando outras abordagens não são bem sucedidas ou não podem ser realizadas. O paciente pode estar sentado ou em decúbito lateral.

A agulha deve ser inserida em um ponto 1 cm medial e inferior à espinha ilíaca posterior superior e, em seguida, cefalizada entre 45-55 graus. Este deve ser mediano o suficiente para atingir a linha média no processo espinhoso L5. Após a inserção da agulha, o primeiro feixe de resistência significativo é o ligamento amarelo, e, em seguida, a dura-máter é perfurada para permitir o fluxo livre de LCR à medida que o espaço subaracnóideo é inserido. A Figura 3.8 mostra a abordagem de Taylor para a raquianestesia.

■❙❱ Efeitos fisiológicos

Após um bloqueio espinhal alguns efeitos são esperados, e o tratamento vai depender da intensidade das alterações e da reserva funcional do paciente.

Devido ao bloqueio simpático, ocorre aumento do peristaltismo com e das secreções gastrointestinais, com relaxamento esfincteriano; portanto, na ocorrência de náuseas, o uso de um anticolinérgico pode ser muito útil.

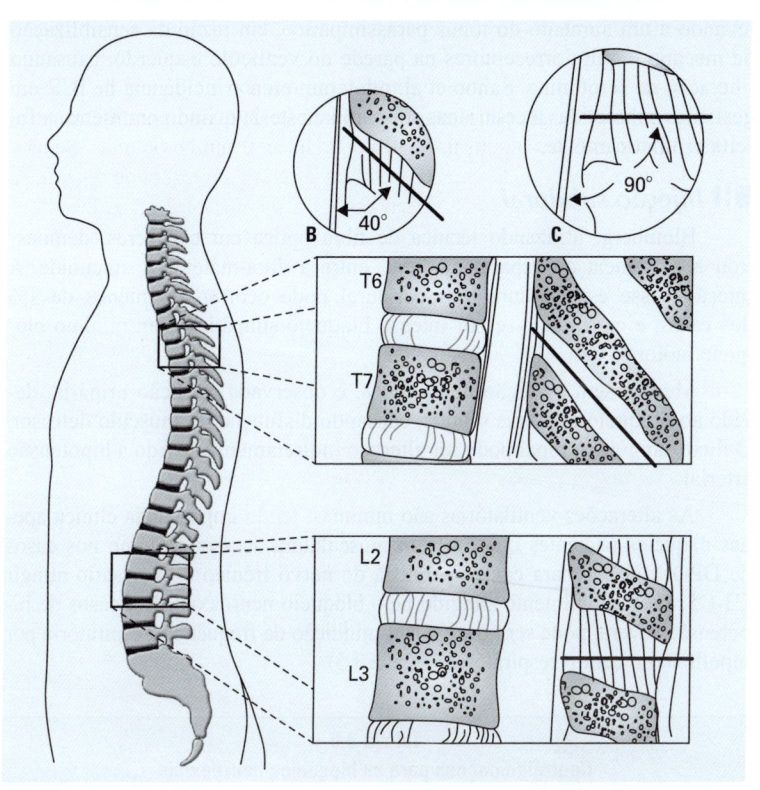

Figura 3.8 – *Abordagem de Taylor para a raquianestesia.*

Após a instalação do bloqueio, tem-se grande vasodilatação com redução da pré-carga, acompanhada, muitas vezes, de bradicardia.

Estas são as causas de bradicardia após um bloqueio espinhal:

1. Tônus vagal aumentado – "simpatectomia química" T2-T5;
2. Bloqueio de fibras cardioaceleradoras (T1-T4);
3. Reflexo de Bezold-Jarisch – bradicardia secundária à queda do retorno venoso.

■I▶ Reflexo de Bezold-Jarisch

O reflexo de Bezold-Jarisch (RBJ) tem sido implicado como causa de bradicardia, hipotensão e colapso cardiovascular após a anestesia no neuroeixo e, em particular, a raquianestesia. O RBJ é um reflexo cardioinibitório e consiste na tríade de sintomas bradicardia, hipotensão e colapso cardiovascular, observados após injeção intravenosa de veratrum alcaloides em animais.[10] Seu mecanismo pode ser devido a uma queda de retorno venoso, levando a um aumento do tônus parassimpático, em razão da sensiblização de mecano e quimiorreceptores na parede do ventículo esquerdo, causando liberação de serotonina. Sahoo et al. relataram menor incidência de BJR em gestantes submetidas a cesarianas sob raquianestesia quando ondasetrona foi feita profilaticamente.[11]

■❙❙ Injeção subdural

Blomberg, utilizando técnica de fibra óptica em cadáveres, demonstrou a existência do espaço subdural, entre a dura-máter e a aracnoide. A injeção nesse espaço durante a peridural pode ocorrer em menos de 1% dos casos, e caracteriza-se por intenso bloqueio simpático com mínimo bloqueio motor.

Mesmo sem a adição de opioides, é observada retenção urinária, devido ao bloqueio de fibras sacrais, causando disfunção do músculo detrusor. O fluxo sanguíneo renal pode ser alterado indiretamente devido à hipotensão arterial.

As alterações ventilatórias são mínimas, tendo importância clínica apenas naqueles pacientes que utilizam musculatura acessória, como nos casos de DPOC, já que para causar paralisia do nervo frênico é necessário atingir C3-C5, nível dificilmente atingido pelo bloqueio neuroaxial. Em casos de hipotensão severa, pode ser observada diminuição da frequência respiratória por hipofluxo do centro respiratório (Tabela 3.5).

Tabela 3.5 Contraindicações para os bloqueios neuroaxiais
Absolutas
• Recusa do paciente; • Sépsis no local da injeção; • Hipovolemia; • Coagulopatia; • Doença neurológica indeterminada; • Aumento da pressão intracraniana.
Relativas
• Infecção distinta do local de injeção; • Duração desconhecida da cirurgia.

■❙❙ Complicações

• Lesão neurológica transitória – dor lombar com disestesias em membros inferiores, quadro autolimitado, geralmente regride em até 14 dias, associado ao uso de lidocaína 5% na raquianestesia e perneiras rígidas;

- Síndrome da cauda equina – o uso de microcateteres pode causar maior concentração em fibras sacrais, causando disfunções esfincteriana, vesical, intestinal, geralmente irreversíveis;
- Cefaleia pós-punção dural (Tabela 3.6);
- Aracnoidite adesiva – contaminação, irritantes;
- Meningite;
- Bloqueio espinhal alto;
- Hematoma subdural craniano – cefaleia que não melhora com o decúbito;
- Hematoma espinhal – incidência aumentada, provavelmente dado o maior uso de substâncias anticoagulantes; portanto, faz-se necessário respeitar o tempo mínimo de suspensão de cada droga, como mostrado na Tabela 3.7.

PERIDURAL

O espaço peridural é um reservatório distensível através do qual as drogas se difundem e são removidas por difusão no tecido subcutâneo, absorção vascular e perda pelos forames. A dispersão do anestésico dentro do espaço peridural, e subsequente altura do bloqueio, está relacionada a uma variedade de fatores, e nem todos podem ser controlados pelo anestesiologista (Tabela 3.8).

Tabela 3.6 Cefaleia pós-punção dural
Cefaleia pós-punção dural
• Quadro clínico: cefaleia postural, com náuseas, vômitos, retro-orbital, início em 12-72 h, diplopia (VI par); • Etiologia: hipotensão liquórica; • Fatores de risco: mulher, jovem, agulhas de maior calibre, gestação, várias punções, agulha cortante; Fatores não relacionados: raqui contínua, tempo para deambulação.
Tratamento
• Repouso; • Hidratação; • DDAVP (desmopressina); • Cafeína; • Sumatriptano; • *Blood patch* – 10 a 15 mL – eficácia de 90% – primeira vez; • Solução salina ou dextran 15-30 mL/h infusão peridural contínua; • Cola de fibrina; • Enfaixamento abdominal; • Cirurgia – quando formam fístulas sem resposta ao tratamento clínico.

Tabela 3.7

Fármaco	Tempo antes da punção ou retirada do cateter	Tempo para reintrodução após a punção ou retirada do cateter
HNF (profilaxia, ≤15 000 UI /dia)	4-6 h	1 h
HNF (tratamento, >15 000 UI/dia)	IV 4-6 h SC 8-12 h	1 h 1 h
HBPM (profilaxia)	12 h	4 h
HBPM (tratamento)	24 h	4 h
Fondaparinux (2,5 mg/dia) Fondaparinux (5-10 mg/dia)	36-42 h Contraindicado	6-12 h Evitar
Rivaroxaban (10 mg/dia)	3 dias	6 h
Apixaban (2,5 mg 12/12h)	3 dias	6 h
Dabigatran (150-220 mg)	5 dias	6 h
Cumarínicos	INR ≤ 1,4	Após remoção do cateter
Argatroban	Evitar	
Ácido acetilsalicílico 100 mg	Não contraindica	Não contraindica
Clopidogrel	7 dias	Após remoção do cateter
Ticlopidina	10 dias	Após remoção do cateter
Prasugrel	7-10 dias	6 h após remoção
Ticagrelor	5-7 dias	6 h após remoção
Cilostazol	42 h	5 h após remoção
AINEs	Não contraindica	Não contraindica

Fonte: 2016 American Society of Regional Anesthesia and Pain Medicine.

Tabela 3.8 Fatores que influenciam a dispersão do anestésico no espaço peridural			
	Influenciam muito	**Influenciam pouco**	**Não influenciam**
Relacionado ao anestésico	Volume Dose	Concentração	Aditivos
Relacionado ao paciente	Gravidez Idade avançada	Peso Altura	
Relacionado à técnica	Local da injeção	Posição do paciente	Velocidade e direcionamento da injeção

Aditivos como bicarbonato, epinefrina e opioides alteram a latência, a qualidade e a duração da analgesia, porém não interferem na altura do bloqueio.

Menor volume de anestésico é requerido nos idosos, provavelmente pela diminuição tanto da perda de anestésico local através de forames intervertebrais quanto da complacência.

Menos anestésico local é necessário para produzir a mesma expansão peridural da anestesia em gestantes, o que pode ser devido ao ingurgitamento de veias peridurais secundário ao aumento da pressão abdominal.

Nas regiões lombar e torácica baixa, a punção é praticamente perpendicular à pele, enquanto na região médio-torácica deve ser feita cefalizada, devido à angulação dos processos espinhosos.

O teste de Dogliotti, ou teste da perda da resistência (LOR – *lost-of-resistance*) utiliza ar ou solução salina em sua realização.

Se for escolhido ar, a quantidade de ar injetado após a perda de resistência deve ser minimizada, a fim de reduzir a incidência de pneumoencéfalo e de falhas segmentares do bloqueio.

Um método alternativo de identificação do espaço peridural é a gota pendente de Gutierrez. Outro indicativo de localização adequada do espaço peridural é a não deformação de uma bolha de ar na seringa com anestésico durante a injeção.

Quando se utiliza a técnica peridural contínua, antes de introduzir o cateter deve-se dilatar o espaço peridural com 10 mL de solução salina ou anestésico.

■▶ Farmacologia

Os anestésicos locais para uso peridural podem ser curtos, intermediários ou de longa duração. Um único bolo de anestésico local no espaço peridural pode ser anestesia cirúrgica, variando de 45 minutos até 4 horas, dependendo do tipo de anestésico local administrado e da utilização de quaisquer aditivos (Tabela 3.9).

Mais comumente, um cateter peridural é deixado *in situ* para que a anestesia local ou a analgesia regular possa ser prorrogada indefinidamente.

Tabela 3.9
Características dos fármacos

Anestésico	Concentração %	Latência (min)	Duração (min)	Duração com adrenalina 1:200.000 (min)
Lidocaína	2	10-15	80-120	120-180
Bupivacaína	0,5-0,75	20	165-225	180-240
Ropivacaína	0,75-1	15-20	140-180	150-200
Levobupivacaína	0,5-0,75	15-20	150-226	150-240

◼ COMBINADA RAQUI-PERIDURAL

Esta técnica permite o benefício das duas técnicas, ou seja, a curta latência e pequenas doses da raquianestesia, e permite ainda o prolongamento da analgesia pelo cateter peridural.

Pode ser realizada com duas punções em níveis diferentes, ou com punção única, por meio de *kit* específico.

◼ ANESTESIA CAUDAL

A anestesia caudal é popular na anestesia pediátrica, mas a técnica também pode ser usada em adultos. Nesse caso, as indicações são essencialmente as mesmas que para a anestesia peridural lombar, para cirurgias entre os dermátomos T10-S5 e para o uso de orientação fluoroscópica e, mais recentemente, do ultrassom, que pode ajudar a orientar a colocação correta da agulha pelo hiato sacral.

◼ USO DO ULTRASSOM (US)

O ultrassom (US) pode oferecer várias vantagens quando usado para orientar a colocação da agulha para os bloqueios neuroaxiais. É não invasivo, seguro, simples de usar, pode ser realizado rapidamente, fornece imagens em tempo real, é desprovido de efeitos adversos e pode ser benéfico em pacientes com anatomia espinhal anormal ou variante. Quando usado para intervenções de dor crônica, o US também elimina ou reduz a exposição à radiação. Em mãos experientes, o uso de US para a inserção da agulha peridural mostrou reduzir o número de tentativas de punção, melhorar a taxa de sucesso do acesso epidural na primeira tentativa, reduzir a necessidade de perfurar vários níveis e melhorar o conforto do paciente durante o procedimento. Essas vantagens levaram o Instituto Nacional de Excelência Clínica (NICE) no Reino Unido a recomendar o uso rotineiro de ultrassom para blocos peridurais. No entanto, a incorporação dessas recomendações na prática clínica encontrou obstáculos significativos. Como um exemplo, uma pesquisa recente entre anestesiologistas no Reino Unido mostrou que mais de 90% dos entrevistados não foram treinados no uso de US para a inserção da agulha peridural.

■ BIBLIOGRAFIA

1. Brul R. Spinal, epidural, and caudal anesthesia. In: Miller RD, et al., eds. Miller's Anesthesia, 8th ed. Philadelphia: Churchill Livingstone, 2015. pp. 1684-7.
2. Campagna JA, Carter C. Clinical relevance of the Bezold-Jarisch reflex. Anesthesiology 2003;98:1250-1260.
3. Corning JL. Spinal anaesthesia and local medication of the cord. NY Med J 1885;42:483-5.
4. Gorelick PB, Zych D. James Leonard Corning and the early history of spinal puncture. Neurology 1987;37:672-4.
5. Greene HM. Lumbar puncture and the prevention of postdural puncture headache. JAMA 1926;86:391-2.
6. Halsted WS. Practical comments on the use and abuse of cocaine; suggested by its invariably successful employment in more than a thousand minor surgical operations. NY Med J 1885;42:294.
7. Koller C. Vorlaufige Mittheilung ¨uber locale Anasthesirung am Auge. Klin Mbl Augenheilk 1884;22:60-63.
8. Reiman A, Anson B. Vertebral termination of the spinal cord with report of a case of sacral cord. Anat Rec 1944;88:127.
9. Sahoo T. et al. Reduction in spinal-induced hypotension with ondansetron in parturients undergoing Caesarean section: A double-blind randomised, placebo-controlled study. International Journal of Obstetric Anesthesia, 2012;21(1):24-8.
10. Sprotte G, Schedel R, Pajunk H, et al. An "atraumatic" universal needle for single-shot regional anesthesia: Clinical results and a 6-year trial in over 30,000 regional anesthesias. Reg Anaesth 1987;10:104-8.
11. Stienstra R, Greene NM. Factors affecting the subarachnoid spread of local anesthetic solutions. Reg Anesth 1991;16:1-6.

Capítulo 4

Bloqueios Nervosos Periféricos

Fabrício de Paula Leite Battisti
Matheus Miranda
Arthur Sevalho Gonçalves
Luiz Fernando dos Reis Falcão

■ BLOQUEIO DO PLEXO CERVICAL SUPERFICIAL

- **Indicações:** anestesia para cirurgia carotídea (p. ex.: endarterectomia e cirurgias superficiais no pescoço).

- **Marcos anatômicos:** o plexo cervical superficial compreende quatro nervos (os nervos occipital menor, auricular maior, cutâneo cervical e supraclavicular), que se formam a partir do primeiro ramo de C2 até C4, bem como os ramos ao redor da borda posterior do músculo esternocleidomastóideo (ECM). Esses nervos promovem a inervação sensorial da região anterolateral do pescoço. A cabeça do paciente deve ser ligeiramente rotacionada no sentido contralateral ao lado a ser bloqueado. O ponto de injeção está no ponto médio da borda posterior do músculo esternocleidomastóideo, o qual geralmente se encontra ao nível da cartilagem cricoide, ou seja, no nível de C6. Após perfurar a primeira camada fascial, o anestésico local (AL) deve ser infiltrado 2-3 cm cranialmente e caudalmente ao longo da borda posterior do esternocleinomastóideo, utilizando um total de 10 mL.

- **Bloqueio ecoguiado:** com o transdutor linear (8-18 MHz) em posição transversal ao pescoço ao longo da borda posterior do ECM, o ponto de emergência dos nervos ao redor do ECM deve ser identificado. Geralmente ele situa-se ao nível da cartilagem cricoide. O plexo pode ser visualizado como uma pequena coleção de de nódulos hipoecoicos imediatamente abaixo ou lateral ao ECM e acima do sulco interescalênico. Uma vez identificado o plexo, a agulha deve ser inserida posteriormente e em plano com o transdutor, ultrapassando a pele, o platisma e a fáscia pré-vertebral. Após a aspiração negativa, 1 a 2 mL de anestésico local devem ser injetados para confirmar a posição correta (Figura 4.1). Uma vez confirmado o correto

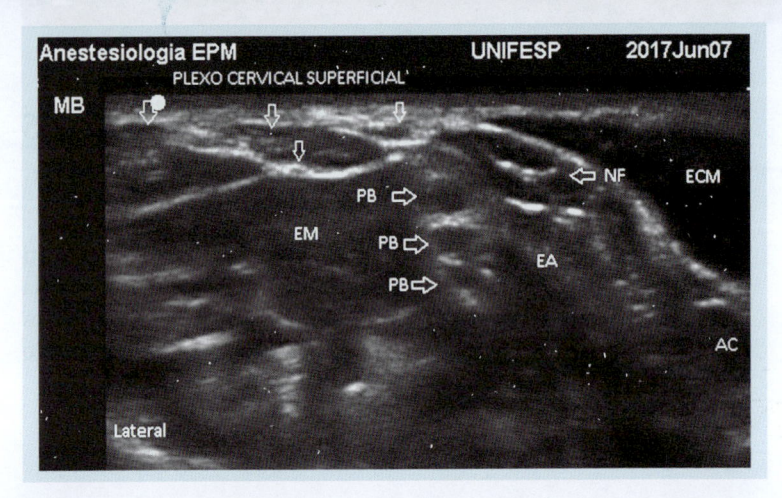

Figura 4.1 – *Sonoanatomia do plexo cervical superficial e do plexo braquial ao nível interescalênico: ECM – músculo esternocleidomastóideo; NF – nervo frênico; EA – músculo escaleno anterior; PB – plexo braquial; EM – músculo escaleno médio; AC – artéria carótida.*

posicionamento, o restante do anestésico é injetado, completando um volume de 10 a 15 mL para envolver todo o plexo. A artéria carótida e as veias jugulares interna e externa devem ser identificadas antes de se realizar o bloqueio, para evitar punção vascular.

- Efeitos colaterais: bloqueio do nervo frênico, bloqueio do plexo braquial, bloqueio do nervo vago, síndrome de Horner.
- Complicações: punção do vascular, formação de hematoma e injeção intravascular de AL.

■ BLOQUEIO DOS NERVOS PERIFÉRICOS DOS MEMBROS SUPERIORES

O plexo braquial é formado pelos ramos anteriores primários das raízes nervosas de C5 a T1 (podendo variar de C4 a T2). Ele parte da coluna e corre entre a clavícula e a primeira costela, acessando o membro superior através da axila e se dividindo em quatro ramificações principais: os nervos mediano, radial, ulnar e musculocutâneo (Figura 4.2).

■ Bloqueio interescalênico

- Indicações: analgesia ou anestesia para cirurgias do ombro, úmero ou cotovelo.
- Marcos anatômicos: posicionar o paciente com a cabeça ligeiramente em rotação lateral no sentido contralateral ao do bloqueio. O ponto de inser-

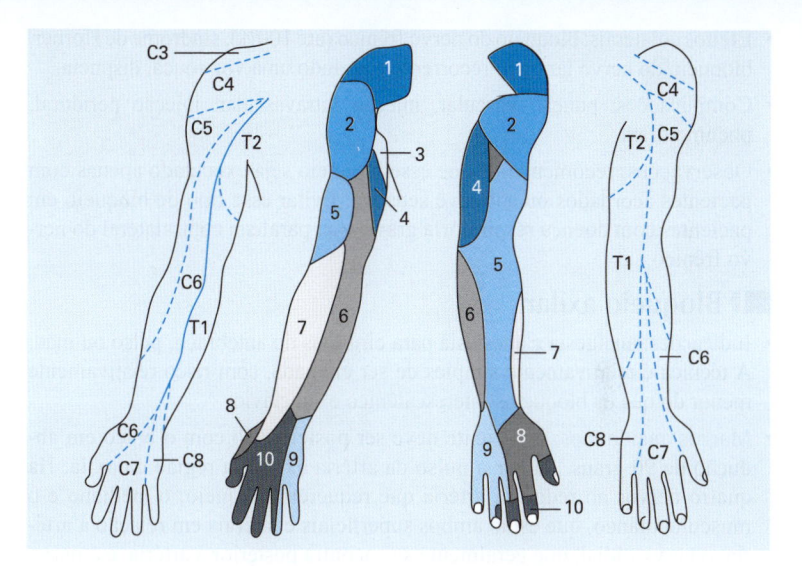

Figura 4.2 – *Inervação sensitiva do membro superior: 1. Nervo supra-clavicular; 2. N. cutâneo lateral do braço (axilar); 3. N. intercosto-braquial; 4. N. cutâneo medial do braço 5. N. radial; 6. N. cutâneo medial do antebraço; 7 N. cutâneo lateral do antebraço (musculocu-tâneo); 8. N. radial; 9. N. ulnar; 10. N. mediano.*

ção está ao nível da cartilagem cricoide (C6), lateral à margem lateral do músculo ECM, no "sulco" entre os músculos escaleno anterior e escaleno médio. A agulha deve ser introduzida numa direção medial, dorsal e ligeira-mente caudal, que pode ser realizada direcionando a agulha para o cotovelo contralateral. Os nervos são muito superficiais, com uma profundidade não superior a 2,5 cm (Figura 4.2).

- **Bloqueio ecoguiado:** as raízes nervosas cervicais podem ser visualizadas la-teralmente à carótida e à jugular interna, entre os músculos escalenos, com C5 mais superficial e C6, C7, C8 e T1 progressivamente mais profundos. A fáscia pré-vertebral e o plexo cervical superficial são visualizados superfi-cialmente. O plexo braquial geralmente é identificado a uma profundidade de 1 a 3 cm. Pode existir uma ponte muscular entre C7 e C8, o que pode preju-dicar a disseminação de AL para C8 e T1. O transdutor deve ser posicionado em sentido transversal ao pescoço na altura da cartilagem cricoide. Uma vez identificada a artéria carótida, o transdutor deve ser movido lateralmente a fim de identificar os músculos interescalênicos e o plexo braquial entre eles. A agulha é inserida em plano com o transdutor de lateral para medial até chegar ao plexo.

- **Dosagem de AL:** em pacientes adultos, 15 a 25 mL de AL são geralmente adequados para um bloqueio bem-sucedido e de início rápido.

- **Efeitos colaterais:** bloqueio do nervo frênico (até 100%), síndrome de Horner, bloqueio do nervo laríngeo recorrente causando uma voz rouca, dispneia.

- **Complicações:** punção vascular, injeção intravascular, injeção peridural, pneumotórax.

- **Observações:** recomenda-se que esse bloqueio seja executado apenas com pacientes acordados ou sob leve sedação. Evitar esse tipo de bloqueio em pacientes com doença respiratória grave e/ou paralisia contralateral do nervo frênico.

◼◗ Bloqueio axilar

- **Indicações:** analgesia e anestesia para cirurgias do antebraço, pulso ou mão. A técnica é relativamente simples de ser efetuada, com risco relativamente menor do que os bloqueios interescalênico e subclávio.

- **Marcos anatômicos:** o paciente deve ser posicionado com o braço em abdução de 90 graus. Palpar o pulso da artéria axilar na região da axila. Há quatro nervos ao redor da artéria que requerem bloqueio: o mediano e o musculocutâneo, que estão ambos superficiais e laterais em relação à artéria, o nervo radial, que geralmente se encontra posterior à artéria, e o nervo ulnar, normalmente superficial e medial à artéria. Os nervos radial, ulnar e mediano estão todos dentro da bainha fascial que rodeia a artéria a aproximadamente 5 a 15 mm de profundidade. O nervo musculocutâneo tem uma origem proximal e geralmente deixa a bainha fascial para correr no corpo do músculo coracobraquial no nível axilar, no qual o bloqueio é executado. O nervo musculocutâneo é responsável pela inervação da região lateral do antebraço, daí a importância do seu bloqueio em cirurgias do antebraço. Compartimentos de membrana podem impedir que a técnica de injeção única bloqueie todos os nervos. Um estimulador de nervo ou técnica ecoguiada isolando cada nervo tem maior chance de sucesso, mas também um maior grau de complexidade (Figura 4.3).

- **Bloqueio ecoguiado:** deve-se palpar o músculo peitoral até sua inserção no úmero. A sonda de ultrassom deve ser posicionada logo abaixo deste ponto em posição perpendicular ao eixo do braço. Identificar a artéria axilar e os nervos do plexo (nem sempre é possível identificar todos os nervos do plexo, principalmente o nervo radial, que pode ser suprimido por artefatos de reverberação gerados pela imagem da artéria axilar). Seguir os nervos desde a sua localização no cotovelo pode ajudar a sua identificação na axila. A agulha deve ser introduzida em plano com o transdutor a partir da sua extremidade cefálica em direção caudal. Bloquear os nervos mais profundos primeiro impedirá que a anatomia superficial seja distorcida e pode evitar artefatos causados por bolhas de ar minúsculas na solução de anestésico local. Um "pop" distinto pode ser sentido ao entrar na bainha.

- **Dose de anestésico:** 20-25 mL em uma única dose ou em doses divididas quando utilizado o estimulador de nervos – os volumes utilizados na técnica ecoguiada podem ser menores.

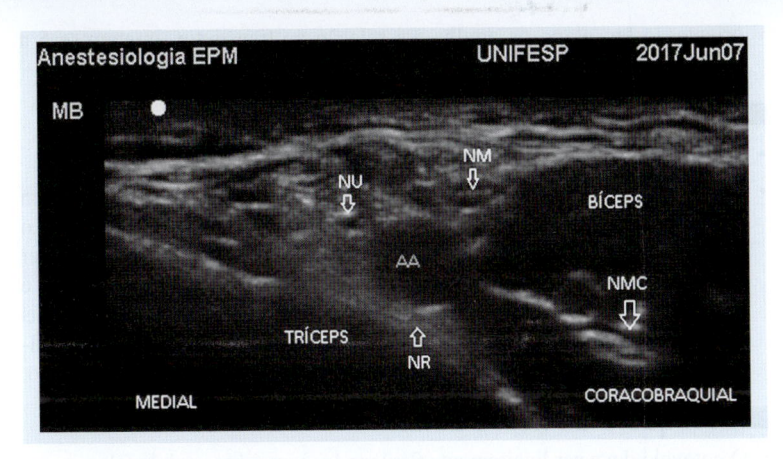

Figura 4.3 – *Sonoanatomia do plexo braquial ao nível axilar: NU – nervo ulnar; NM – nervo mediano; NR – nervo radial; NMC – nervo musculocutâneo; AA – artéria axilar.*

- Complicações: punção arterial (se isso ocorrer, comprimir por 5 min), injeção intravascular de AL.
- Observações:
  - A anatomia pode ser muito variável nessa região, a posição dos nervos pode diferir e o nervo musculocutâneo pode estar dentro da bainha fascial;
  - Pode haver inúmeras veias próximas à bainha, e deve-se tomar cuidado para não injetar AL no espaço intravascular;
  - A dor originada do torniquete é comumente causada pelo nervo axilar no território do dermátomo T2, a qual não é prevenida pelo bloqueio dos nervos axilares;
  - Algumas técnicas usam a transfixação arterial da artéria axilar com deposição de 20 mL posterior à artéria e 20 mL anterior à artéria. Está técnica está caindo em desuso.

■■▶ Bloqueio do nervo mediano

- Indicações: anestesia cirúrgica de procedimentos na face ventral da mão.
- Bloqueio ecoguiado: posicionar o paciente com o braço levemente abduzido, o cotovelo ligeiramente flexionado e o antebraço supinado. Sentir a artéria braquial na prega da fossa antecubital. O nervo mediano está mediano e profundo em relação à artéria. O plano para alcançar o nervo geralmente é de 1-2 cm de profundidade. Posicionar o transdutor no sentido transverso em relação ao antebraço. O nervo mediano aparece no centro da tela como uma estrutura hiperecoica com pontos hipoecoicos no centro. Usando uma

orientação em plano da agulha em relação ao transdutor, injetam-se 5 a 7 mL de AL.

■▶ Bloqueio do nervo radial

• Indicações: anestesia do dorso da mão e região posterior do antebraço.

• Bloqueio ecoguiado: posicionar o transdutor na região lateral do braço em seu nível médio distal em orientação transversal ao úmero. Neste ponto o nervo mediano sai do sulco do nervo radial do úmero. O transdutor pode ser deslizado no sentido distal até o nível do epicôndilo lateral, onde o nervo é visto mais superficialmente. É possível bloquear o nervo radial nesses dois pontos, e a técnica de orientação da agulha em plano com o transdutor do ultrassom é a técnica comumente usada para a injeção de AL ao redor do nervo.

■▶ Bloqueio do nervo ulnar

• O cotovelo deve ser ligeiramente flexionado, com o braço abduzido no ombro e em rotação externa, de modo a expor o sulco ulnar no cotovelo, ou então com a mão no ombro contralateral e o braço ao longo do tórax. O nervo ulnar reside no sulco entre o epicôndilo medial do úmero e o olécrano. Uma vez no sulco, o ponto de injeção geralmente é 2-3 cm proximal ou distal a ele devido ao risco de neuropraxia quando o nervo é bloqueado no sulco.

• Bloqueio ecoguiado: posiciona-se o transdutor na região do antebraço em sentido transversal ao membro. O nervo ulnar encontra-se 2 a 3 cm da superfície e a agulha deve ser introduzida em plano com o transdutor do ultrassom. O bloqueio deve ser realizado mais proximalmente, a fim de bloquear o nervo antes de sua união à artéria e antes da emissão dos ramos cutâneos dorsal e palmar.

● BLOQUEIOS PARA OS MEMBROS INFERIORES

■▶ Bloqueio do nervo femoral

• Indicações: para analgesia ou para cirurgia do eixo femoral ou do joelho. Combinado com o bloqueio do nervo ciático, produz analgesia ou anestesia para cirurgias do joelho ou perna.

• Marcos anatômicos: o nervo femoral é mais bem identificado abaixo do ligamento inguinal. As estruturas nessa região são, respectivamente, de lateral para medial: nervo, artéria e veia. O nervo é separado dos vasos pela fáscia da bainha femoral. Com o paciente em decúbito dorsal, palpar o tubérculo púbico e a espinha ilíaca anterossuperior. O ligamento inguinal formado a partir do músculo oblíquo externo se conecta a esses ossos. Palpar a artéria femoral abaixo do ligamento inguinal; aproximadamente 1-1,5 cm lateral a ele está o nervo femoral. Inserir a agulha 1 cm distal ao ligamento; Dois "pops" podem ser sentidos com a agulha passando a fáscia lata e então a fáscia ilíaca. A profundidade do nervo é de aproximadamente 2-4 cm. (Figura 4.4)

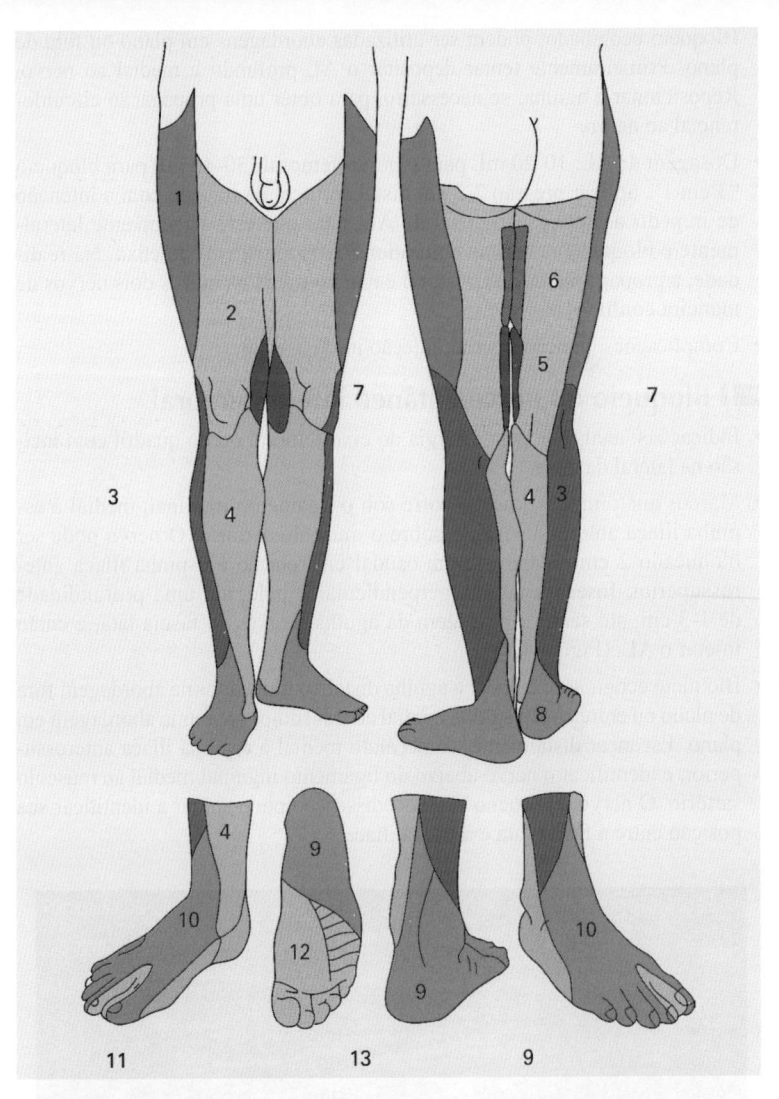

Figura 4.4 – *Inervação dos membros inferiores: N. femoral e seus ramos; N. ciático e seus ramos; N. cutâneo femoral lateral; N. obturador. 1.N. cutâneo femoral lateral; 2. N. femoral; 3. N. fibular comum; 4. N. safeno; 5. N. ciático; 6. N. cutâneo femoral posterior; 7. N. obturador; 8. N. tibial posterior; 9. N. sural; 10. N. fibular superficial 11. N. fibular profundo; 12. N. plantar medial; 13. N. plantar lateral (N. tibial).*

- **Bloqueio ecoguiado:** podem ser utilizadas abordagens em plano ou fora de plano. Primeiramente tentar depositar o AL profundo e medial ao nervo. Reposicionar a agulha, se necessário, para obter uma propagação circunferencial ao nervo.

- **Dosagem de AL:** 10-20 mL para o nervo femoral (30-40 mL para bloqueio "3 em 1", aplicar pressão 2-3 cm distal ao local da injeção com a intenção de impedir a propagação distal do AL, para que este se propague lateralmente e bloqueie os nervos obturador e cutâneo lateral da coxa. Na realidade, a propagação do LA é lateral e não bloqueia os outros dois nervos de maneira confiável).

- **Complicações:** punção arterial, injeção intravascular.

■▶ Bloqueio do nervo cutâneo lateral femoral

- **Indicações:** analgesia para cirurgia do eixo femoral ou do quadril com incisão na lateral da coxa.

- **Marcos anatômicos:** o nervo corre sob o ligamento inguinal, medial à espinha ilíaca anterossuperior e sobre o músculo sartório. O nervo pode ser bloqueado 2 cm medial e 2 cm caudal em relação à espinha ilíaca anterossuperior. Inserir a agulha perpendicular à pele, até uma profundidade de 1-3 cm, até sentir a passagem da agulha através da fáscia lata, e então injetar o AL. (Figura 4.5)

- **Bloqueio ecoguiado:** colocar a agulha distal ao transdutor na abordagem fora de plano ou entre com a agulha medial ao transdutor para uma abordagem em plano. Escanear distalmente, começando medial à espinha ilíaca anterossuperior, e identificar o nervo abaixo do ligamento inguinal medial ao músculo sartório. O nervo é pequeno e a hidrodissecção pode ajudar a identificar sua posição entre a fáscia lata e a fáscia ilíaca.

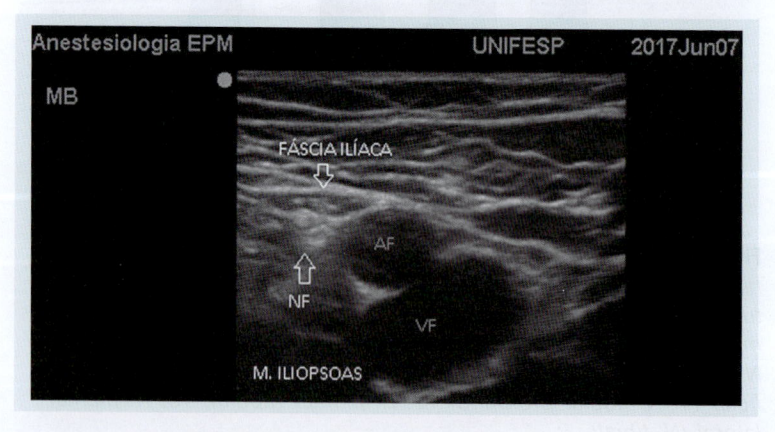

Figura 4.5 – *Sonoanatomia do bloqueio femoral: NF – nervo femoral; AF – artéria femoral; VF – veia femoral.*

- Dosagem de AL: 5-10 mL.
- Complicações: bloqueio do nervo femoral.

▇▇) Bloqueio do nervo ciático

- Indicações: analgesia para cirurgia do tornozelo ou do pé, ou para amputações dos membros inferiores. Combinado com bloqueio do nervo femoral para anestesia total da perna.
- Marcos anatômicos: o nervo ciático é o maior nervo do corpo; é formado pelas raízes nervosas de L4 a S3 e deixa a pelve através do forame isquiático antes de prosseguir pela perna entre os músculos posteriores da coxa.
- Técnica de Labat: colocar o paciente na posição de recuperação (posição de Sims), com a perna a ser bloqueada acima. Identificar e marcar a espinha isquiática posterossuperior (EIPS), o trocanter maior (TM) do fêmur, e o hiato sacral (HS). Traçar uma linha entre a EPIS e o TM e entre o TM e o HS. Desenhar uma terceira linha perpendicular a partir do ponto médio entre a EIPS e o TM para cruzar a segunda linha. Este é o ponto de inserção da agulha perpendicular à pele, a uma profundidade de 5-10 cm.
- Técnica de Raj: com o paciente em decúbito dorsal, flexionar o quadril e o joelho em 90 graus. O ponto de inserção da agulha está a meio caminho entre a tuberosidade isquiática (TI) na borda inferomedial e o TM na borda inferolateral da coxa. Com uma angulação perpendicular ou mediana, o nervo deve ser encontrado a uma profundidade de 4-8 cm.
- Bloqueios ecoguiados:
  - Labat: é necessária uma sonda curva de baixa frequência devido à profundidade requerida. A profundidade torna o nervo ciático difícil de ser visualizado, podendo ser redondo ou plano. Usar a técnica de Labat para posicionar a sonda sobre o local tradicional de inserção da agulha. O nervo ciático encontra-se profundamente no glúteo máximo, lateral aos vasos pudendos, e corre sobre o osso ísquio. Escanear no sentido cefálico e caudal desde o ponto de partida, e experimentar ângulos diferentes para obter a melhor imagem de ultrassom. Tanto a técnica em plano com a agulha lateral à sonda quanto a técnica fora de plano podem ser utilizadas. A grande profundidade dificulta a manutenção da ponta da agulha sob visão direta. Devido ao tamanho do nervo, duas posições da agulha – uma medial e uma lateral ao nervo – são geralmente necessárias para se obter uma dispersão circunferencial
  - Subglúteo: nessa técnica o nervo ciático está mais superficial, facilitando a aquisição da imagem. Posicionar o paciente conforme descrito na técnica de Raj, entre a tuberosidade isquiática e o TM, usar uma sonda de matriz curvada e fazer a varredura através da região, identificando a TI, o TM, o músculo glúteo máximo (o grande músculo superficial sob a pele) e o quadrado femoral sob o glúteo máximo. O nervo ciático

encontra-se no plano do tecido entre o glúteo máximo e o quadrado femoral. O nervo pode ser bloqueado nesta posição, ou pode ser traçado para uma posição mais superficial no meio da coxa e bloqueado passando a agulha entre os tendões flexores. A estimulação nervosa pode ser útil para confirmar a localização do nervo. As técnicas em plano e fora de plano podem ser utilizadas.

- Dosagem AL: 15-30 mL.
- Complicações: a injeção intravascular não é incomum.
- Observações: cuidado com doses máximas de AL se estiver realizando técnicas combinadas.

■❱ Bloqueio do nervo ciático na fossa poplítea

- Indicações: este bloqueio é indicado para cirurgia do tornozelo e do pé.
- Marcos anatômicos: a fossa poplítea é uma área em forma de losango, limitada inferiormente pelas cabeças medial e lateral do gastrocnêmio e superiormente pela cabeça longa do bíceps femoral (lateralmente) e pelas cabeças sobrepostas dos músculos semimembranáceo e semitendíneo (medialmente). A prega posterior marca o ponto mais largo da fossa, e, com o joelho ligeiramente flexível, os limites musculares da fossa podem ser identificados (Figura 4.6).

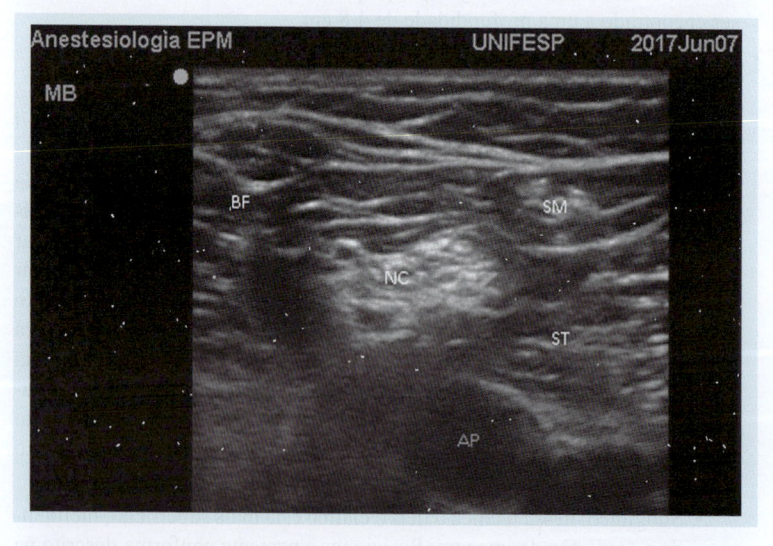

Figura 4.6 – *Sonoanatomia do bloqueio do nervo ciático na fossa poplítea: BF – músculo bíceps femoral; NC – nervo ciático; SM – músculo semimembranáceo; ST – músculo semitendíneo.*

- Bloqueio por marcos anatômicos
  - **Abordagem posterior:** com o paciente em prona, flexionar o joelho. Identificar e marcar a musculatura, as bordas da fossa, e depois estender a perna. Marcar um ponto de 7-10 cm proximal à prega poplítea da pele, na linha média entre o bíceps femoral (lateralmente) e o semitendíneo e o semimembranáceo (medialmente). Inserir uma agulha de 22G 50 mm ou 100 mm (dependendo do tamanho do paciente) nesse ponto, dirigindo a agulha no sentido proximal num ângulo de 45 graus. A uma profundidade de 4-8 cm, o nervo ciático ou componentes poderão ser encontrados (tibial – flexão plantar, patelar comum dorsiflexão). Injetar 20-30 mL de AL.
  - **Abordagem lateral:** com o paciente em decúbito dorsal, com o joelho ligeiramente flexionado, marcar o sulco entre o vasto lateral (acima) e o bíceps femoral (abaixo). Desenhar uma linha para baixo a partir da borda superior da patela, onde atravessa esse sulco. Inserir uma agulha de 22G 100 mm, dirigida para trás 25-30 graus e ligeiramente caudal. A agulha passa através do bíceps femoral para dentro da fossa poplítea – inicialmente encontrando o nervo patelar comum, então o nervo tibial. Injetar 10 mL de AL em torno de cada nervo.
- **Bloqueio ecoguiado:** essencialmente uma abordagem lateral, mas com o joelho flexionado e a sonda colocada na parte posterior do joelho; os nervos são facilmente identificados, podendo ser utilizada uma técnica em plano.
- **Observações:** o nervo ciático é composto por dois nervos ligados entre si neste nível, comumente dividindo-se nos nervos tibial e patelar 5-12 cm acima da prega poplítea. Em uma pequena proporção de pessoas, esses nervos são separados em todo o seu percurso. Técnicas poplíteas de grande volume muitas vezes bloqueiam ambos os nervos, mas a localização individual de ambos os nervos pode melhorar a taxa de sucesso.

▣ Bloqueio do nervo safeno

- **Indicações:** fornece analgesia para a região medial da perna e o tornozelo. Útil em combinação com um bloqueio do nervo ciático para procedimentos de pé e tornozelo.
- **Marcos anatômicos:** tuberosidade tibial, côndilo tibial medial.
- **Técnica por marcos anatômicos:** o paciente deve estar em decúbito dorsal, com a perna girada externamente. Identificar a tuberosidade tibial e injetar 10-15 mL no subcutâneo a partir da tuberosidade tibial em direção ao côndilo tibial medial.
- **Bloqueio ecoguiado:** com o paciente em decúbito dorsal com discreta abdução da coxa, o transdutor deve ser posicionado na região medial da coxa aproximadamente 10 cm acima da patela, com orientação transversal ao

eixo do fêmur. A agulha deve ser introduzida em plano com o transdutor, e após aspiração o AL deve ser injetado entre as fáscias do músculo vasto medial (lateralmente) e dos músculos sartório e adutores da coxa (medialmente).

■ ANESTESIA REGIONAL INTRAVENOSA – BLOQUEIO DE BIER

- **Indicações:** anestesia para cirurgias superficiais dos membros superiores e inferiores ou reduções de fraturas, em procedimentos rápidos, com duração de aproximadamente 30 min.
- **Técnica:**
  1. Aferir a pressão arterial do paciente;
  2. Cateterizar uma veia periférica no membro a ser operado e uma no membro contralateral;
  3. Colocar um manguito de pressão no membro a ser operado;
  4. O membro deve ser dessangrado utilizando-se uma bandagem compressiva (bandagem de Esmarch);
  5. O manguito deve ser insuflado até atingir uma pressão 50-100 mmHg acima da pressão sistólica do paciente;
  6. Um anestésico com baixa toxicidade sistêmica e sem vasoconstritor deve ser injetado lentamente (p. ex.: prilocaína a 0,5% ou lidocaína a 2%, até uma dose máxima de 250 mg);
  7. O paciente deve ser avisado de que sentirá o membro ficar quente e pálido;
  8. A cirurgia pode começar em poucos minutos.
- **Observações:**
  1. Em nenhuma circunstância o manguito do torniquete deve ser esvaziado antes de 15 min para a prilocaína e 20 min para a lidocaína. Os efeitos sistêmicos do AL podem ser potencialmente devastadores se grandes volumes de AL forem liberados antes de o mesmo ser metabolizado;
  2. Se a dor do torniquete é sentida durante o procedimento e um manguito duplo é usado, o manguito distal pode ser insuflado antes de desinflar o manguito proximal. O tecido sob o manguito distal deve ser anestesiado nesta fase.
- A técnica está contraindicada se houver dificuldades circulatórias preexistentes, por exemplo: lesões por esmagamento, anemia falciforme, doença vascular periférica.
- Um torniquete confiável e equipamentos de ressuscitação são essenciais.

■ BLOQUEIOS DO TRONCO

■▶ Bloqueio intercostal na linha axilar média

- **Indicações:** anestesia para pequenas cirurgias mamárias (nodulectomias, drenagens de abscessos, quadrantectomias, prótese de silicone, mastectomia parcial). Analgesia para mastectomias radicais.

■▶ Bloqueio do plano transverso abdominal

- **Indicações:** analgesia pós-operatória para laparotomias, apendicectomia, cirurgias laparoscópicas, abdominoplastias e partos cesáreos; como alternativa a anestesia epidural em cirurgias da parede abdominal. Esse tipo de bloqueio é capaz de bloquear o território de T7 a L1 e confere analgesia unilateral da pele, plano muscular e peritônio parietal da parede anterior do abdome. Incisões na linha média ou próximas a ela requerem bloqueio bilateral.

- **Técnica ecoguiada:** após palpar o rebordo costal e a crista ilíaca, o transdutor deve ser colocado no ponto médio entre essas estruturas no sentido transversal ao abdome, na linha axilar média. O transdutor pode ser deslizado no sentido caudal e cefálico a fim de se identificar adequadamente os três planos musculares que são, respectivamente: oblíquo interno, oblíquo externo e transverso do abdome. A agulha deve ser introduzida em plano com o transdutor de medial para lateral, transpassando o tecido celular subcutâneo, os músculos oblíquos externo e interno, chegando então ao plano do músculo transverso do abdome. Nesse ponto, após a aspiração negativa, a injeção de aproximadamente 20 mL de AL em cada lado geralmente é suficiente para produzir um adequado bloqueio em uma pessoa adulta.

- **Complicações:** perfuração peritoneal e/ou visceral acidental; injeção intramuscular e falha de bloqueio.

Tabela 4.1
Propriedades dos Anestésicos Locais

Droga	pKa	Latência	Ligação proteica	Duração	Dose máxima
Bupivacaína	8,1	Média	95%	Longa	2 mg/kg
Levobupivacaína	8,1	Média	95%	Longa	2 mg/kg
Ropivacaína	8,1	Média	94%	Longa	3 mg/kg
Lidocaína	7,7	Rápida	65%	Média	6 mg/kg (8 com adrenalina

● BIBLIOGRAFIA

1. Cangiani LM. In: Cangiani LM et al. Bloqueio intercostal na linha axilar média. Atlas de técnicas de bloqueios regionais, 3ª ed. Rio de Janeiro: SBA, 2013. pp.227-31.

2. Conceição DB. In: Cangiani LM et al. Bloqueio do plexo braquial. Atlas de técnicas de bloqueios regionais, 3ª ed. Rio de Janeiro: SBA, 2013. pp.173-83.

3. Hamaji A, Hamaji MWM, Kimachi PP. In: Cangiani LM et al. Bloqueio dos nervos isquiático, tibial e fibular comum na fossa poplítea. Atlas de técnicas de bloqueios regionais. 3ª ed. Rio de Janeiro: SBA, 2013. pp.383-90.

4. Hamaji A, Junior WC, Hamaji MWM. In: Cangiani LM et al. Bloqueio do nervo isquiático. Atlas de técnicas de bloqueios regionais. 3ª ed. Rio de Janeiro: SBA, 2013. pp.369-81.

5. Helayel PE. In: Cangiani LM et al. Bloqueio do nervo musculocutâneo. Atlas de técnicas de bloqueios regionais. 3ª ed. Rio de Janeiro: SBA, 2013. pp.185-9. The New York School of Regional Anesthesia (NYSORA); Ultrasound-Guided Forearm Block; 2013. Disponível em: http://www.nysora.com/techniques/ultrasound-guided-techniques/upper--extremity/3017-ultrasound-guided-axillary-brachial-plexus-block.html.

6. Miziara LEPG. In: Cangiani LM et al. Anestesia regional intravenosa. Atlas de técnicas de bloqueios regionais. 3ª ed. Rio de Janeiro: SBA, 2013. pp.211-17.

7. Miziara LEPG. In: Cangiani LM et al. Bloqueio do plexo cerv+A1:A16ical. Atlas de técnicas de bloqueios regionais. 3ª ed. Rio de Janeiro: SBA, 2013. pp.149-154, 2013.

8. Nakashima ER. In: Cangiani LM et al. Bloqueio do plano transverso abdominal. Atlas de técnicas de bloqueios regionais. 3ª ed. Rio de Janeiro: SBA, 2013. pp.275-82.

9. Ruzi RA. In: Cangiani LM et al. Bloqueio do nervo femoral. Atlas de técnicas de bloqueios regionais. 3ª ed. Rio de Janeiro: SBA, 2013. pp.391-6.

10. Ruzi RA. In: Cangiani LM et al. Bloqueio do nervo safeno. Atlas de técnicas de bloqueios regionais. 3ª ed. Rio de Janeiro: SBA, 2013. pp. 411-14.

11. The New York School of Regional Anesthesia (NYSORA); Bier Block; 2013. Disponível em: http://www.nysora.com/techniques/3507-bier--block.html.

12. The New York School of Regional Anesthesia (NYSORA); Ultrasound-Guided Axillary Brachial Plexus Block; 2013. Disponível em: http://www.nysora.com/techniques/ultrasound-guided-techniques/upper-extremity/3017-ultrasound-guided-axillary-brachial-plexus-block.html.

13. The New York School of Regional Anesthesia (NYSORA); Ultrasound-Guided Femoral Nerve Block; 2013. Disponível em: http://www.nysora.com/techniques/ultrasound-guided-techniques/lower-extremity/3056-ultrasound-guided-femoral-nerve-block.html.

14. The New York School of Regional Anesthesia (NYSORA); Ultrasound-Guided Interscalene Brachial Plexus Block; 2013. Disponível em: http://www.nysora.com/techniques/ultrasound-guided-techniques/upper-extremity/3014-ultrasound-guided-interscalene-brachial-plexus-block.html.

15. The New York School of Regional Anesthesia (NYSORA); Ultrasound-Guided Sciatic Nerve Block: Anterior / Transgluteal / Subgluteal Approach; 2013. Disponível em: http://www.nysora.com/techniques/ultrasound-guided-techniques/lower-extremity/3482-sciatic-nerve-block--anterior-transgluteal-subgluteal-approach.html.

16. The New York School of Regional Anesthesia (NYSORA); Ultrasound-Guided Superficial Cervical Plexus Block; 2013. Disponível em: http://www.nysora.com/techniques/ultrasound-guided-techniques/upper-extremity/3013-ultrasound-guided-superficial-cervical-plexus-block.html.

Capítulo 5

Anestesia em Neurocirurgia

Emilio Carlos Del Massa
Marcelo Stuchi Pedott
Eyder Figueiredo Pinheiro
Jucelio Saraiva Borges
Thiago William Barreto

ANATOMIA DO SNC

O sistema nervoso central (SNC) pode ser dividido em encéfalo e medula espinhal.

- Encéfalo: Cérebro (telencéfalo + diencéfalo), cerebelo e tronco encefálico (bulbo + ponte + mesencéfalo):
  - Telencéfalo: constituído por substância branca, gânglios da base e córtex cerebral (lobos: frontal, parietal, temporal e occipital);
  - Diencéfalo: formado pelo tálamo (processa informações das regiões caudais para o córtex) e hipotálamo (controle das funções vitais e hemostasia);
  - Cerebelo: contém dois hemisférios ligados pelo verme. Relaciona-se com a atividade motora inconsciente e involuntária, equilíbrio, postura e coordenação;
  - Mesencéfalo: situa-se acima da ponte. Conecta a ponte e o cerebelo aos hemisférios cerebrais;
  - Ponte: situa-se acima do bulbo e tem grandes conexões com o mesencéfalo. Tem importante papel no controle do comportamento e no ciclo sono-vigília;
  - Bulbo: é a continuação superior da medula, local da decussação das pirâmides, onde as fibras motoras cruzam obliquamente o plano mediano. Nele encontramos os centros: respiratório, vasomotor e do vômito.
- Medula: encontra-se no canal raquidiano. Origina fibras nervosas ventrais que formam um par de raízes motoras e recebe um par de raízes dorsais, que são sensoriais.

● FISIOLOGIA CEREBRAL

Em repouso, o metabolismo cerebral representa cerca de 15% do metabolismo total do corpo. Durante atividade neuronal excessiva, o metabolismo neuronal pode aumentar várias vezes.

O cérebro utiliza glicose como fonte de energia, e cerca de 90% é metabolizada de forma aeróbica.

A taxa metabólica cerebral (TMC) é expressa em termos de consumo de O_2 ($TMCO_2$), e a taxa média é de 3,8 mL/100 g/min em adultos.

■❚ Fluxo sanguíneo cerebral

O fluxo sanguíneo normal para o tecido encefálico no adulto corresponde a aproximadamente 750 mL/min, cerca de 15-20% do débito cardíaco total em repouso, relacionado ao consumo metabólico em um indivíduo sadio.

O cérebro possui a capacidade de manter constante o fluxo sanguíneo cerebral (autorregulação) até certo ponto, apesar das variações de fatores como a pressão arterial e a pressão arterial de oxigênio (Figura 5.1).

Para uma PAM entre 50-150 mmHg, a vasculatura cerebral se adapta para manter o FSC constante. Para valores fora da faixa autorregulatória do cérebro, há um aumento significativo da possibilidade de hipóxia com lesão cerebral (PAM < 50 mmHg) ou perda da barreira hematoencefálica, resultando em edema e hemorragia (PAM > 150 mmHg).

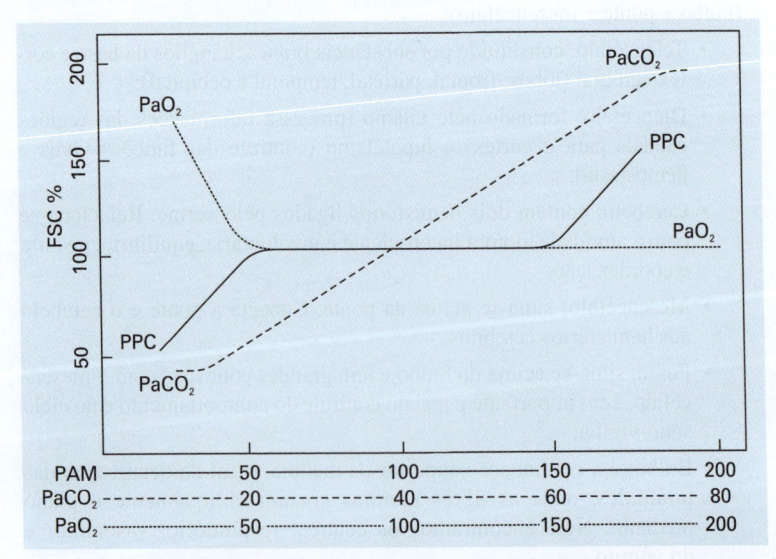

Figura 5.1 – *Variação de fluxo sanguíneo cerebral (FSC) de acordo com a pressão arterial média (PAM) entre 0 e 200 mmHg, pressão arterial de CO_2 (PaCO_2) entre 0 e 80 mmHg e pressão arterial de O_2 (PaO_2) entre 0 e 200 mmHg.*

A $PaCO_2$ é o principal determinante extrínseco do fluxo sanguíneo cerebral. A elevação da $PaCO_2$ no sangue arterial aumenta o FSC. Já a redução da $PaCO_2$ secundária a hiperventilação promove vasoconstrição cerebral, provocando a diminuição do FSC, o que pode ocasionar isquemia. A alteração do FSC ocorre em valores de $PaCO_2$ entre 25 e 65 mmHg.

Quando a PaO_2 cai abaixo de 50 mmHg ocorre vasodilatação cerebral, causando um aumento rápido no FSC e no volume de sangue intracraniano, o põe o cérebro em risco adicional, por formação de edema e aumento da PIC, além da própria hipóxia em si. Valores muito altos de PaO_2, geralmente acima de 300 mmHg, podem acarretar vasoconstrição.

Outros fatores que influenciam o FSC:

- Hematócrito;
- Tônus simpático;
- Temperatura corpórea.

■❱ Pressão intracraniana (PIC)

É a pressão no interior do espaço intracraniano em relação à pressão atmosférica. Geralmente, é menor do que 15 mmHg, sujeita a variações individuais e fisiológicas, como tosse e mudança de posição. PIC elevada (> 20-25 mmHg) tem relação com pior desfecho dos pacientes.

O volume intracraniano pode ser dividido em três compartimentos fisiológicos: parênquima cerebral (80%), volume sanguíneo cerebral (10%) e líquido cefalorraquidiano (LCR, ou liquor) (10%). Um aumento no volume de um compartimento intracraniano irá levar a um aumento da PIC, a menos que seja compensado pela redução no volume de outro compartimento.

Por ser o parênquima cerebral constituído principalmente por fluido não compressível, os principais mecanismos compensatórios de aumento da PIC são a translocação de sangue venoso para as veias extracranianas e a translocação de LCR para o espaço liquórico da medula.

Um determinado aumento do volume intracraniano é inicialmente acomodado com pouca ou nenhuma alteração de PIC, devido aos mecanismos compensatórios. A partir do momento em que se esgota a capacidade de compensação (ponto de descompensação), pequenos aumentos no volume intracraniano causam aumentos importantes na PIC, podendo ocasionar herniação com lesão mecânica do tecido cerebral ou redução da pressão de perfusão cerebral, levando a isquemia (Figura 5.2).

Para fins de controle da PIC, tem-se como objetivo geral a redução do volume intracraniano através de um dos compartimentos. Para aumento de tecido cerebral:

- Hematomas: remoção cirúrgica;
- Aumento do LCR: drenagem;
- Aumento de sangue arterial: diminuição do FSC;

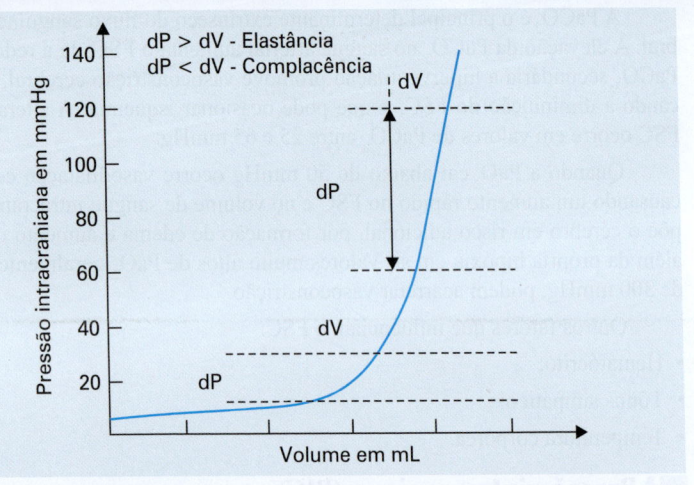

Figura 5.2 – *Variação de volume encefálico e pressão intracraniana, em que dV é a variação de volume e dP, a variação de pressão, mostrando que a pressão intracraniana pode aumentar significativamente após o volume encefálico chegar ao ponto de descompensação.*

- Aumento do sangue venoso: aumento da drenagem venosa;
- Aumento de líquido intracelular e extracelular: diuréticos e esteroides.

  Mais informações na Tabela 5.4.

● RELAÇÃO ENTRE A PRESSÃO INTRACRANIANA E OS ANESTÉSICOS

Observe a Tabela 5.1.

- Propofol e Etomidato: diminuem a taxa metabólica cerebral de O_2 ($TMCO_2$) e o fluxo sanguíneo cerebral (FSC), diminuindo a PIC. O propofol em pacientes com pré-carga inadequada pode ocasionar queda na pressão arterial média (PAM) e na pressão de perfusão cerebral (PPC).
- Benzodiazepínicos: diminuem a $TMCO_2$ e a FSC, mas não afetam a PIC.
- Cetamina: aumenta a $TMCO_2$ e o FSC, porém não parece aumentar a PIC em pacientes com autorregulação funcionante.
- Opioides: o efeito direto na PIC parece mínimo, se existir. Já a hipoventilação por eles causada pode aumentar a $PaCO_2$ com efeito sobre a PIC, assim como nos casos em que há rigidez torácica.
- Dexmedetomidina: em estudos em humanos não houve alteração na relação $FSC/TMCO_2$, mantendo uma boa perfusão cerebral apesar da vasoconstrição cerebral que essa droga pode causar. Durante o período de administração da dose de ataque, a dexmedetomidina pode causar aumento da PAM e levar a

Tabela 5.1
Pressão intracraniana e os anestésicos

Drogas	TMCO$_2$	FSC	PIC
Propofol	↓	↓	↓
Etomidato	↓	↓	↓
Benzodiazepínicos	↓	↓	-
Cetamina	↑	↑	-
Opioides	-	-	-
Dexmedetomidina	-	-	-
Halogenados	↓	↑	-
N$_2$O	↑	↑	↑

hemorragias intracranianas ou aumento da PIC. Por manter o paciente sedado sem causar hipoventilação, ela é muito usada para pacientes acordados submetidos a craniotomia.

- **Halogenados:** todos diminuem a TMCO$_2$ e aumentam a resposta do FSC em relação à taxa metabólica cerebral (Figura 5.3). O efeito na PIC depende do balanço entre o grau de diminuição da TMCO$_2$ e o grau de aumento do FSC. Geralmente em concentrações menores que 01 CAM, a diminuição da TMCO$_2$ é maior e a PIC diminui ou fica inalterada. O sevoflurano, o isoflurano e o desflurano têm efeitos semelhantes na PIC e é usado até 1,5 CAM sem causar inchaço cerebral.

- **N$_2$O:** causa aumento de TMCO$_2$, FSC e PIC. Em pacientes com pneumoencéfalo pode haver aumento do volume de ar acumulado e aumentar a PIC.

■ CONDUTAS ANESTÉSICAS

■) Consulta pré-anestésica

Engloba avaliação neurológica, avaliação cardíaca e dos exames complementares sobre a doença de base do paciente.

Na avaliação pré-anestésica, é preciso registrar nível de consciência, pupilas, alterações motoras e sensitivas.

Os exames complementares podem indicar o grau de dificuldade do procedimento anestésico-cirúrgico e auxiliar na escolha da estratégia anestésica.

■) Indução anestésica

Devem-se evitar grandes alterações hemodinâmicas e períodos longos de apneia, pois podem piorar o quadro neurológico do paciente.

Nos pacientes com lesão cervical e uso do colar cervical, é prudente realizar intubação com auxílio do fibroscópio com paciente acordado ou em

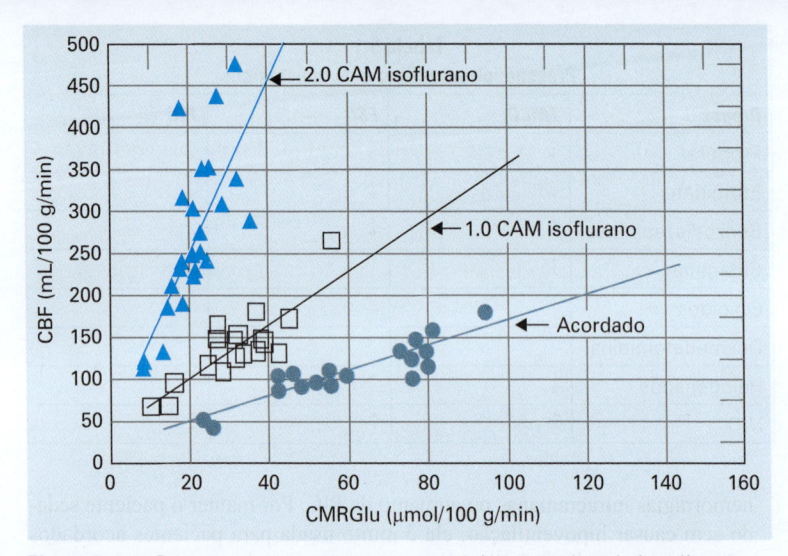

Figura 5.3 – *Representação da taxa metabólica regional de glicose (CMRGlu) versus fluxo sanguíneo regional cerebral (rCBF) em ratos. Cada ponto da curva representa o CBF médio e o valor de CMRGlu para uma região anatômica (p.ex.: córtex auditivo, caudado), determinado por autorradiografia de ^{14}C-iodoantipirina e ^{14}C-deoxiglicose, respectivamente. Os animais foram estudados acordados, e as doses de isoflurano foram de 1 e 2 CAM (concentração alveolar mínima). Para cada situação houve uma relação significativa em linha reta entre essas variáveis. Com o aumento da concentração do isoflurano, a inclinação aumentou (maior CBF para uma determinada CMRGlu). Isso indica que o isoflurano é um vasodilatador em cérebro de ratos, mas não causa desassociação de fluxo e metabolismo mesmo em concentrações de 2 CAM. (Dados de Maekawa T, Tommasio C, Shapiro HM, et al. Local cerebral blood flow and glucose utilization during isoflurane anesthesia in the rat. Anesthesiology, 1986;65:144.)*

sedação leve e bloqueio de nervo laríngeo ou transtraqueal quando possível. Essa técnica diminui as chances de lesões medular iatrogênicas e possibilita a avaliação neurológica pós- intubação.

Observar as contraindicações do uso de succinilcolina em pacientes com história de fraqueza ou parestesia. O uso é liberado se a lesão tem menos de 48 horas.

■D Monitorização

Além da monitorização padrão, temos aquela específica preconizada pela American Society of Anesthesiologists (ASA).

A punção arterial para monitorização de pressão invasiva é indispensável nos procedimentos intracranianos, múltiplos níveis de coluna vertebral e quando houver potencial de perdas sanguíneas maiores ou grandes e bruscas alterações de pressão arterial, além de procedimentos com indução de hipertensão ou hipotensão permissivas e em pacientes com hipertensão mal controlada. O transdutor deve ser zerado ao nível do meato acústico externo.

A punção do acesso venoso central segue as mesmas indicações das outras subespecialidades cirúrgicas. Nos procedimentos com alto risco para embolia aérea (EA), o cateter tem de estar com a ponta distal na entrada do átrio direito.

O uso de cateter de artéria pulmonar deve ser limitado a casos em que a informação adequada sobre pré-carga e funções cardíacas seja essencial no manejo clínico, como em casos de vasoespasmos intracranianos após hemorragia subaracnóidea nos pacientes com disfunção cardíaca.

Outras monitorizações que podem ser utilizadas são cateter de microdiálise, cateter de bulbo jugular, eletroencefalograma, potenciais evocados e doppler transcraniano.

■❙ Ventilação mecânica e manutenção anestésica

A estratégia ventilatória durante a craniotomia tem como intuito manter a normocapnia (30-35 $PaCO_2$). Quando a hipocapnia é necessária como adjuvante para o relaxamento cerebral, ela só tem efeito por períodos curtos, de 6 a 18 horas, devido à redução da anidrase carbônica para restabelecer o pH do LCR, além do risco de pneumatocele intracraniana residual.

A manutenção anestésica pode ser feita com remifentanil e sevoflurano mais propofol alvo-controlado em caso de hipertensão intracraniana. O sevoflurano até 1,3 CAM (2,5%) mantém a reatividade do CO_2 e tem pouco efeito sobre a PIC. O manejo perioperatório de líquidos deve ser adequado para evitar o aumento da PIC e de edema cerebral, podendo ser usados cristaloides ou coloides.

■❙ Pós-operatório

A extubação do paciente ainda na sala operatória é uma decisão conjunta com o cirurgião, sendo observadas as peculiaridades de cada procedimento e morbidades do paciente.

O despertar tem que ser controlado e suave, evitando alterações hemodinâmicas súbitas. Cuidado! O reflexo da tosse devido ao tubo endotraqueal pode provocar aumento da PIC e/ou hemorragia intracraniana.

O pós-operatório imediato, na grande maioria dos procedimentos, necessita ser feito em UTI com vigilância neurológica e controle rigoroso da dor.

■ PROCEDIMENTOS CIRÚRGICOS COMUNS

■❙ Cirurgia de tumores

- Os principais objetivos anestésicos consistem em manter perfusão e oxigenação cerebral adequadas, otimizar condições operatórias para facilitar a ressecção tumoral, garantir extubação rápida e possibilitar avaliação neurológica precoce.

- O posicionamento adequado do paciente é extremamente importante para garantir segurança. Observar que a posição sentada confere maiores riscos, especialmente em cirurgia de fossa posterior. É necessário manter-se atento à posição dos cateteres, tubo endotraqueal, nariz, olhos e mento (Tabela 5.2)

Cirurgias envolvendo região de tronco encefálico podem resultar em alterações bruscas na pressão arterial e na frequência cardíaca, quando o cirurgião deve ser alertado a modificar a técnica cirúrgica.

Tabela 5.2 Embolia aérea

Causas

- A embolia aérea (EA) é possível quando a pressão dentro do vaso sanguíneo aberto é subatmosférica e/ou o local cirúrgico encontra-se entre 20 e 40 cm do nível cardíaco. Esse risco aumenta quando as veias abertas não colabam, como nas lesões dos seios venosos, veias cerebrais, epidurais e espaço medular cranial ou cerebral.
- Os procedimentos da coluna onde o ar pode entrar no sistema venoso epidural, tecido esponjoso do corpo vertebral e nas craniectomias com paciente sentado são os de maiores chances para eventos embólicos.

Diagnóstico

- Observa-se, no eco transesofágico em 76% das vezes e 40% usando o doppler precordial, a presença de EA nas craniectomias com pacientes sentados.
- As repercussões clínicas ocorrem com a entrada de êmbolos grandes, que resultam em oclusão e aumento da resistência do leito vascular pulmonar, ocasionando aumento da pós-carga do ventrículo direito (VD), podendo levar a diminuição do débito cardíaco pela falha do VD e/ou a complicações no ventrículo esquerdo, pelo deslocamento do septo intraventricular devido ao aumento do VD e consequente instabilidade hemodinâmica.

Conduta

- Na suspeita de EA, deve-se pedir para o cirurgião inundar a ferida operatória com solução cristaloide ou colocar gazes úmidas.
- FiO_2 100% e aspirar o cateter venoso central.
- Aumentar a PEEP e fazer compressão jugular bilateral, levando ao aumento da pressão venosa cerebral, diminuindo assim a entrada de ar.
- Se apesar dessas medidas a instabilidade hemodinâmica se mantiver, é preciso retornar o paciente para a posição horizontal.
- Os grandes eventos embólicos podem levar à embolia paradoxal esquerda, ou seja, passagem de ar das câmaras cardíacas direitas para a esquerda, principalmente em pacientes com forame oval patente. Na presença de forame oval patente não se pode aumentar PEEP no intuito de prevenir a EA nos pacientes em posição sentada, haja vista que isso provoca elevação da pressão no átrio direito em relação ao átrio esquerdo, aumentando assim o risco de embolia paradoxal esquerda.

■❚ Cirurgia de pituitária

Os tumores localizados na região da sela túrcica podem levar a repercussões sistêmicas por alterações na secreção hormonal ou compressão em estruturas adjacentes, como o quiasma óptico, causando alterações visuais.

- Em situações de pan-hipopituitarismo ou hipersecreção hormonal, os pacientes devem ter seus níveis hormonais controlados previamente à cirurgia.

- Em casos de acromegalia e doença de Cushing, os pacientes podem apresentar via aérea difícil e dificuldade respiratória no pós-operatório imediato.

- Tumores de hipófise pequenos podem ser ressecados por abordagem transesfenoidal, e tumores maiores podem necessitar de craniotomia.

- Diabetes insipidus pode ser uma complicação apresentada no intra ou no pós-operatório.

Normalmente, a perda sanguínea é pouco significativa, porém a proximidade anatômica com os seios cavitários ocasiona risco de lesão na artéria carótida interna, o que pode levar a perda sanguínea catastrófica.

■❚ Malformações arteriovenosas cerebrais

O *shunt* envolvendo artérias e veias leva a alterações hemodinâmicas locais, alto fluxo na artéria nutriente e drenagem venosa, resultando em hipotensão arterial cerebral ao longo desse *shunt*.

É necessário manter PPC adequada, evitar elevação da PIC e estar atento a complicações intraoperatórias, como sangramento e quebra de barreira

A quebra de barreira é conhecida como fenômeno de *breakthrough* ou hiperemia com PPC normal. Ao retirar a malformação arteriovenosa, pode ocorrer edema cerebral, resultante da redistribuição do FSC para áreas com hipotensão crônica. Isso é minimizado com controle intraoperatório da PAM.

■❚ Aneurisma cerebral

Pode ser resultante de alteração vascular congênita ou adquirida, relacionada a fatores extrínsecos como hipertensão arterial sistêmica e tabagismo.

Pacientes com hemorragia subaracnóidea podem complicar com disfunção cardíaca, edema pulmonar neurogênico ou cardiogênico, hidrocefalia e ressangramento (Quadro 5.1).

O anestesiologista deve ser vigilante à elevação da PAM durante a laringoscopia e ao posicionar o dispositivo de Mayfield na cabeça do paciente.

No intraoperatório, deve-se promover o controle da PAM, facilitar a exposição e acesso ao aneurisma. Se houver elevação excessiva da PIC, o cirurgião pode determinar a drenagem de LCR por dreno lombar ou ventricular externo.

O tratamento endovascular do aneurisma é minimamente invasivo, mas pode ter complicações graves como sangramento durante o procedimento.

Quadro 5.1
Sangramento e rotura do aneurisma no intraoperatório

- A incidência da rotura de aneurisma varia com o tamanho e a localização anatômica. O manejo da rotura durante a cirurgia depende parcialmente da manutenção do volume sanguíneo, com elevação das taxas de morbimortalidade quando a rotura acontece no intraoperatório.
- Se o sangramento é pequeno e a dissecção do aneurisma é completa, o cirurgião pode aplicar clipe permanente. Alternativamente, clipes temporários podem ser aplicados proximal e distalmente ao aneurisma.
- Na hemorragia franca, a reanimação aguda de fluidos e a transfusão de sangue devem começar imediatamente.
- A oclusão temporária não pode exceder 10 minutos. Se necessário período mais longo, devem-se administrar anestésicos que diminuam a TMCO$_2$. Isso fornece proteção contra rotura sem incorrer no risco de isquemia cerebral global.
- Durante a oclusão temporária, a normotensão deve ser mantida para facilitar a perfusão da circulação colateral.
- Se a oclusão temporária não for possível e a perda sanguínea não for significativa, a PAM deve ser reduzida transitoriamente até 50 mmHg para facilitar o controle cirúrgico.

■▶ Cirurgia de epilepsia e craniotomia com o paciente acordado

Tem como objetivo facilitar o monitoramento da região do cérebro a ser operada, permitindo identificar a localização precisa do foco epiléptico, assim como ressecar o tumor com mínimo dano neurológico, proporcionando melhor qualidade de vida no pós-operatório.

O anestesiologista deve proporcionar conforto e segurança ao paciente, mantendo um ambiente calmo e confortável para uma maior cooperação.

Na sedação consciente, o paciente deve ser capaz de responder a estímulo verbal. Torna-se necessária, portanto, a utilização de fármacos que apresentam rápido término de ação, como propofol, remifentanil e dexmedetomidina.

A técnica "adormecido-acordado-adormecido" é preferível para cirurgias de epilepsia e ressecção de tumores. Aplica-se anestesia geral associada a bloqueio local da inervação craniana, durante craniotomia e fechamento cirúrgico. Acorda-se o paciente para mapeamento das funções corticais.

● NEUROANESTESIA NO TRAUMA

■▶ Anestesia no trauma cranioencefálico

- Após admissão em sala operatória (SO), realizam-se monitorização, acesso venoso, pré-oxigenação e indução anestésica e intubação orotraqueal em sequência rápida. Em paciente admitido em IOT, a assistência ventilatória deverá ser mantida.

- Os anestésicos utilizados devem minimizar efeitos deletérios ao cérebro, como elevação da $PaCO_2$, $TMCO_2$, PIC, e redução do FSC, PAM, movimentos musculares. Se o encéfalo estiver edemaciado, condutas devem ser tomadas para tentar minimizar os danos (Quadro 5.2).

- A anestesia tem por objetivo a manutenção da PPC (PPC = PAM - PIC) dentro de níveis adequados. Níveis elevados de PAM podem causar edema, elevação da PIC e consequente redução da PPC. A hipotensão reduz a PPC.

- A hipocapnia ($PaCO_2$ 30-35 mmHg) deve ser alcançada. Níveis elevados de $PaCO_2$ em intubados previamente podem necessitar de troca de cânula orotraqueal por uma mais calibrosa.

- Glicemia e Na^+ sérico devem ser mantidos em seus respectivos valores normais, pois a queda na osmolaridade sérica pode ocasionar piora do edema cerebral e consequente aumento da PIC.

- Manter temperatura corpórea até 36 °C.

- A reposição volêmica deve ser restritiva, repondo as perdas volêmicas.

Quadro 5.2
Condutas para o controle intraoperatório de inchaço cerebral grave

- Corrigir posicionamento inadequado: excesso de rotação da cabeça ou a cabeça abaixo do coração podem dificultar o retorno venoso e represar sangue no encéfalo. Isso pode ser corrigido mesmo antes de a cirurgia começar. Obstrução respiratória (PEEP alta, broncoespasmo, torção da cânula orotraqueal) pode causar aumento tanto da pressão intratorácica, dificultando o retorno venoso, como da $PaCO_2$;

- Alterações hemodinâmicas súbitas: hipertensão ou taquicardia podem aumentar a PIC, principalmente em pacientes com os mecanismos de autorregulação alterados. O plano anestésico superficial deve ser aprofundado e depois o uso de anti-hipertensivos ou cronotrópicos negativos deve ser considerado;

- Corrigir PaO_2 e $PaCO_2$: manter PaO_2 maior que 100 mmHg e a $PaCO_2$ entre 25 e 35 mmHg. Evitar $PaCO_2$ inferior a 25 mmHg por risco de hipoperfusão cerebral;

- Administração de diuréticos: o uso de manitol 0,25 a 1 mg/kg deve ser infundido em 10 a 15 minutos, sendo mais efetivo em pacientes com osmolaridade abaixo de 290 mOsm/kg. Se o paciente apresentar osmolaridade maior que 320 mOsm/kg não se deve usar manitol. A solução salina hipertônica de NaCl 3% pode ter efeito melhor do que o manitol em alguns casos, mas deve-se observar possível aumento de Na^+ sérico. Furosemida é muito útil em pacientes que não toleram aumento de volume intravascular e pode ser usada na dose de 0,3 a 1 mg/kg, principalmente em pacientes com insuficiência cardíaca;

- Drenagem de LCR, cistos ou hematomas pela equipe cirúrgica;

- Retirar anestésicos inalatórios que possam aumentar o FSC: retirar N_2O ou anestésicos halogenados;

- Administrar tiopental: se tudo falhar, doses em bolo de 150 a 250 mg de tiopental podem ajudar. Essas doses devem ser repetidas enquanto a condição hemodinâmica do paciente permitir. A repercussão hemodinâmica pode se tornar um problema.

- Após procedimento cirúrgico, promover facilitação da drenagem venosa cerebral posicionando a cabeceira > 30 graus, até remoção para a unidade de recuperação.

■▶ Anestesia no trauma raquimedular

- Atenção à possibilidade de via aérea difícil em paciente com estômago cheio. Intubação em paciente acordado com uso de fibroscópio pode ser uma boa opção.

- Lesão alta e aguda na medula pode ocasionar choque neurogênico com sinais clínicos como hipotensão, bradicardia e hiper-reflexia. O quadro clínico está associado a perda de tônus simpático abaixo do nível da lesão medular.

- O tratamento deve ser agressivo em caso de instabilidade hemodinâmica secundária ao choque neurogênico, utilizando-se reposição volêmica e vasopressores, se necessário, para manutenção da PAM.

● REFERÊNCIAS BIBLIOGRÁFICAS

1. Barash PG, Culler BF, Stoelting RK, Calahan MK, Stock MC. Clinical Anesthesia, 7th ed. Philadelphia: Lippincott Williams, 2014.
2. Guyton AC, Hall JE. Tratado de Fisiologia Médica. 12ª ed. Rio de Janeiro, Ed. Elsevier, 2011.
3. Cangiani LM, Slullitel A, Potério GMB et al. Tratado de Anestesiologia SAESP. 7a ed. São Paulo: Atheneu, 2011.
4. Longnecker DE, Newman MF, Brown DL, Zapol WM. Anesthesiology. 1st ed. McGraw-Hill, 2007.
5. Miller RD. Miller's Anesthesia. 8th ed. Philadelphia: Elsevier/Saunders, 2015.
6. Cottrell JE, Patel P. Cottrell and Patel's Neuroanesthesia. 6th ed. Philadelphia:Elsevier, 2017.
7. Hines RL, Marschall KE. Stoelting's Anesthesia and Co-Existing Disease. 7th ed. Philadelphia: Elsevier, 2018.
8. Barash PG, Cullen BF, Stoelting RK, Cahalan MK, Stock MC, Ortega R. Manual de Anestesiologia Clínica. 7a ed. Porto Alegre:Artmed, 2013.
9. Citerio G, Pesenti A, Latini R, Masson S, Barlera S, Gaspari F, Franzosi MG. A multicentre, randomized, open-label, controlled trial evaluating equivalence of inhalational and intravenous anesthesia during elective craniotomy. Eur J Anesth 2012; 29: 8.

Capítulo 6

Anestesia para Cirurgia Cardíaca

David Ferez
Maurício Miranda Ribeiro
Everton Sidney da Conceição Carvalho
Daniele Luize Garcia da Silva
Francisco Dias de Oliveira Neto

▬ INTRODUÇÃO

A anestesia para cirurgia cardíaca constitui-se em um desafio para quem a realiza. A harmonia de uma série de fatores como conhecimento da fisiologia cardíaca, farmacologia e cumplicidade com a equipe faz-se necessária para uma maior probabilidade de sucesso do procedimento.

Com a evolução dos fármacos e técnicas anestésicas, o conceito de *fast--track* ganhou força nos últimos anos, objetivando uma melhor qualidade no atendimento aos pacientes submetidos a cirurgia e reduzindo tanto o período de internação quanto os custos acarretados com cirurgias desse porte.

▬ FISIOLOGIA CARDIOVASCULAR

▬ Conceito inicial

- O coração é um músculo estriado cardíaco e é dividido em quatro câmaras: dois átrios e dois ventrículos, em que estes têm a função de ejetar sangue rico em oxigênio proveniente dos pulmões e aqueles, a de receber do organismo o sangue rico em gás carbônico.

- O ciclo cardíaco compreende o período entre duas sístoles, em que ocorrem alterações elétricas e mecânicas; a segunda é uma consequência da primeira, compreendendo dois tempos: sístole (contração) e diástole (relaxamento).

- O ciclo cardíaco é iniciado pela geração espontânea de potencial de ação no nó sinoatrial (também chamado de nó sinusal), que é o marca-passo cardíaco. Esse potencial se espalha rapidamente por todo o miocárdio por este formar um sincício, gerando, em condições normais, contrações rigorosamente rítmicas.

- Os átrios são separados dos ventrículos por um tecido fibroso, que funciona como uma barreira isolante para o potencial de ação. Ele, por sua vez, é conduzido ao ventrículo por um feixe de fibras condutoras: as fibras atrioventriculares (nó atrioventricular) e fibras de Purkinje, com um atraso de 0,1 s, que permite a chegada do sangue dos átrios antes de a contração ventricular se efetuar.

- O potencial de ação (PA) no músculo cardíaco é mais longo e apresenta platô, ao contrário do PA do músculo esquelético, devido à abertura simultânea dos canais lentos de cálcio e dos canais rápidos de sódio. Esses canais lentos de cálcio prolongam a despolarização, causando o platô, além de fornecerem o cálcio para a contração.

- Existe um período refratário no ciclo elétrico cardíaco, que nada mais é que o intervalo durante o qual o impulso cardíaco normal não pode reexcitar uma área já excitada do miocárdio, sendo o período refratário dos átrios bem mais curto comparado ao dos ventrículos.

■❱ Inervação cardíaca

- O coração possui inervação do sistema nervoso autônomo (SNA), que compreende as vias parassimpáticas e simpáticas, que controlam todos os parâmetros e respostas cardíacas.

- A inervação parassimpática é responsável pelo cronotropismo e dromotropismo negativo, não afetando a contratilidade de maneira importante. Tem como neurotransmissor a acetilcolina (Ach), que atua sobre os receptores muscarínicos e nicotínicos.

- A inervação simpática é responsável pelo inotropismo, dromotropismo, cronotropismo e lusitropismo positivos. Tem como neurotransmissor principal a noradrenalina, que age sobre a glândula suprarrenal promovendo aumento da secreção de adrenalina. Ambas agem sobre os receptores alfa e beta.

■❱ Eletrocardiograma

- Onda P: representa a despolarização atrial.
- Intervalo P-R: intervalo que é um indicativo da velocidade de condução entre os átrios e os ventrículos, correspondendo ao tempo de condução do impulso elétrico desde o nó atrioventricular (A-V) até os ventrículos:
- Intervalo P-P: frequência atrial.
- Complexo QRS: despolarização dos ventrículos.
- Intervalo R-R: frequência ventricular (cardíaca).
- Intervalo Q-T: sístole ventricular.
- Onda T: repolarização ventricular.
- Segmento S-T: repolarização ventricular.

■❙ Ciclo cardíaco

- 75% do sangue flui "naturalmente" para o ventrículo, sendo o átrio responsável por enviar os 25% adicionais para preencher o ventrículo, funcionando como bombas de escorva.
- Variação da pressão nos átrios: ondas a, c e v.
  - Onda a: causada pela contração atrial. Some na fibrilação atrial.
  - Onda c: início da contração ventricular. Causada pelo abaulamento para dentro do átrio das válvulas A-V pelo refluxo de sangue.
  - Onda v: final da contração ventricular. Causada pelo lento fluxo de sangue das veias para os átrios, enquanto as válvulas A-V estão fechadas durante a contração dos ventrículos. Quando essa contração acaba, as válvulas A-V se abrem e ela desaparece.
- Durante a diástole há acúmulo de sangue nos átrios, pelo ainda fechamento das válvulas A-V.
- O enchimento ventricular pode ser dividido em três fases:
  - Período de enchimento rápido dos ventrículos: no terço inicial da diástole as válvulas A-V se abrem, porque os ventrículos estão com menor pressão em relação aos átrios e com isso o sangue acumulado durante a sístole nos átrios flui para os ventrículos.
  - Durante o terço médio da diástole ocorre um leve escoamento de sangue dos átrios para os ventrículos.
  - No terço final da diástole é que ocorre a contração atrial que promove o impulso adicional de 25-30% do enchimento ventricular.
- Período de esvaziamento ventricular:
  - Contração isovolumétrica: logo após o início da contração ventricular a pressão ventricular se eleva e as válvulas A-V se fecham, mas não há pressão suficiente para abrir as válvulas aórtica e pulmonar. Então, durante esse período, ocorre aumento da pressão sem alteração do volume.
  - Ejeção: ocorre abertura das válvulas aórtica e pulmonar e imediatamente o sangue começa a sair dos ventrículos, sendo que 70% sai no 1/3 inicial (fase de esvaziamento rápido) e o restante sai nos próximos 2/3 finais (fase do esvaziamento lento).
  - Relaxamento isovolumétrico: logo após a ejeção, começa o relaxamento ventricular, o que permite queda rápida das pressões ventriculares e fechamento das válvulas áortica e pulmonar. O ventrículo relaxa, mas sem alteração do volume. A pressão nos ventrículos cai e as válvulas A-V se abrem, iniciando assim um novo ciclo de bombeamento ventricular e, consequentemente, um novo ciclo cardíaco.

- Débito cardíaco é o volume bombeado pelo ventrículo durante a sístole a cada minuto e é calculado pela multiplicação entre volume sistólico (VS) e frequência cardíaca (FC), sendo 10% menor nas mulheres. É diretamente influenciado pela pré-carga, contratilidade, pós-carga e complacência ventricular.

- Intrínseca ao conceito de pré-carga está a Lei de Frank-Starling, que afirma que o coração tem a capacidade de se adaptar a volumes crescentes de afluxo sanguíneo, ou seja, quanto mais o miocárdio for distendido pela entrada de sangue durante seu enchimento, maior será a força de contração e maior será a quantidade de sangue bombeada para a artéria aorta. Em outras palavras, o coração é capaz de bombear todo o sangue que chega a ele pelas veias.

- Para o conceito de pós-carga existem a resistência vascular periférica (RVP) e a Lei de Laplace, a qual mede o estresse na parede ventricular por meio de uma fórmula.

  - Estresse: Pressão × Raio/2 × Espessura

Isso explica a hipertrofia compensatória e o aumento do oxigênio pelo miocárdio.

■■▶ Determinantes para o ciclo cardíaco

Observe a Figura 6.1.

- Frequência cardíaca;
- Contratilidade (SNA simpático);
- Complacência ventricular (sua diminuição pode causar coronariopatia, miocardiopatia hipertrófica, tamponamento cardíaco e cardiopatia hipertênsica, por exemplo);
- Metabolismo cardíaco;
- Consumo de oxigênio pelo miocárdio;
- Coronárias pérvias;
- Pressão arterial.

■■ AVALIAÇÃO PRÉ-OPERATÓRIA

A avaliação pré-operatória constitui a base para determinar a estratégia anestésica. A histórica clínica e o exame físico associados aos exames complementares pré-operatórios são fundamentais para se avaliar a função cardíaca e patologias que influenciem o curso operatório.

A identificação de doenças não cardíacas que possam alterar a função cardíaca e seu tratamento quando possível pode melhorar o prognóstico e reduzir a morbimortalidade dos pacientes submetidos a intervenções cardíacas.

As tabelas de estratificação de risco são importantes ferramentas para se estimar o risco de morbidade e mortalidade nas cirurgias cardíacas. Entre as mais utilizadas, tem-se a Euro score I/Euro score II, Bernstein e New York State Model.

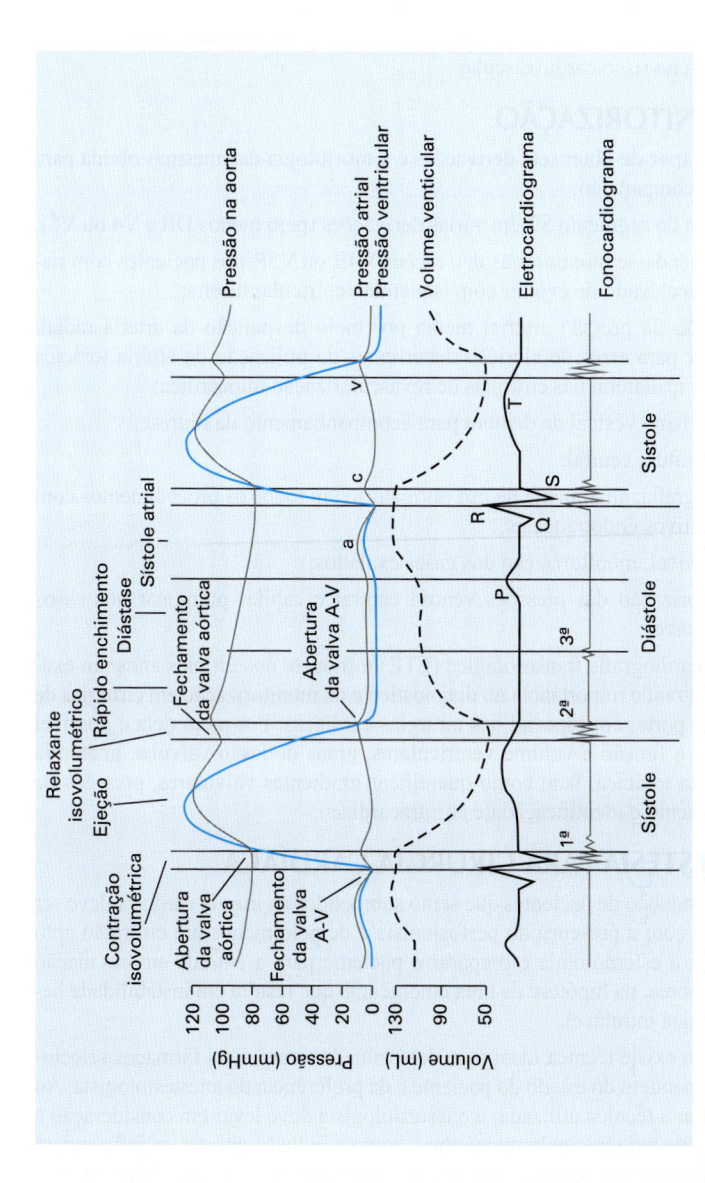

Figura 6.1 – Eventos do ciclo cardíaco para o funcionamento do ventrículo esquerdo, mostrando as variações na pressão do átrio esquerdo, na pressão do ventrículo esquerdo, na pressão da aorta, no volume ventricular, no eletrocardiograma e no fonocardiograma.

Dentro do exame físico, são importantes a avaliação do estado funcional do paciente (tolerância aos esforços e exercício físico, mensuração do risco cardiovascular e identificação de doenças não cardíacas) e a história familiar a fim de identificar a predisposição genética para determinadas patologias e sua influência no risco cardiovascular.

■ MONITORIZAÇÃO

- ECG capaz de obter sete derivações e a morfologia das mesmas obtida para futura comparação;
- Análise do segmento ST em várias derivações (pelo menos DII e V4 ou V5);
- Recomenda-se monitorar as derivações V4R ou V5R nos pacientes com risco mais elevado de evoluir com isquemia ventricular direita;
- Aferição da pressão arterial média por meio de punção da artéria radial. Atentar para erros de aferição decorrentes da utilização da artéria torácica interna ipsilateral nas cirurgias de revascularização miocárdica;
- Cateterismo vesical de demora para acompanhamento da diurese;
- Temperatura central;
- Capnografia, atualmente de uso obrigatório em todos os procedimentos com dispositivos endotraqueais;
- Se possível, monitorização dos gases exalados;
- Monitorização das pressões venosa central e capilar pulmonar nos casos mais graves;
- A ecocardiografia transesofágica (ETE) tornou-se nos últimos anos um exame de grande importância no diagnóstico e na monitorização em cirurgias de grande porte, em especial nas cirurgias cardíacas. Por meio dela é possível avaliar a função e volume ventriculares, graus de lesão valvular, anatomia da aorta torácica, bem como quantificar gradientes valvulares, pressões de enchimento e identificação de ar intracardíaco.

■ ANESTESIA PARA CIRURGIA CARDÍACA

A indução de pacientes que serão submetidos a cirurgia cardíaca deve ser realizada com a presença do perfusionista e de pelo menos um cirurgião apto a realizar a esternotomia e preparar o paciente para a entrada em circulação extracorpórea, na hipótese de uma emergência que resulte em instabilidade hemodinâmica intratável.

Não existe técnica ideal para determinada cirurgia; os fármacos selecionados dependem do estado do paciente e da preferência do anestesiologista. Ao determinar a técnica utilizada, o anestesiologista deve levar em consideração a demanda de oxigênio pelo miocárdio e como a indução anestésica influenciará esse consumo, a preservação da função ventricular, muitas vezes deficiente nos pacientes cardiopatas, e a escolha dos fármacos indutores, de modo a realizar uma anestesia adequada.

Na preparação para a indução, o anestesiologista deve ter à mão os seguintes fármacos: vasopressores (por exemplo, metaraminol, fenilefrina, efedrina, cloreto de cálcio, vasopressina prontamente disponível), um ou mais inotrópicos (por exemplo, efedrina, epinefrina, norepinefrina, dopamina, ou dobutamina), um ou mais vasodilatadores (nitroglicerina, nitroprussiato), um fármaco anticolinérgico (atropina), fármacos antiarrítmicos (lidocaína, esmolol, magnésio, amiodarona, adenosina) e heparina, prontos para administração por bolo ou infusão, conforme apropriado.

As cefalosporinas são utilizadas como o antibiótico profilático de primeira escolha para cirurgia cardíaca. Recomenda-se sua administração em até 1 hora antes da incisão. Nos pacientes que são alérgicos à penicilina recomenda-se a administração de vancomicina (dada a boa eficácia contra estafilococos) preferencialmente 2 horas antes da incisão.

Os medicamentos antifibrinolíticos normalmente são uilizados para diminuir a incidência de sangramento e a necessidade de transfusão durante a cirurgia cardíaca. Atualmente, dispõe-se do ácido tranexâmico e do acido épsilon-aminocaproico como fibrinolíticos utilizados nas cirurgias.

Na indução anestésica, emprega-se, rotineiramente, a associação de um opiáceo com um sedativo-hipnótico (etomidato, tiopental, propofol ou midazolam). A grande maioria dos anestésicos tende a diminuir o tônus simpático, o que pode levar a diminuição da resistência vascular sistêmica, ocasionando depressão da função cardíaca e hipotensão arterial. A única exceção é cetamina, que tem efeitos simpaticomiméticos. Todavia, seu uso apresenta restrições devido à possibilidade de taquicardia e hipertensão arterial (que pode levar a um evento isquêmico em um miocárdio já propenso em razão da necessidade de maior consumo de oxigênio) e por proporcionar efeitos inotrópicos negativos diretos que podem não ser compensados pelos seus efeitos simpaticomiméticos.

Por causa dos efeitos farmacológicos sobre a função cardiovascular, todos os agentes anestésicos devem ser administrados com parcimônia, principalmente nos paciente com disfunção ventricular esquerda.

Na indução anestésica, relaxantes musculares são associados aos indutores anestésicos, de modo a auxiliar na intubação orotraqueal e evitar os efeitos indesejáveis de uma possível rigidez torácica no caso de uma indução com doses mais elevadas de opiáceos.

Após a indução da anestesia, algumas medidas de proteção importantes devem ser tomadas; os métodos de posicionamento dos braços variam de acordo com a prática institucional e a técnica cirúrgica a ser utilizada, mas é preciso evitar a lesão nervosa (do plexo braquial ao expandir os braços, do nervo ulnar por compressão indevida do olécrano, do nervo radial devido à compressão da parte superior do braço com os afastadores esternais ou lesão no dedo por compressão do mesmo nas bordas laterais da mesa cirúrgica). Além disso, o posicionamento adequado permite uma melhor alocação de cateteres (arteriais, venosos centrais). A proteção ocular é mandatória; deve-se evitar pressão sobre os olhos e o seu ressecamento, utilizando, se possível, colírios ou pomadas para mantê-los lubrificados durante todo o ato cirúrgico.

Objetivando a extubação rápida dos pacientes (*fast-track*), os anestésicos inalatórios são frequentemente escolhidos como o anestésico primário de manutenção. Isoflurano e sevoflurano são os mais comumente empregados. Devido aos seus efeitos de diminuição da resistência vascular sistêmica e da pressão arterial, seu emprego é muito bem aceito, principalmente em cirurgias em que há uma maior probabilidade de eventos isquêmicos, como revascularização miocárdica.

Os anestésicos inalatórios possuem vários efeitos cardioprotetores, incluindo o desencadeamento gradual do pré-condicionamento e da reperfusão da lesão. Contudo, o óxido nitroso deve ser evitado por levar ao aumento de bolhas e por elevar a resistência vascular pulmonar.

O período correspondente entre a indução anestésica e o início da circulação extracorpórea é caracterizado por estímulos extremamente variáveis. Durante esse período há elevação da resposta aos estímulos dolorosos (incisão, afastamento esternal, pericardiotomia, canulação dos vasos), o que pode resultar na elevação de catecolaminas e, consequentemente, em taquicardia, disritmias, hipertensão arterial e até mesmo isquemia miocárdica no caso de uma anestesia realizada de modo inadequado.

Segundo estudos, a incidência de isquemia nesse período varia de 7% a 56%. Para minimizar os efeitos deletérios e diminuir a probabilidade de eventos isquêmicos, deve-se otimizar a relação entre oferta e demanda de oxigênio pelo miocárdio e dispor de uma monitorização adequada para a identificação da isquemia miocárdica. O manejo anestésico deve ser realizado objetivando a otimização hemodinâmica no intuito de garantir uma perfusão adequada dos órgãos.

Recomenda-se o manejo anestésico dirigido para a extubação precoce dos pacientes de baixo a médio risco submetidos a cirurgias de revascularização miocárdica não complicadas (*fast-track*), preferencialmente nas primeiras 8 horas após o término do procedimento.

O tempo de clampeamento aórtico influencia o aumento da incidência de infarto agudo do miocárdio (IAM) no período pós-operatório; tempo de clampeamento superior a 40 minutos resulta em uma probabilidade de 14,3% ante os 2,6% de chances quando esse tempo é inferior.

Durante a circulação extracorpórea (CEC), a perfusão sistêmica, o suporte circulatório e as trocas gasosas são realizados através de uma bomba mecânica. Apesar de sua evolução ao longo do tempo, essas bombas ainda possuem algumas desvantagens. As desvantagens incluem lise de componentes sanguíneos, possibilidade de formação de microêmbolos devido à compressão dos tubos, aumento da resposta inflamatória e complicações decorrentes da entrada e da saída da CEC, além de não terem a capacidade de fornecer um fluxo sistêmico fisiologicamente significativo.

O contato entre o sangue do paciente e os componentes do circuito da bomba de CEC inicia a ativação da cascata de coagulação. A anticoagulação sistêmica é realizada antes da inserção das cânulas e tem como intuito evitar a trombose no sistema de CEC e, consequentemente, a morte do paciente. O anticoagulante de escolha é a heparina, na dose de 3-5 mg/kg. Após sua administração, o pico se dá rapidamente (em menos de 5 minutos), tendo sua meia-vida em torno de 90 minutos. Na vigência de hipotermia, a meia-vida está aumentada.

A heparina é um mucopolissacarídeo polionônico cuja capacidade de anticoagulação se dá por sua capacidade de potencializar a atividade da antitrombina III (AT-III) ao se ligar a ela. Essa ligação altera a configuração estrutural da AT-III, elevando a capacidade inibidora da trombina em pouco mais de mil vezes. Isso evita a formação de coágulos de fibrina atuando nas vias intrínseca e extrínseca, além de fatores inibidores IX, Xa, XIa, XIIa, calicreína e plasmina.

No Brasil, utiliza-se o teste de coagulação ativado (TCA) como método para avaliar se a heparinização está adequada. Considera-se um TCA aceitável quando seu tempo é superior a 480 segundos.

Outro teste que pode ser utilizado é a dosagem dos níveis sanguíneos de heparina no intraoperatório. Nesse método, doses conhecidas de protamina são adicionadas a uma amostra heparinizada de sangue sequencialmente, até se determinar a dose ótima de protamina que produz um coágulo na menor quantidade de tempo.

Com o início da CEC, o perfusionista realiza os testes para verificação da pressão na aorta (ratifica seu correto posicionamento) e de retorno venoso adequado. Ao mesmo tempo, o anestesiologista deve verificar se há alterações como edema de face ou conjuntiva, turgência venosa ou branqueamento unilateral do rosto, de modo a confirmar o correto posicionamento das cânulas.

Uma vez estabelecida a CEC, pode-se descontinuar a ventilação mecânica e a administração dos anestésicos voláteis. Anestésicos venosos e o bloqueador neuromuscular são administrados, de modo a evitar uma ventilação inesperada, movimentos ou tremores durante o procedimento. O anestesiologista pode, ainda, optar por administrar um anestésico inalatório durante a cirurgia, conectando o vaporizador diretamente à entrada de gás do oxigenador no circuito de circulação extracorpórea.

O volume de urina coletado até o período que antecede a entrada em CEC deve ser contabilizado e desprezado, e sua aferição passa a ser monitorizada durante o período da circulação extracorpórea.

A saída de CEC é um processo gradual que visa restabelecer a homeostase do paciente. Nesse período, podem ocorrer fibrilação ventricular (devido à diminuição da perfusão subendocárdica e consequente distensão ventricular esquerda), distensão ventricular direita e hipertensão pulmonar. Devem-se afastar causas e complicações ciúrgicas e iniciar suporte farmacológico e mecânico no auxílio à restauração da função cardíaca. Quando submetido a cirurgias realizadas na presença de hipotermia, o aquecimento do paciente deve ser feito de maneira gradativa, diminuindo o risco de desnaturação de proteínas plasmáticas, formação de bolhas na corrente sanguínea e hipertermia encefálica (a temperatura de perfusão não deve exceder a temperatura encefálica em mais do que 10 ºC). Durante o período de reaquecimento, o paciente pode apresentar sudorese profusa, o que, acredita-se, é resultado da perfusão do hipotálamo. Embora seja uma provável ocorrência nessa fase da cirurgia, não se deve descartar que o paciente possa estar recuperando sua consciência no período intraoperatório, e o uso de benzodiazepínicos ou do anestésico inalatório está indicado nessa situação.

Quando as pressões de enchimento e equilíbrio acidobásico estão adequadas, o ritmo sinusal e a frequência cardíaca controlados e o paciente normotérmico, a drenagem venosa é interrompida e prossegue-se com a saída de CEC.

Durante o ato cirúrgico, o miocárdio pode sofrer agressões, com elevação dos níveis de mediadores inflamatórios e baixa resposta dos receptores às catecolaminas (devido à intensa produção de catecolaminas endógenas durante a circulação extracorpórea). A disfunção miocárdica pode se prolongar nos primeiros dias de pós-operatório, o que pode tornar necessário o emprego de inotrópicos exógenos para restabelecer a função ventricular. Se utilizados em doses elevadas, esses mesmos inotrópicos podem levar a aumento da frequência cardíaca, elevando o consumo de oxigênio pelo miocárdio. A frequência cardíaca, a pré-carga e a pós-carga devem ser corrigidas, e, no caso de essas medidas se mostrarem ineficazes, considera-se a necessidade de suporte mecânico.

Os exemplos mais conhecidos de suporte mecânico são o balão intra-aórtico e o ECMO (do inglês, *extracorporeal life support*).

O balão intra-aórtico é um dispositivo idealizado para aumentar o fluxo coronariano, otimizando a perfusão miocárdica. Ele é posicionado no segmento proximal da aorta ascendente, onde é insuflado e esvaziado de acordo com o ciclo cardíaco. Sua insuflação ocorre na diástole, aumentando o fluxo coronariano devido ao deslocamento de sangue (30 a 50 mL), e seu esvaziamento se dá na sístole, originando, desse modo, um mecanismo denominado contrapulsação. O balão intra-aórtico está indicado tanto em procedimentos cardíacos quanto para cirurgias não cardíacas. Na cirurgia cardíaca, está indicado como adjuvante na vigência de baixo débito cardíaco após tentativa da saída de CEC, insuficiência mitral secundária a infarto agudo do miocárdio, miocardites, miocardiopatias, no choque cardiogênico associado à comunicação interventricular e procedimentos hemodinâmicos, como o cateterismo convencional, e na angioplastia com deterioração da função ventricular. A contrapulsação leva a melhora do débito cardíaco, da fração de ejeção, dos fluxos cerebral e coronariano e da perfusão periférica ao elevar a pressão média. As complicações relacionadas ao uso do balão intra-aórtico são extremamente incomuns e estão relacionadas diretamente ao implante do cateter (lesão vascular), a isquemia do membro onde foi realizada a punção e a infecções.

ECMO é um dispositivo utilizado adotando-se os mesmos princípios da circulação extracorpórea, com canulação venoarterial intratorácica ou dos membros inferiores. Difere do sistema de circulação extracorpórea por consistir em um sistema fechado sem reservatório para a coleta sanguínea, diminuindo a probabilidade de coagulopatias acentuadas e com uma resposta inflamatória menos exacerbada do que a CEC. O tempo de suporte é mais prolongado do que na circulação extracorpórea, que também é favorecido pelo mecanismo já descrito. É indicado no tratamento para recuperação de insuficiências cardíaca e pulmonar severas.

O conceito de *fast-track* (caminho rápido, na tradução literal) ganhou força nos últimos anos à medida que se buscam meios para reduzir os custos e a morbidade relacionada aos períodos de internação prolongados. Na anestesia para cirurgia cardíaca, o emprego do *fast-track* está limitado a pacientes selecionados e o objetivo é a extubação, na Unidade de Terapia Intensiva (UTI), em até 8 horas. Preconiza-se a administração de fármacos cujo metabolismo seja mais rápido e que tenham pouco impacto nas alterações hemodinâmicas.

A boa comunicação entre toda a equipe multidisciplinar pode garantir conforto e analgesia adequada ao paciente durante o período perioperatório.

◼ BIBLIOGRAFIA

1. Hall, John E. Tratado de Fisiologia Médica. 12ª edição. [tradução Alcides Marinho Junior et al.] Rio de Janeiro: Elsevier, 2011.
2. Manica, James. Anestesiologia: princípios e técnicas. 3ª edição. Porto Alegre: Artmed, 2004.
3. Hensley Jr., Frederick A., Martin, Donald E., Gravlee, Glenn P. A Practical Approach to Cardiac Anestesia. 5th ed. Philadelphia: Lippincott Williams & Wilkins, 2013.
4. Miller, Ronald D.; associate editors, Neal H. Cohen, Lars I. Eriksson, Lee A. Fleischer, Jennie P. Wiener-Kronish, William L. Young. Miller's Anesthesia. 8th ed. Philadelphia: Elsevier, 2015.
5. Cangiani LM, Posso IP, Portério GMB, Nogueira CS editores. Tratado de Anestesiologia SAESP. 7ª ed. São Paulo: Atheneu, 2011.

Capítulo 7

Anestesia para Cirurgia Torácica

Ana Carolina Reiff Janini
Marcos Rodrigues Pinotti
Igor Lopes da Silva
Rafael Oliveira Telles
Bruno Storch

■ FISIOLOGIA. DISTRIBUIÇÃO DA VENTILAÇÃO E DA PERFUSÃO

A eficiência da troca de CO_2 e O_2 na membrana capilar alveolar depende da correspondência entre a perfusão capilar e a ventilação alveolar.

■ Distribuição da ventilação

Observe a Figura 7.1.

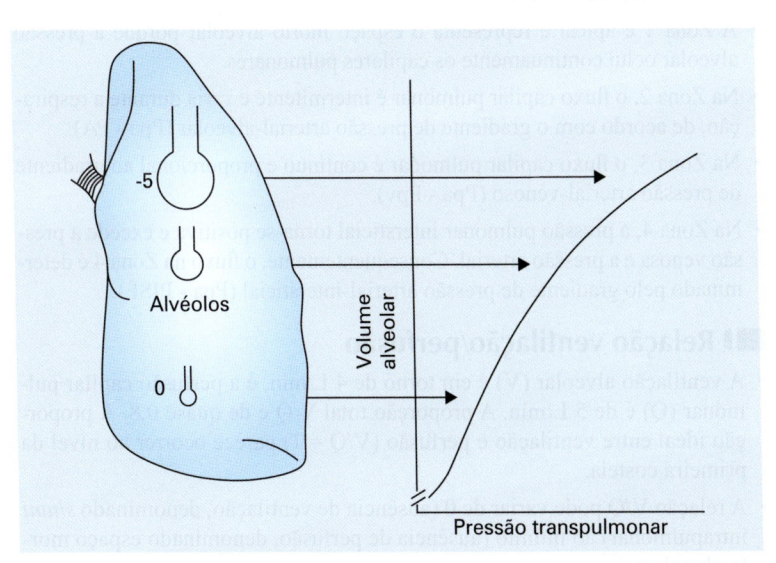

-5

Alvéolos

0

Volume alveolar

Pressão transpulmonar

Figura 7.1 – *Curva de complacência pulmonar em posição ereta.*

Independentemente da posição do corpo, a ventilação alveolar distribui-se desigualmente entre os pulmões. O pulmão direito recebe mais ventilação do que o esquerdo.

A pressão transpulmonar maior das áreas superiores dos pulmões faz com que os alvéolos dessa região estejam insuflados quase de maneira máxima e são relativamente não complacentes, sofrendo somente um pouco mais de expansão durante a inspiração. Os alvéolos das áreas inferiores são menores, pois estão submetidos a uma pressão transpulmonar menor. Esses alvéolos são mais complacentes e passam por maior expansão durante a inspiração.

Essa diferença coloca os alvéolos de diferentes áreas em diferentes pontos da curva de complacência pulmonar.

■❱ Distribuição da perfusão

A distribuição do fluxo sanguíneo nos pulmões depende basicamente da gravidade, mas sofre influência importante da pressão arterial pulmonar, da pressão alveolar e da pressão venosa pulmonar.

Em posição ereta, as partes basais (dependentes) recebem maior fluxo sanguíneo do que as áreas apicais (não dependentes).

■❱ Zonas de West

Observe a Figura 7.2.

Cada pulmão é dividido em quatro zonas, com base nas pressões: pressão alveolar (PA), pressão pulmonar arterial (Ppa), pressão pulmonar venosa (Ppv) e pressão intersticial (PISF).

- A Zona 1 é apical e representa o espaço morto alveolar porque a pressão alveolar oclui continuamente os capilares pulmonares.
- Na Zona 2, o fluxo capilar pulmonar é intermitente e varia durante a respiração, de acordo com o gradiente de pressão arterial-alveolar (Ppa - PA).
- Na Zona 3, o fluxo capilar pulmonar é contínuo e proporcional ao gradiente de pressão arterial-venoso (Ppa - Ppv).
- Na Zona 4, a pressão pulmonar intersticial torna-se positiva e excede a pressão venosa e a pressão arterial. Consequentemente, o fluxo na Zona 4 é determinado pelo gradiente de pressão arterial-intersticial (Ppa - PISF).

■❱ Relação ventilação/perfusão

- A ventilação alveolar (V) é em torno de 4 L/min, e a perfusão capilar pulmonar (Q) é de 5 L/min. A proporção total V/Q é de quase 0,8. A proporção ideal entre ventilação e perfusão (V/Q = 1) parece ocorrer ao nível da primeira costela.
- A relação V/Q pode variar de 0 (ausência de ventilação, denominado *shunt* intrapulmonar) ao infinito (ausência de perfusão, denominado espaço morto alveolar).

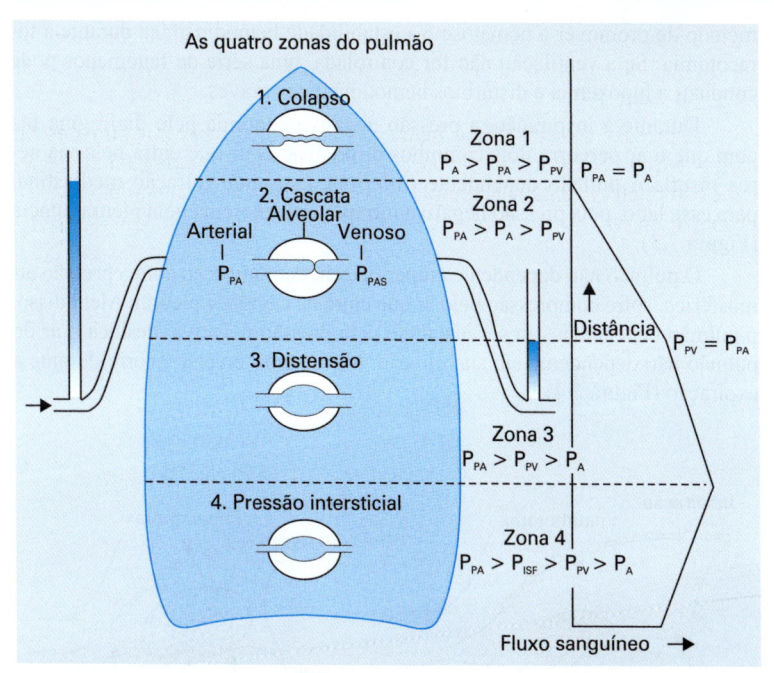

As quatro zonas do pulmão

Figura 7.2 – *Modelo ilustrando as zonas de West. PA: pressão alveolar; Ppa: pressão pulmonar arterial; Ppv: pressão pulmonar venosa; PISF: pressão pulmonar intersticial.*

- A relação V/Q normalmente varia de 0,3 a 3,0. Nas áreas não dependentes (apicais) a relação V/Q é mais alta do que nas regiões dependentes (basais).

Vasoconstrição pulmonar hipóxica (VPH)

- Mecanismo responsável pelo desvio do fluxo sanguíneo dos alvéolos pouco ventilados (hipóxicos) para os alvéolos adequadamente ventilados.
- É considerada um mecanismo de proteção que aprimora a oferta de oxigênio sistêmico.
- Acredita-se que a inibição da VPH por agentes inalatórios cause hipóxia durante a anestesia.

FISIOLOGIA DO TÓRAX ABERTO

Deslocamento do mediastino e respiração paradoxal

A toracotomia causa alterações fisiológicas semelhantes a um pneumotórax aberto. A ventilação controlada com pressão positiva intermitente é o único método de promover a hematose e a estabilidade hemodinâmica durante a toracotomia. Se a ventilação não for controlada, uma série de fenômenos pode conduzir a hipoxemia e distúrbios hemodinâmicos graves.

Durante a inspiração, a pressão negativa exercida pelo diafragma faz com que o ar percorra dois caminhos diferentes. O ar que entra pela via aérea insufla o pulmão dependente (inferior), causando retração mediastinal para esse lado, pela pressão negativa intrapleural, exercida pela pleura intacta (Figura 7.3).

O pulmão não dependente (superior), em comunicação com a pressão atmosférica, sofre compressão pelo ar que entra na cavidade pleural. Além disso, o pulmão dependente, ao ser insuflado pela pressão negativa, desloca o ar do pulmão não dependente em sua direção. Mecanismo inverso ocorre durante a expiração (Figura 7.4).

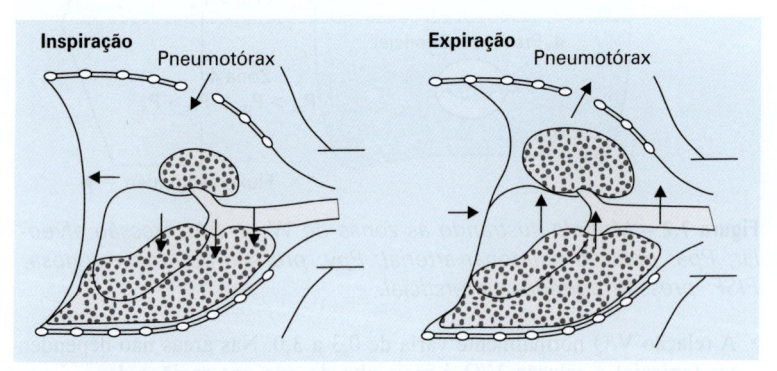

Figura 7.3 – *Balanço do mediastino em paciente com respiração espontânea e tórax aberto.*

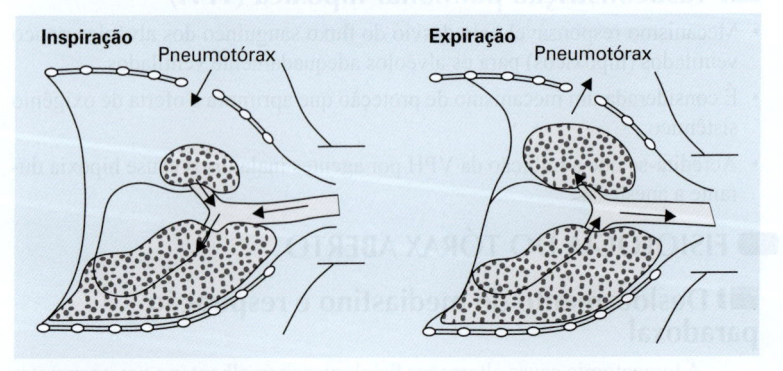

Figura 7.4 – *Respiração paradoxal. Paciente em respiração espontânea.*

● FISIOLOGIA DA POSIÇÃO EM DECÚBITO LATERAL

Nessa situação, o fluxo sanguíneo pulmonar ocorre com maior intensidade no pulmão dependente, por influência gravitacional (Figura 7.5).

■) Paciente respirando espontaneamente com tórax fechado

Nessa situação, a influência da pressão abdominal e do mediastino no pulmão dependente é parcial, pois o diafragma possui função contrátil adequada. Esse pulmão trabalha na faixa mediana da curva de complacência, com melhor relação V/Q (Figura 7.6).

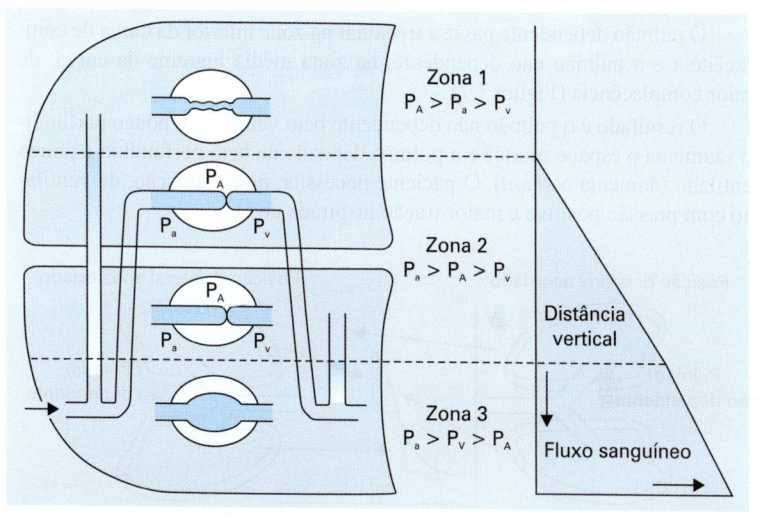

Figura 7.5 – *Efeitos da gravidade na distribuição do fluxo sanguíneo pulmonar em decúbito lateral. PA: pressão alveolar, Ppa: pressão pulmonar arterial, Ppv: pressão pulmonar venosa.*

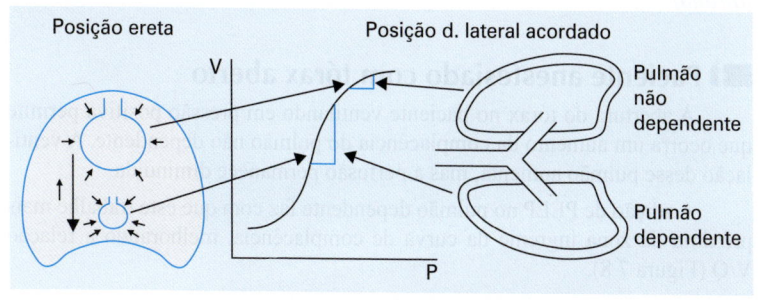

Figura 7.6 – *Curva de complacência pulmonar. O pulmão dependente possui melhor complacência.*

O pulmão não dependente trabalha na faixa superior da curva de complacência e possui predominância do efeito espaço morto. No pulmão dependente predomina o efeito *shunt*. A somatória desses efeitos gera uma relação V/Q satisfatória para uma boa troca gasosa.

▮❱ Paciente anestesiado com tórax fechado

Nessa situação, o fluxo sanguíneo também prevalece no pulmão dependente. Entretanto, com o uso de bloqueador neuromuscular, ocorre relaxamento do diafragma e as estruturas abdominais tornam-se mais proeminentes na cavidade torácica, especialmente no pulmão dependente. Além disso, ocorre queda mais acentuada do mediastino no pulmão dependente devido à perda do tônus muscular.

O pulmão dependente passa a trabalhar na zona inferior da curva de complacência e o pulmão não dependente, na zona média íngreme da curva, de maior complacência (Figura 7.7).

O resultado é o pulmão não dependente bem ventilado e pouco perfundido (aumenta o espaço morto) e o pulmão dependente bem perfundido e pouco ventilado (aumenta o *shunt*). O paciente necessita, nessa situação, de ventilação com pressão positiva e maior fração inspirada de O_2.

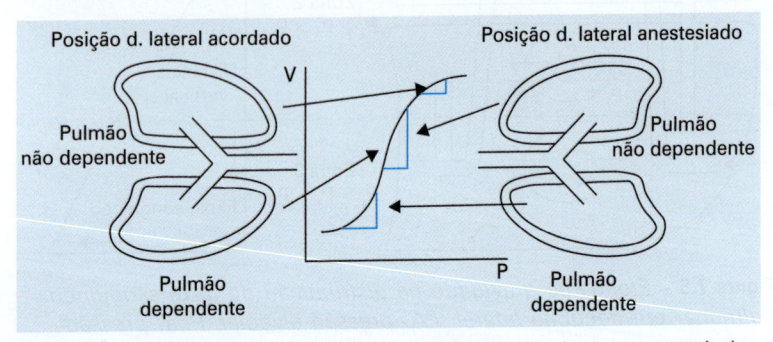

Figura 7.7 – *Curva de complacência pulmonar. Paciente anestesiado (direita).*

▮❱ Paciente anestesiado com tórax aberto

A abertura do tórax no paciente ventilando em pressão positiva permite que ocorra um aumento da complacência do pulmão não dependente. A ventilação desse pulmão aumenta, mas a perfusão permanece diminuída.

A adição de PEEP no pulmão dependente faz com que este trabalhe mais próximo da zona íngreme da curva de complacência, melhorando a relação V/Q (Figura 7.8).

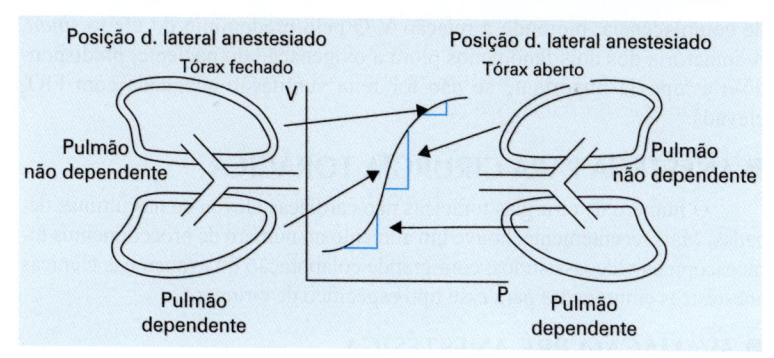

Figura 7.8 – *Curva de complacência pulmonar. Paciente anestesiado e com tórax aberto.*

■▶ Paciente anestesiado com tórax aberto e pulmão não dependente colapsado

Observe a Figura 7.9.

O colapso pulmonar do pulmão operado causa distorções da trama vascular e aumento da resistência vascular pulmonar do lado operado que, somado à vasoconstrição hipóxica, desvia parte do sangue do pulmão não dependente para o dependente.

No pulmão não dependente, agora não mais ventilado, é estabelecido o efeito *shunt*. O pulmão dependente permanece na zona inferior da curva

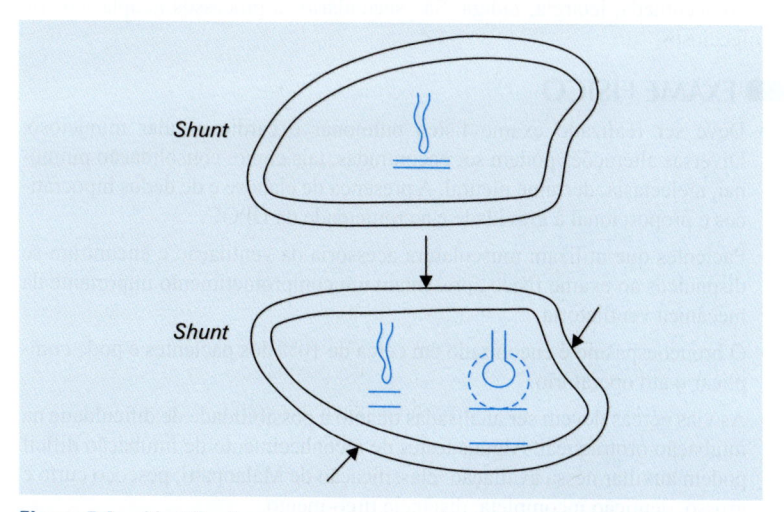

Figura 7.9 – *Ventilação monopulmonar. Intensificação do shunt pulmonar após a desinsuflação do pulmão não dependente.*

de complacência, piorando a relação V/Q pelo predomínio do efeito *shunt*. A somatória dos dois fenômenos piora a oxigenação do paciente, predispondo-o a hipóxia importante se não for feita ventilação adequada com FiO_2 elevada.

ANESTESIA PARA CIRURGIA TORÁCICA

O número de cirurgias torácicas não cardíacas elevou-se nas últimas décadas. Mais recentemente, houve um aumento no número de procedimentos toracoscópicos videoassistidos, com grande colaboração do avanço das técnicas anestésicas empregadas para esse tipo específico de cirurgia.

AVALIAÇÃO PRÉ-ANESTÉSICA

Devemos seguir o padrão convencional de avaliação pré-anestésica, com ênfase no exame físico dos sistemas cardiovascular e respiratório, pois esses pacientes geralmente apresentam reservas funcionais comprometidas devido a sua doença e idade.

HISTÓRIA CLÍNICA

Geralmente são pacientes tabagistas, geriátricos, sedentários, e com frequência apresentam outras enfermidades associadas, como coronariopatia.

Os principais sintomas broncopulmonares são: tosse, hemoptise, dor torácica, dispneia e broncoespasmo. Habitualmente o início da dispneia é abrupto e a tosse é do tipo produtiva. O muco do escarro deve ser analisado quanto ao volume e cor.

Sintomas extrapulmonares podem ocorrer: derrame pleural, perda de peso acentuada, letargia, fadiga. São secundários a processos neoplásicos ou infecciosos.

EXAME FÍSICO

- Deve ser realizado exame físico pulmonar e cardiovascular minucioso. Diversas alterações podem ser encontradas, tais como: consolidação pulmonar, atelectasia, derrame pleural. A presença de cianose e de dedos hipocráticos é proporcional à gravidade e à cronicidade da DPOC.

- Pacientes que utilizam musculatura acessória da ventilação e encontram-se dispneicos ao exame físico apresentam um comprometimento importante da mecânica ventilatória.

- O broncoespasmo é encontrado em cerca de 10% dos pacientes e pode complicar o ato operatório.

- As vias aéreas devem ser analisadas quanto à possibilidade de dificuldade na intubação orotraqueal. Alguns testes de reconhecimento de intubação difícil podem auxiliar nessa avaliação: classificação de Malanpatti, pescoço curto e grosso, dentição incompleta, distância tireo-mento.

■ AVALIAÇÃO LABORATORIAL GERAL

- Hemograma: útil para avaliar a presença ativa de processo infeccioso. Detecção de policitemia.

- Eletrocardiograma: hipertensão pulmonar sugerida com desvio do eixo QRS para a direita, onda P bifásica, sinais de hipertrofia ventricular direita e bloqueio de ramo direito. Possibilidade de diagnóstico de arritmias.

- Radiografia de tórax: avalia possíveis lesões pulmonares e afecções associadas. Pode identificar também: pneumotórax, derrame pleural, bolhas pulmonares, desvios da traqueia. Auxilia na classificação do grau de hipertensão pulmonar presente, com a presença de dilatação da artéria pulmonar e cefalização da vasculatura pulmonar.

■ AVALIAÇÃO ESPECÍFICA DA FUNÇÃO PULMONAR

- Os testes de função pulmonar (TFP) são obtidos por meio do espirômetro, que consiste em um cilindro com água e uma campânula imersa, dentro da qual o paciente respira. A campânula é fixa num sistema de roldanas que mobiliza um sistema de inscrição em um cilindro gráfico.

- Reavaliações recentes têm colocado em dúvida a necessidade dos TFP no pré-operatório, pois a avaliação clínica tem mostrado a mesma eficiência na estimativa dos riscos.

- Os TFP devem ser solicitados em pacientes portadores de DPOC ou outra doença pulmonar adjacente, pois a sua interpretação errônea, diagnosticando um paciente como pneumopata grave, poderá levar a adiamento da cirurgia ou a tratamento paliativo desnecessário (Tabela 7.1).

Tabela 7.1 Candidatos ao TFP
Paciente com suspeita de doença pulmonar subjacente
Cirurgias de ressecção pulmonar
Resposta terapêutica satisfatória ao emprego de broncodilatadores
Deformidade da coluna ou da parede torácica
Diagnóstico de broncoespasmo oculto

■❯ Avaliação estática

Avalia volumes e capacidades pulmonares. Não analisa os volumes em relação ao tempo. Os valores normais variam com sexo e idade (Tabela 7.2).

Tabela 7.2 Teste de função pulmonar	
Parâmetros	**Valores**
Volume corrente	0,5 L
Volume de reserva inspiratório	2,5 L
Volume de reserva expiratório	1,5 L
Volume residual	1,5 L
Capacidade inspiratória	3 L
Capacidade expiratória	2 L
Capacidade residual funcional	3 L
Capacidade pulmonar total	6 L

■■▶ Avaliação dinâmica

Avalia os fluxos pulmonares, ou seja, os volumes em relação ao tempo:

- VEF_1 – volume expirado forçado no primeiro segundo;
- $FEF_{25-75\%}$ – fluxo expirado forçado nos 25-75% da curva;
- VEF_1/CVF – relação volume esperado forçado no primeiro segundo e capacidade vital forçada;
- VVM – ventilação voluntária máxima.

Os testes de função pulmonar (TFP) qualificam qual é o tipo de disfunção predominante: restritiva (restrição do parênquima pulmonar), obstrutiva (obstrução ao fluxo ventilatório) ou mista (Tabela 7.3).

Tabela 7.3 Testes de função pulmonar em distúrbios obstrutivos e restritivos		
Testes estáticos	**Obstrutivo**	**Restritivo**
CVF	↓ ou normal	↓↓↓
VR	↑↑	↓↓↓
CRF	↑↑↑	↓↓↓
CPT	↑↑↑	↓↓↓
Testes dinâmicos	**Obstrutivo**	**Restritivo**
VEF_1	↓↓↓	↓↓
$FEF_{25-75\%}$	↓↓↓	↓ ou normal
VEF_1/CVF	↓↓↓	↓ ou normal
VVM	↓	↓↓↓

Também quantificam a intensidade da disfunção pulmonar: grave, moderada ou leve, e são empregados para avaliar o grau de reversão da obstrução ao fluxo expiratório diante do emprego de broncodilatadores.

Nos pacientes em quem o procedimento cirúrgico está indicado e ocasionará benefícios, mas em que os resultados dos TFP estão abaixo dos limites aceitáveis, é necessário prosseguir a avaliação pré-operatória da função respiratória. Os testes de ventilação/ perfusão são realizados com substâncias radioativas (Xe_{133} ou Tc_{99}), administradas pela corrente sanguínea (perfusão) ou por inalação (ventilação). Colimadores de radiação posicionados no tórax do paciente obtêm a perfusão e ventilação regionais.

PREPARO PRÉ-OPERATÓRIO

Abandono do tabagismo

A interrupção aguda do tabaco menos de 48 horas antes da cirurgia diminui a concentração de carboxi-hemoglobina e os efeitos estimulantes da nicotina no sistema cardiovascular, agindo também na melhora da atividade mucociliar da árvore traqueobrônquica.

O tempo ideal de suspensão é de 4 a 6 semanas antes do procedimento cirúrgico, quando os testes de função pulmonar começam a se normalizar, porém apenas com abstinência superior a 8 semanas é que as taxas de complicações pulmonares pós-operatórias se igualam às dos pacientes não fumantes.

Tratamento das infecções

Pacientes portadores de bronquiectasia apresentam difícil controle do processo infeccioso, consequência da pouca difusibilidade dos antibióticos naquela região e da seleção de bactérias resistentes. Esses pacientes são levados para cirurgia em seu melhor estado, mas sem controle completo do estado infeccioso.

Otimização clínica do paciente

Controle do broncoespasmo, fisioterapia respiratória (incentivo a tosse e tapotagem) e preparo físico e psicológico do paciente.

VENTILAÇÃO MONOPULMONAR

Indicação absoluta

- Isolamento de cada pulmão para prevenir contaminação de um pulmão sadio:
  - Infecção (abscesso, cisto infectado);
  - Hemorragia maciça.
- Controle da distribuição da ventilação a apenas um pulmão:
  - Fístula broncopleural;
  - Fístula broncopleurocutânea;

- Cisto ou bolhas unilaterais;
- Ruptura ou trauma de brônquio principal.
- Lavagem brônquica unilateral.
- Cirurgia toracoscópica videoassistida.

■❱ Indicação relativa

- Exposição cirúrgica – alta prioridade:
  - Aneurisma de aorta torácica;
  - Pneumectomia;
  - Lobectomia superior.
- Exposição cirúrgica – baixa prioridade:
  - Cirurgia de esôfago;
  - Lobectomia média e inferior;
  - Toracoscopia sob anestesia geral.

■ MÉTODOS DE SEPARAÇÃO PULMONAR

■❱ Bloqueador brônquico

Esse dispositivo é colocado com o auxílio de um broncoscópio e dirigido para o pulmão não ventilado. A insuflação do balonete na extremidade distal do bloqueador serve para bloquear a ventilação para esse pulmão. A luz do bloqueador permite a aspiração da via aérea distal à ponta do cateter. O bloqueador brônquico pode ser inserido por meio de fibrobroncoscopia, através de um tubo orotraqueal previamente posicionado.

■❱ Tubo Univent

É um tubo endotraqueal de luz simples com bloqueador brônquico móvel. Depois da intubação orotraqueal, o bloqueador móvel é manipulado para dentro do brônquio principal desejado com o auxílio de um broncoscópio.

■❱ Tubos endobrônquicos de dupla luz

Atualmente, são considerados o padrão-ouro para executar a separação pulmonar e a ventilação monopulmonar. Possuem uma luz longa para alcançar um brônquio principal e a segunda luz termina com uma abertura na traqueia distal.

A separação pulmonar é realizada pela insuflação dos dois manguitos: o manguito traqueal proximal e o manguito brônquico distal, localizado no brônquio principal.

Existem diversos tipos diferentes de tubos de dupla luz, mas todos são essencialmente semelhantes em desenho, pelo fato de dois cateteres serem ajuntados (sonda de Robertshaw, sonda de Carlens, sonda de White).

■❱ Tubo de Robertshaw

Disponível em forma esquerda e direita sem gancho carinal, o que torna a sua inserção mais fácil. Tem como vantagem o fato de possuir luz de grande diâmetro em forma de D, que permite fácil aspiração e oferece baixa resistência ao fluxo de gás, e uma curvatura fixa para facilitar o posicionamento correto e reduzir a possibilidade de dobramento. Estão disponíveis nos tamanhos French 35, 37, 39, 41 (uso adulto) e 28 para pacientes pediátricos.

O tubo endobrônquico direito é desenhado para minimizar a oclusão do lobo superior direito. O tubo também pode ser usado em ventilação a longo prazo (na Unidade de Terapia Intensiva) porque possui um manguito de baixa pressão e alto volume. São considerados os tubos de escolha para separação pulmonar e ventilação monopulmonar e os mais utilizados na prática clínica.

■ TÉCNICA ANESTÉSICA

- Associar de anestesia geral e bloqueio peridural torácico com opioide e anestésico local cirurgias de maior trauma e dor pós-operatória;

- Preferência por anestesia geral venosa total ou balanceada quando previstas desconexões frequentes da ventilação mecânica;

- Bloqueadores neuromusculares sem liberação de histamina e de ação rápida e profunda. Rocurônio é uma boa indicação para esses casos;

- Halogenados causam depressão da resposta vasoconstritora pulmonar hipóxica, podendo promover pequeno *shunt* quando utilizados em suas concentrações alveolares mínimas durante ventilação monopulmonar. No entanto, o efeito broncodilatador torna desconsiderava essa depressão, sendo exceções as situações de grave comprometimento do débito cardíaco;

- É necessário profundidade anestésica antes da manipulação das vias aéreas para evitar espasmo brônquico;

- Medidas para diminuir resposta adrenérgica: ventilação sob máscara com halogenado, lidocaína venosa ou opioide potente antes da intubação traqueal.

■ TÉCNICA DE INTUBAÇÃO ENDOBRÔNQUICA

- Utilizam-se mais comumente tubos de dupla luz descartáveis do tipo Robert Shaw, normalmente para mulheres um TDL 37Fr e para homens um 39Fr;

- Pacientes com altura entre 1,70 e 1,80 m têm uma profundidade média de inserção do TDL de 29 cm. Para cada 10 cm de aumento ou redução da altura deve-se avançar ou retirar o TDL em 1 cm;

- A laringoscopia com a lâmina de Macintosh proporciona melhor visualização e maior área para a passagem do tubo;

- O TDL é introduzido com a curvatura distal côncava anteriormente, e após passar pelas pregas vocais remove-se o estilete e o tubo é rodado 90 graus em direção ao lado do brônquio a ser intubado. Avança-se até encontrar uma resistência;

- A rotação e o avanço devem ser realizados mediante laringoscopia direta e contínua, e após o posicionamento é necessária a realização de um protocolo para confirmar a localização (Quadro 7.1).

- Se a pressão de pico da via aérea durante a ventilação bipulmonar for de 20 cmH_2O, ela não deve exceder 40 cmH_2O para o mesmo VC durante a ventilação monopulmonar;

- Após a realização desses procedimentos, é indicada a confirmação com broncoscópio de fibra óptica (Quadro 7.2).

- No caso de dificuldades para intubação com tubo de dupla luz, deve-se realizar a intubação com tubo comum e menor (6,0-7,0), e, uma vez posicionado na traqueia, pode ser trocado pelo TDL com a utilização de um trocador de tubos.

- O posicionamento inadequado do TDL é indicado por complacência pulmonar pequena e baixo volume corrente expirado.

Quadro 7.1
Medidas para confirmar a posição do tubo de dupla luz
Inflar o balonete traqueal e confirmar que os sons respiratórios são iguais bilateralmente
Inflar o balonete brônquico (raras vezes são necessários mais de 2 mL de ar) e confirmar que os sons respiratórios são iguais e bilaterais (isso assegura que o manguito brônquico não esteja obstruindo o hemitórax contralateral).
Clampear seletivamente cada luz e confirmar que a ventilação ocorre por um pulmão.
Realizar broncoscopia de fibra óptica. Cerca de 50% dos tubos que aparentemente estavam bem posicionados com base na ausculta e no exame não tiveram sua posição correta confirmada por broncoscopia.

Quadro 7.2
Uso do broncoscópio de fibra óptica para confirmar a posição adequada do tubo de dupla luz
Tubo no lado esquerdo
Luz da traqueia: visualizar a carina e a superfície superior do manguito endotraqueal azul pouco abaixo da carina
Luz do brônquio: identificar o orifício do lobo superior esquerdo
Tubo no lado direito
Luz da traqueia: visualizar a carina
Luz do brônquio: identificar o orifício do lobo superior direito

■❱ Técnica de separação pulmonar no paciente com traqueostomia

- TDL convencionais são projetados para serem inseridos pela boca, sendo rígidos para passagem por estoma traqueal e difíceis de posicionar;
- Um bloqueador brônquico inserido separadamente permite a separação dos pulmões.

■❱ Técnica de separação pulmonar no paciente com via aérea difícil

Pode-se planejar intubação com o paciente acordado usando broncoscópio flexível para colocação de TDL ou luz única que pode ser trocado por um TDL usando um trocador de tubos.

■ MANUSEIO ANESTÉSICO DA VENTILAÇÃO MONOPULMONAR

Observe o Quadro 7.3.

Quadro 7.3
Abordagem clínica à manutenção de ventilação por um pulmão
Usar FiO_2 de 1,0
Ventilador com volume corrente de 6 a 8 mL/kg e PEEP de 5 cm de H_2O
Manter frequência respiratória suficiente para manter a $PaCO_2$ entre 35 e 45 mmHg
Verificar a posição do TDL após posicionamento em decúbito lateral
Quando a pressão de pico nas vias aéreas é > 40 mmHg durante a ventilação monopulmonar, deve-se considerar que o TDL não está bem posicionado
Se ocorrer hipoxemia arterial, aplicar CPAP a 10 cm de H_2O no pulmão não pendente (exceto durante a toracoscopia videoassistida)
Quando é necessária correção adicional da hipoxemia arterial, acrescentar PEEP de 5 a 10 cm de H_2O no pulmão ventilado
Realizar manobras de recrutamento frequentes
Evitar sobrecarga de líquidos
A AIVT pode ser preferível ao uso dos anestésicos inalatórios
Se for necessário, inflar e desinflar intermitentemente o pulmão operado

AIVT= anestesia intravenosa total; CPAP= pressão positiva contínua nas vias aéreas; FiO_2= fração de oxigênio inspirada; PEEP= pressão expiratória final positiva; TDL= tubo de dupla luz.

● ANESTESIA PARA EXAMES DIAGNÓSTICOS E CIRURGIAS

■▶ Broncoscopia

É realizada com um broncoscópio de fibra óptica que passa facilmente por um tubo traqueal com diâmetro interno de 8,0 a 8,5 mm.

■▶ Toracoscopia

- Realizada com técnicas locais, regionais ou gerais, dependendo da duração do procedimento e das condições físicas do paciente;
- Drogas anestésicas de despertar rápido são bem indicadas;
- Atentar para o pneumotórax parcial espontâneo que ocorre para a introdução do fibroscópio, que facilita a visualização do cirurgião e é bem tolerado, mesmo em pacientes despertos.

■▶ Cirurgia toracoscópica videoassistida (CTVA)

- A necessidade de usar ventilação monopulmonar é maior do que na toracotomia aberta;
- O pulmão operado deve ser esvaziado após a intubação traqueal tão logo seja possível;
- Há insuflação de dióxido de carbono dentro da cavidade pleural. As pressões de insuflação devem ser mantidas em torno de 5 mmHg devido ao risco de desvio do mediastino e de disfunção hemodinâmica.

■▶ Fístula broncopleural e empiema

Observe o Quadro 7.4.

- Prováveis após uma pneumectomia ou após outros tipos de ressecção pulmonar;

Quadro 7.4
Considerações anestésicas no tratamento de um paciente com fístula broncopleural
Drenar o empiema antes de induzir a anestesia.
Realizar intubação traqueal com o paciente acordado utilizando um tubo de dupla luz (a luz brônquica é direcionada para o lado oposto da fístula; quando há um empiema, deve-se esperar derramamento de pus pela luz traqueal).
Iniciar ventilação controlada antes de colocar o tubo de dupla luz pode causar hipoventilação devido a vazamento de ar.
Deixar o dreno de tórax aberto para evitar pneumotórax hipertensivo.

- Uma alternativa à intubação traqueal com o paciente acordado é colocar um TDL sob anestesia geral com o indivíduo respirando espontaneamente;
- A colocação de um tubo simples após sequência rápida pode ser aceitável quando o vazamento de ar é pequeno e não há empiema.

■▶ Cistos e bolhas do pulmão

Ventilação com pressão positiva ou óxido nitroso pode causar expansão ou ruptura das bolhas volumes correntes pequenos, alta frequência e pressões de até 10 cm de H_2O podem ser usados durante a indução e a manutenção da anestesia.

■▶ Mediastinoscopia

A pressão arterial e a saturação do oxigênio devem ser medidas no braço esquerdo, pois é frequente a compressão das artérias inominada e subclávia direita;

Podem ocorrer: bradicardia reflexa, arritmias, compressão da traqueia e pneumotórax. Os pacientes devem ser, *a priori*, extubados na sala cirúrgica.

■▶ Traqueoplastias

A indução anestésica é de preferência inalatória, mantendo ventilação espontânea.

Após o cirurgião incisar a traqueia, um tubo aramado é inserido distalmente à estenose, podendo-se então administrar BNM e drogas depressoras.

■▶ Hemoptise maciça

A prevenção da asfixia é feita com a administração de O_2, colocando o paciente em decúbito lateral, com o pulmão que sangra para baixo, separando os pulmões (tubo de dupla luz, bloqueador brônquico ou tubo endobrônquico) e estabelecendo regime de ventilação com pressão positiva intermitente e aspiração do sangue.

■▶ Abscesso pulmonar

É necessário o isolamento do pulmão infectado para evitar a inundação do pulmão sadio por material infectado.

O paciente deve ser induzido e intubado com tubo de dupla luz em leve decúbito lateral, com o pulmão doente em posição dependente .

■ BIBLIOGRAFIA

1. Bagatini A, Cangiani LM , Carneiro AF, Rodrigues Nunes R. Bases do ensino da Anestesiologia. 1ª ed. Rio de Janeiro: SBA, 2016.
2. Barash P, Cullen BF, Stoelting RK, Cahalan MK, Stock MC, Ortega R. Manual de Anestesiologia Clínica. 7 ed. Porto Alegre:Artmed, 2014.

3. Blank RS et al. Management of one-lung ventilation impact of tidal volume on complications after thoracic surgery. Anesthesiology 2016; 124:1286-95.

4. Hartigan PM. Practical Manual of Thoracic Anesthesia. New York; London: Springer, 2010.

5. Jens Lohser J, Slinger P. Lung injury after one-lung ventilation: a review of the pathophysiologic mechanisms affecting the ventilated and the collapsed lung. Anesthesia & Analgesia 2015;121:302–18.

6. Miller RD. Miller's Anesthesia. 8 ed. 2015.

7. Morgan G, Mikhail MS, Murray MJ. Anestesiologia Clínica. 4ª ed. Rio de Janeiro: Revinter, 2011.

8. Slullitel A, Braga Potério GM, Cangiani LM. Tratado de Anestesiologia. 7ª ed. São Paulo: Atheneu, 2011.

9. Stoelting`s. Pharmacology & Physiology in Anesthetic Practice. 5th Edition. 2015 .

10. Yao & Artusio's Anesthesiology. 7th Edition. 2012.

Anestesia para Cirurgia Vascular

André Marcos de Oliveira
Laís Helena Navarro e Lima
Lucas Esteves Dohler
Murillo Gonçalves Santos

■ AVALIAÇÃO PRÉ-ANESTÉSICA

- **Anamnese cardiovascular:** permite estratificar o risco cardiológico e identificar comorbidades. Hipertensão arterial sistêmica (HAS) não controlada, arritmias, infarto agudo do miocárdio (IAM) entre 6 semanas e 6 meses, angina instável, insuficiência cardíaca congestiva descompensada (ICC - classes 3 e 4), valvopatias graves e baixa capacidade funcional (< 4 MET) constituem fatores de risco importantes para eventos isquêmicos cardíacos e cerebrais, com elevada morbimortalidade.

- **Avaliação pulmonar:** tabagismo e doença pulmonar obstrutiva crônica (DPOC) conferem maior risco de complicações pulmonares no pós-operatório de cirurgia vascular. Entre estas complicações, pneumonia, atelectasia e broncoespasmo perioperatórios são as mais comuns. Há maior risco de acúmulo de secreções e hipoxemia grave. A obesidade pode piorar tais condições em virtude da menor capacidade residual funcional (CRF) e limitações ventilatórias.

- **Avaliação renal:** as cirurgias vasculares estão relacionadas à piora da função renal dos pacientes, principalmente naqueles com lesões renais prévias, que utilizam contrastes radiológicos ou submetidos à redução do fluxo sanguíneo renal no intraoperatório, decorrente de hipovolemia, por exemplo. Valores de creatinina (Cr) > 2 mg/dL indicam lesão renal prévia. Valores inferiores a 2 mg/dL em pacientes idosos podem sugerir insuficiência renal prévia. Disfunção renal prévia e necessidade de diálise elevam o risco cardiovascular, renal e cognitivo perioperatórios.

- **Avaliação metabólica:** o diabetes melito (DM) mal controlado eleva a morbimortalidade dos pacientes submetidos à cirurgia vascular, os quais necessitam de controle glicêmico adequado antes do procedimento cirúrgico. A normoglicemia previne acidente cerebrovascular e isquemia miocárdica no perioperatório.

● DOENÇAS VASCULARES

■❙ Insuficiência vascular periférica

- Causada principalmente por aterosclerose e manifestada por claudicação intermitente e dor nos membros inferiores ao esforço ou mesmo ao repouso, pode ser aguda ou crônica, trombótica ou embólica.

- Fatores de risco: sexo masculino, HAS, DM, tabagismo, obesidade, arritmias, coronariopatias, doença cerebrovascular, doenças autoimunes vasculares.

- Quanto à técnica anestésica, a anestesia geral e a combinada não apresentam diferenças quanto à morbimortalidade. No entanto, a anestesia combinada (subaracnóidea e peridural) com anestésicos locais e opioides propicia melhor controle das respostas metabólicas ao trauma cirúrgico, menor alteração do fluxo sanguíneo coronariano e cerebral, menos eventos tromboembólicos perioperatórios, menor tempo de hospitalização e permanência em UTI.

- Deve-se evitar hipotensão e é necessário realizar a anestesia combinada com anestésicos locais com bastante cautela, pois o bloqueio simpático após anestesia reduz significativamente a perfusão miocárdica e cerebral, com maior morbidade e mortalidade desses pacientes.

- Pacientes anticoagulados previamente ou com coagulopatias não poderão ser submetidos a bloqueios centrais pelo risco de hematoma espinhal causado pela punção ou retirada do cateter. Trata-se de uma complicação grave que pode levar a paraplegia, disfunção vesical e óbito. Nesses pacientes, a anestesia geral é a melhor técnica.

■❙ Oclusão arterial aguda

- Ocorre, em sua maioria, a partir de êmbolos provenientes do coração em situações de arritmia (fibrilação atrial) ou IAM.

- Manifesta-se por dor intensa, hipotermia, palidez e ausência de pulso no território distal à oclusão vascular.

- Há necessidade de desobstrução imediata, de preferência antes de 6 horas do início dos sintomas, a fim de se evitar lesões irreversíveis no membro, tais como lesões nervosas, musculares e cutâneas e, posterior, amputação.

- Pacientes com sinais de hipovolemia e intensa atividade simpática podem ter sua a estabilidade cardiovascular e renal no intraoperatório comprometida.

- Após a desobstrução vascular, há liberação maciça de radicais livres de oxigênio, lactato, íons hidrogênio e potássio para circulação sistêmica com comprometimento importante do equilíbrio hidreletrolítico e hemodinâmico do paciente decorrentes da síndrome metabólica de reperfusão.

- A síndrome metabólica de reperfusão caracteriza-se por acidose metabólica, hipercalemia, hipocalcemia, rabdomiólise, hipotensão (consequente à queda da resistência vascular periférica), baixo débito cardíaco, hipoperfusão tecidual, bradicardia, podendo chegar à assistolia. Depende do tempo de isquemia do membro e das condições volêmicas do paciente. A rabdomiólise causada pela isquemia do membro reperfundido libera mioglobina podendo levar à lesão tubular renal aguda, agravada pela acidose. Por isso, nesses pacientes, a alcalinização da urina é medida profilática importante para prevenir a lesão renal aguda (LRA). Outras medidas profiláticas para se evitar a LRA incluem limitar o uso de contrastes radiológicos e prevenir hipovolemia intraoperatória. Assim, medidas profiláticas para lesões renais perioperatórias incluem hidratação com cristaloides, mantendo PVC > 8 mmHg, diurese > 0,5 mL/kg/h, bicarbonato de sódio para alcalinizar a urina e uso de manitol (0,5-1 g/kg).

- Anestesia geral é técnica adequada nessa situação, pelo melhor controle hemodinâmico, metabólico, necessidade de anticoagulação ou fibrinólise, reposição volêmica ideal para melhorar a hipovolemia e para não agravar possíveis lesões renais, porém anestesia regional pode ser utilizada em determinados casos, sempre se avaliando o risco e o benefício do procedimento.

- Monitorização metabólica, da diurese, da coagulação e avaliação da pressão arterial invasiva e venosa central são úteis para identificação adequada da síndrome de reperfusão. Medidas terapêuticas eficazes devem ser tomadas tão logo sejam diagnosticadas alterações no intraoperatório.

■■▶ Oclusão arterial crônica

- Doença manifestada por claudicação intermitente e fadiga muscular ao exercício com melhora com repouso.

- Placas de ateroma formam-se de forma gradual na parede das artérias de membros inferiores dos pacientes, possibilitando também a formação de circulação colateral. Nessa fase, o tratamento clínico é eficaz.

- Em situação críticas, o tratamento cirúrgico torna-se imperioso, porém em caráter eletivo, permitindo, assim, melhores avaliações e controle de comorbidades do paciente.

- Procedimentos cirúrgicos são variados, desde endopróteses até *by-pass* vascular, garantindo a revascularização do membro inferior acometido.

- Técnicas anestésicas podem incluir geral, regional ou combinada dependendo da área acometida e das comorbidades apresentadas pelo paciente.

- Monitorização dependerá das condições clínicas do paciente e da programação cirúrgica.

■■▶ Aneurisma de aorta abdominal e toracoabdominal: tratamento cirúrgico convencional

- Cirurgia relacionada a grandes incisões, trocas volêmicas, pinçamento e despinçamento aórticos, períodos de isquemia-reperfusão tecidual e ativação de respostas metabólicas e inflamatórias intensas.

■❙❙ *Epidemiologia*

- O aneurisma é definido como uma dilatação permanente, localizada, que resulta no aumento de no mínimo 50% do diâmetro normal do vaso sanguíneo acometido. A abordagem do aneurisma (reparo aberto ou endovascular) é indicada quando o diâmetro é maior que 6 cm ou há crescimento maior que 0,5 cm em 6 meses.
- O local mais frequente é infrarrenal.

■❙❙ *Alterações fisiológicas*

Os momentos críticos da cirurgia envolvem o clampeamento e desclampeamento aórticos.

- Pinçamento aórtico
  - Alterações fisiológicas são proporcionais ao estado volêmico, duração e nível do pinçamento (torácico > supracelíaco > suprarrenal > infrarrenal) (Quadro 8.1).
- Despinçamento aórtico
  - As principais alterações encontradas nesse tempo cirúrgico resultam da reperfusão, que gera a liberação para a circulação sistêmica de me-

Quadro 8.1
Alterações fisiológicas decorrentes do clampeamento aórtico
Alterações hemodinâmicas
• Aumento da PA acima do nível clampeamento;
• Diminuição da PA abaixo do nível do clampeamento;
• Aumento de anormalidades de alterações segmentares da parede miocárdica;
• Aumento da tensão na parede do VE;
• Diminuição da fração de ejeção;
• Diminuição do débito cardíaco;
• Diminuição do fluxo sanguíneo renal;
• Aumento da pressão da pressão de oclusão da artéria pulmonar;
• Aumento da pressão venosa central;
• Aumento do fluxo coronário.
Alterações metabólicas
• Diminuição do consumo total de O_2;
• Diminuição da produção total de CO_2;
• Aumento da saturação venosa mista;
• Diminuição da taxa de extração de O_2;
• Aumento de catecolaminas;
• Alcalose respiratória;
• Acidose metabólica.

PA: pressão arterial; VE: ventrículo esquerdo.

diadores cardiodepressores e vasoativos, assim como fatores humorais (ácido lático, radicais livres de oxigênio, prostaglandinas, entre outros) (Quadro 8.2).

■❙❱ *Manejo intraoperatório*

- Monitorização intraoperatória
    - monitorização básica: cardioscópio com cinco vias (uso da derivação v5 para detecção precoce de isquemia miocárdica), oxímetro de pulso, capnografia;
    - pressão arterial invasiva;
    - acesso venoso central;
    - Um ou dois acessos venosos periféricos calibrosos (14G ou 16G);
    - cateter de artéria pulmonar em casos selecionados, como: FE < 30%, história de ICC, deterioração da função renal (Cr > 2 mg/dL), *cor pulmonale* e clampeamentos supracelíacos.
- Técnica anestésica
    - há descrição de grande variedade de tipos de anestesia que podem ser empregados (geral, regional ou a combinação das duas anteriores), todas com grande sucesso. Deve-se ter em mente que, independentemente da técnica anestésica escolhida, seus objetivos são prover estabilidade hemodinâmica, otimização do fluxo sanguíneo e oxigenação de órgãos alvo em todos os tempos cirúrgicos são os objetivos ;
    - a indução anestésica pode ser feita com grande variedade de hipnóticos (etomidato, tiopental, propofol), em geral associados a um opioide de ação rápida (por exemplo, o fentanil);

Quadro 8.2
Alterações fisiológicas decorrentes do desclampeamento aórtico
Alterações hemodinâmicas
• Diminuição da contratilidade miocárdica;
• Hipotensão arterial;
• Aumento da pressão da artéria pulmonar;
• Diminuição da pressão venosa central.
Alterações metabólicas
• Diminuição do consumo total de O_2;
• Diminuição da produção total de CO_2;
• Aumento da saturação venosa mista;
• Diminuição da taxa de extração de O_2;
• Aumento de catecolaminas;
• Alcalose respiratória;
• Acidose metabólica.

- a manutenção, em geral, é feita por meio da técnica balanceada (agente inalatório e opioide intravenoso). O óxido nitroso pode ser utilizado para ajuste do plano anestésico ou como adjuvante anestésico, para diminuir a dose necessária de outros agentes.
- Intervenções terapêuticas no momento do clampeamento
  - diminuir pós-carga: nitroprussiato de sódio, agentes inalatórios, amrinona, *shunts/by-pass* aortofemoral podem ser empregados.
  - diminuir pré-carga: nitroglicerina, flebotomia controlada, *by-pass* atriofemoral podem ser empregados;
  - proteção renal: administração de fluidos guiados por alvos hemodinâmicos preestabelecidos, manitol e diuréticos de alça podem ser utilizados;
  - outros: hipotermia induzida controlada, bicarbonato de sódio, diminuição do volume-minuto respiratório podem contribuir para o controle das complicações relacionadas a este momento cirúrgico.
- Intervenções terapêuticas no desclampeamento
  - diminuir a dose dos agentes inalatórios;
  - diminuir a dose de agentes vasodilatadores;
  - considerar o uso de vasopressores;
  - em caso de falha das medidas anteriores: realizar novamente o clampeamento aórtico (até compensação de possíveis fatores hipotensores); considerar o uso de manitol e bicarbonato de sódio no momento imediatamente anterior ao desclampeamento.

◼❙▶ *Complicações*

- Sangramento
  - vasos ateroscleróticos são friáveis e sua rigidez e calcificação predispõem à laceração;
  - hemorragias de maior intensidade estão associadas aos distúrbios de coagulação, cujo momento crítico é o despinçamento aórtico (estado de hiperfibrinólise).
- Isquemia miocárdica
  - maior causa de mortalidade;
  - o tipo mais comum é a isquemia subendocárdica (manifestada no traçado eletrocardiográfico por meio do infradesnivelamento do segmento ST);
  - medidas protetoras: uso de betabloqueadores, evitar flutuações hemodinâmicas, manutenção da normotermia, uso de agentes inalatórios (pré-condicionamento farmacológico).
- Insuficiência renal aguda
  - fatores de risco: duração do clampeamento, hipovolemia, nefropatia preexistente;

- procedimentos: monitoração por meio da diurese, não utilização de agentes nefrotóxicos e manutenção da normovolemia devem ser consideradas.
- Isquemia medular
  - em clampeamentos torácicos, por causa da lesão da artéria de Adamkiewicz (artéria radicular magna);
  - medidas protetoras: uso de circulação extracorpórea (e perfusão retrógrada), drenagem do liquor.

■I▶ *Aneurisma de aorta abdominal e toracoabdominal: tratamento endovascular*

- O tratamento endovascular do aneurisma de aorta representou, nas últimas décadas, o maior avanço na abordagem desta doença, na medida em que permitiu que maior número de pacientes e comorbidades de maior gravidade tivessem a resolução do problema possível.
- São descritas várias técnicas anestésicas, mas se observa que o uso de anestesia regional associada à sedação tem proporcionado menos morbidade pós-operatória.
- A monitorização invasiva, com uso de pressão arterial invasiva e cateter venoso central, deve ser utilizada, tendo em vista que as complicações intraoperatórias têm risco de alta mortalidade.
- O uso de solução isotônica de bicarbonato é comum em pacientes com disfunção renal com o objetivo de diminuir o risco de nefropatia induzida por contraste.
- Complicações
  - *Endoleak;*
  - trauma no sítio do acesso arterial;
  - ruptura do aneurisma;
  - insuficiência renal aguda;
  - acidente vascular encefálico (AVE);
  - síndrome pós-implantação.

■I▶ Endarterectomia de carótida

- Considerada cirurgia de médio porte, mas com alto risco potencial de mortalidade e morbidade cardiovascular e neurológica.
- Indicada para pacientes sintomáticos ou não, com alto risco de AVE, com estenose de carótidas > 70%, com antecedentes de ataque isquêmico transitório (AIT) ou AVE prévio.
- Contraindicações para cirurgia: idade acima de 75 anos, doença arterial coronariana grave (IAM há menos de 1 mês ou angina instável de alto risco),

ICC descompensada, arritmias graves, HAS grave não controlada e estenose de carótida localizada próxima ao sifão carotídeo.

- No intraoperatório, a monitorização cerebral, por meio de doppler transcraniano, potencial evocado somatossensorial, saturação arterial cerebral, eletroencefalograma ou déficits focais (em pacientes acordados com anestesia regional), é medida útil para avaliar sinais de hipofluxo e isquemia cerebrais.

- Durante a cirurgia, é importante manter a pressão arterial próxima aos níveis basais do paciente, evitando-se hipotensão que pode levar a hipofluxo cerebral e coronariano.

- A taquicardia e a hipertensão no intraoperatório ou na extubação relacionam-se a elevado risco de isquemia miocárdica e devem ser evitadas.

- As técnicas anestésicas preconizadas são a anestesia geral ou regional (com bloqueio do plexo cervical ipsilateral à cirurgia). Não há consenso sobre qual delas é melhor. A anestesia geral permite controle adequado dos sinais vitais durante a cirurgia, evitando taquicardia, hipertensão ou hipotensão que podem prejudicar o desfecho da cirurgia. Por outro lado, a anestesia regional possibilita cirurgia com paciente acordado, facilitando a observação intraoperatória dos sinais de isquemia cerebral.

- Na anestesia geral, deve-se optar por anestésicos que permitam maior estabilidade cardiovascular, despertar precoce e menor efeito residual. O sevoflurano e o desflurano mostraram superioridade, quando comparados ao isoflurano, em relação ao retorno da consciência mais precoce e com menor agitação. Os opioides auxiliam no equilíbrio anestésico dos agentes inalatórios, evitando taquicardia e hipertensão. O remifentanil apresenta melhor depuração plasmática e despertar precoce comparado com fentanil e sufentanil. Alfa-2 agonistas contribuem para maior controle hemodinâmico e álgico intraoperatórios.

■ ❙❙▶ Cirurgia de carótida por via endovascular

- Técnica de revascularização percutânea para estenoses carotídeas extracranianas. Configura-se em abordagem menos invasiva, alternativa à endarterectomia de carótida (tratamento padrão), caracterizada por implantação de *stent* intracarotídeo ou angioplastia.

- A sedação é técnica possível e útil para monitorar a atividade cerebral e identificar possíveis déficits motores durante o procedimento.

- Anticolinérgicos, como atropina ou glicopirrolato, auxiliam evitar bradicardia por estiramento de barorreceptores do seio carotídeo.

- Há necessidade de controle estrito da pressão arterial sistêmica a fim de se evitarem isquemia cerebral e hematomas cervicais.

- Possíveis complicações da abordagem endovascular incluem AVE, IAM e manutenção da estenose carotídea (Quadro 8.3).

Quadro 8.3
Causas de complicações de cirurgias de carótidas

Complicações de cirurgias de carótidas	Causas
Isquemia cerebral	Embolismo; hipofluxo cerebral
Obstrução de vias aéreas	Hematoma cervical; edema cervical
Edema cerebral; hemorragia intracerebral	Síndrome de reperfusão
Descontrole hipertensivo	Após anestesia de barorreceptores do seio carotídeo, possibilidade de hipertensão rebote
Disfonia	Disfunção do nervo laríngeo recorrente

● REFERÊNCIAS BIBLIOGRÁFICAS

1. Cangiani LM, Slullitel A, Poterio GMB, Pires OC, Posso IP, Nogueira CS, Ferez D, Callegari DC. Tratado de Anestesiologia – SAESP. 7ª ed. Atheneu, 2012.
2. Kaplan JA, Lake CL, Murray MJ. Vascular Anesthesia. Second Edition. Churchill Livingstone, 2004.
3. Manica J, et al. Anestesiologia: princípios e técnicas. 3 ed. Porto Alegre: Artmed, 2004.
4. Miller RD, Eriksson LI, Fleisher LA, Wiener-Kronish JP, Young WL. Millers Anesthesia. Seventh Edition. Elsevier Health Sciences, 2009.
5. Barash P, Cullen BF, Stoelting RK, Cahalan M, Christin M. Clinical Anesthesia. Sixth Edition. ASA Publications, 2013.
6. Rössel T, Paul R, Richter T, Ludwig S, Hofmockel T, Heller A R, Koch T, et al. 2016. Management of anesthesia in endovascular interventions. Der Anaesthesist 65 (12): 891-910. doi:10.1007/s00101-016-0241-9.

Capítulo 9

Anestesia em Transplantes de Órgãos

Fábio Alexandre de Moraes
Rebecca Melo Zanellato
Bruna Antenussi Munhoz
Desiré Carlos Callegari
Esther Alessandra Rocha

▪ ASPECTOS LEGAIS NO TRANSPLANTE DE ÓRGÃOS

A Política Nacional de Transplante de Órgãos e Tecidos está fundamentada na Lei n° 9.434/1997 e Lei n° 10.211/2001.[1]

As entidades envolvidas no processo são o Sistema Nacional de Transplantes, as Centrais de Notificação e Distribuição de Órgãos e os cadastros técnicos para distribuição de órgãos e tecidos.[1,2]

Por meio dos cadastros técnicos para distribuição de órgãos e tecidos, é gerada uma lista única de espera para transplantes.[2,3]

▪ CLASSIFICAÇÃO DE DOADORES DE ÓRGÃOS

- Doador vivo: a doação de um órgão ou tecido que seja duplo pode ser realizada desde que não impeça o organismo do doador de continuar funcionando, não interfira em suas aptidões vitais e saúde mental e não cause mutilação ou deformação inaceitável.

- Doador cadáver por morte encefálica: qualquer indivíduo diagnosticado com morte encefálica é um potencial doador de órgãos, cuja autorização deverá ser dada por cônjuge ou parente até o segundo grau.

- Doador cadáver por parada cardíaca: paciente com parada cardiorrespiratória irreversível e ausência de atividade elétrica cerebral.[1,3]

▪ DIAGNÓSTICO DE MORTE ENCEFÁLICA (ME)

Morte encefálica (ME), segundo Resolução CFM n° 1.480/97, é definida como parada total e irreversível de todas as funções encefálicas, devendo ser consequência de processo irreversível e de causa conhecida.

Deverá ser caracterizada mediante a realização de exames clínicos e complementares (gráficos) respeitando-se o intervalo mínimo de tempo estabelecido para cada idade. Os intervalos mínimos entre as duas avaliações clínicas devem seguir o seguinte padrão:

- de 7 dias a 2 meses de vida incompletos – 48 horas;
- de 2 meses a 1 ano de vida incompleto – 24 horas;
- de 1 ano a 2 anos de vida incompletos – 12 horas;
- maiores de 2 anos de vida – 6 horas.

Os exames clínicos devem ser realizados por dois médicos não participantes das equipes de captação e transplante.[3,4]

Os exames complementares para se constatar a ME deverão demonstrar a ausência de atividade elétrica, metabólica ou perfusão sanguínea cerebral, entre eles estão o eletroencefalograma (EEG), tomografia computadorizada (TC), angiografia convencional e monitorização da pressão interna craniana (PIC).[2,5]

Não há consenso sobre o diagnóstico de morte encefálica e critérios para se utilizar em menores de 7 dias de vida e prematuros.[2,4]

■ FISIOPATOLOGIA DA MORTE ENCEFÁLICA

Deriva de isquemia cerebral, que evolui no sentido rostrocaudal, causando edema importante e herniação cerebral através do forame magno.[5]

O intenso edema cerebral causa hipertensão intracraniana, manifestando-se em ordem cronológica com as seguintes características:

- Tríade de Cushing: hipertensão arterial, bradicardia e ritmo respiratório irregular.
- Tempestade autonômica: descarga simpática intensa consequente à progressão da isquemia para a medula; caracteriza-se por taquicardia, hipertensão e hipertermia, tem duração de 30 minutos a 6 horas.
- Exaustão do sistema nervoso simpático: vasodilatação, queda da pressão arterial e diminuição do débito cardíaco.
- Falência cardíaca em até 72 horas, se não houver suporte hemodinâmico adequado.[5]

■ ALTERAÇÕES ORGÂNICAS APÓS MORTE ENCEFÁLICA

Engloba uma série de alterações orgânicas relacionada à resposta inflamatória sistêmica. A gravidade destas alterações determina a viabilidade do enxerto no receptor.[6]

Os cuidados com o potencial doador visam a proteção e a perfusão dos órgãos, potencializando o sucesso dos transplantes.[2]

As alterações fisiopatológicas mais presentes são:

- hipotensão arterial (81%);
- diabetes insípido (65%);

- coagulação intravascular disseminada (CIVD, 28%);
- edema pulmonar (18%);
- acidose metabólica (11%).[2,6]

■) Repercussões endocrinometabólicas

- Ocorre falência progressiva do eixo hipotálamo-hipofisário, com diminuição das concentrações de ADH e ACTH.[3]
- O diabetes insípido é o distúrbio hormonal mais comum. A reposição com vasopressina deve ser realizada nos pacientes hipovolêmicos não responsivos à reposição volêmica.[2,6]
- A carência de cortisol e hormônios tireoidianos contribui para a instabilidade hemodinâmica do doador.[3,6]
- A hiperglicemia é comum após ME e deve ser corrigida;[6]
- Ocorre perda da regulação da temperatura corporal pelo hipotálamo na ME.[2]

■) Repercussões pulmonares

- Os pulmões são muito vulneráveis à injúria, apenas 15 a 25% são viáveis para o transplante.[8]
- Ocorre aumento da permeabilidade capilar pulmonar resultante da resposta inflamatória sistêmica, gerando edema importante.[2]
- A reposição volêmica adequada associada à estratégia ventilatória protetora é fundamental para evitar a disfunção pulmonar com inviabilidade do órgão.[3,8]

■) Repercussões renais

- A morte encefálica está associada à disfunção renal progressiva.[2,7]
- Altas doses de dopamina (> 10 mcg/kg/min) e pressão arterial média persistentemente abaixo de 80 a 90 mmHg foram associadas à necrose tubular aguda e perda de função renal em possíveis doadores.[6]

■) Alterações cardiovasculares

- A "tempestade autonômica" pode levar à isquemia miocárdica, necrose e arritmias.[3,6]
- Pode haver disfunção da contratilidade com queda na fração de ejeção e hipotensão persistente necessitando de suporte hemodinâmico farmacológico.[3,6]

■ MANEJO HEMODINÂMICO DO DOADOR COM MORTE ENCEFÁLICA

Deve-se promover a manutenção da euvolemia e controle da hipotensão para evitar a lesão dos enxertos. A primeira opção são os cristaloides, ou solução fisiológica a 0,45% no caso de diabetes insípido com hipernatremia.[2]

No caso da persistência de instabilidade após reposição volêmica, inicia-se o uso de fármacos vasoativos. Os principais utilizados são noradrenalina, dopamina e vasopressina.[2,3]

■ MONITORIZAÇÃO AVANÇADA

- Cateter venoso central: pressão venosa central (PVC) e acesso para medicamentos vasoativos.
- Pressão arterial invasiva: controle rigoroso da pressão arterial.
- Cateter de artéria pulmonar: recomendado quando dois ecocardiogramas evidenciarem fração de ejeção (FE) abaixo de 40% e/ou necessidade progressiva de associação de fármacos vasoativos.[2,3]

■ METAS HEMODINÂMICAS

Observe a Tabela 9.1.

Tabela 9.1 Metas hemodinâmicas	
Parâmetros	Valores de Referência
PAs	90-140 mmHg
PAm	70 mmHg
PVC	8-12 mmHg
FC	60-120 bpm
PoAp	12-14 mmHg
FE	> 45%
IC	> 2,4 L/min/m²

PAs: pressão arterial sistólica; PAm: pressão arterial média; PVC: pressão venosa central; FC: frequência cardíaca; PoAp: *pressão de oclusão da artéria pulmonar; FE: fração de ejeção; IC: índice cardíaco.*

■ TERAPIA TRANSFUSIONAL

Hematócrito (Ht) recomendado é de 30%, associado a outros parâmetros, como lactato e saturação venosa central para avaliação adequada da oferta e consumo de oxigênio.[2,6]

■ IMUNOSSUPRESSORES

Têm o objetivo de reduzir a resposta imunológica sistêmica e garantir maior probabilidade de aceitação do órgão transplantado; porém não são livres de efeitos adversos, que devem ser conhecidos pelos anestesiologistas.[3]

É importante ressaltar que os pacientes em uso de imunossupressores são mais susceptíveis às doenças infecciosas.

Os imunossupressores podem ser classificados da seguinte forma:

- Glicocorticosteroides: apresentam como principais efeitos adversos hipertensão, hiperglicemia, síndrome de Cushing, supressão da glândula adrenal e alterações psiquiátricas.

- Ligantes de imunofilinas: subdivididos em inibidores da calcineurina (ciclosporina, tacrolimus) e não inibidores da calcineurina (rapamicina). Entre os efeitos indesejados, podemos observar hipertensão, neurotoxicidade, insuficiência renal, hipercalemia, hipermagnesemia.

- Antiproliferativos ou antimetabólicos (azatioprina, micofenolatomofetil, ciclofosfamida: efeitos adversos importantes: alterações hematológicas, hepatotoxicidade e leucoencefalopatia multifocal progressiva.

- Biológicos: anticorpos monoclonais (OKT3) ou policlonais. Seu uso pode ocasionar anafilaxia e doenças linfoproliferativas.[2, 3]

TRANSPLANTES

Transplante de rim

- O diabetes e a hipertensão são as principais causas de insuficiência renal crônica (IRC).[2,10] A disfunção cardiovascular é a principal causa de morte nesses pacientes.[8,9,10]

- Os pacientes com IRC podem apresentar hipervolemia, hipertensão arterial, miocardiopatia hipercalemia e acidose metabólica, que são desafios para o manejo anestésico.[10]

- Os pacientes apresentam anemia normocrômica e normocítica e tendência a sangramento por disfunção plaquetária.[9,10]

- Os pacientes têm retardo do esvaziamento gástrico e são considerados com o estômago cheio e devem ser induzidos em sequência rápida.[2,3]

- A taxa de sobrevivência em pacientes com transplantes de doador vivo é de 93% e a de doador cadáver, 88%.[2]

Pré-operatório

- A anemia pode ser corrigida com eritropoietina, o que diminui os riscos de transfusão sanguínea.[2,10]

- Preparo pré-operatório: dialisar o paciente para equilibrar eletrólitos e volumes 24 horas antes do ato cirúrgico. Corrigir potássio acima de 6 mEq/L.[9,10]

Intraoperatório

- A monitorização da PVC, PA invasiva e diurese é mandatória.[2, 10]

- Anestesia geral é a escolha para esses pacientes. Não há diferença entre balanceada ou venosa total.[2,6,7] Indução em sequência rápida com pressão da cricoide está indicada em virtude da gastroparesia.[9]

- O fentanil, alfentanil e remifentanil podem ser usados de maneira segura, sem alterações farmacocinéticas e farmacodinâmicas na IRC.[2,10]

- A meperidina deve ser evitada, pois o seu metabólito ativo (normeperidina) causa estimulação do sistema nervoso central (SNC).[2,10]

- A morfina pode apresentar duração prolongada consequente à atividade clínica do metabólito (morfina-6-glicuronídeo).[2,9,10]

- A succinilcolina pode ser usada quando os níveis de potássio estiverem normais (< 5,5 mEq/L).[9]

- Pancurônio, vecurônio e rocurônio têm ação prolongada (dependente da excreção renal). O cisatracúrio têm eliminação espontânea de Hofmann e hidrólise éster, não sofrendo alteração em IRC.[2,6,7] A utilização do atracúrio pode aumentar o risco de convulsões em virtude da laudanosina (metabólito).[10]

- O sevoflurano apresenta metabólito nefrotóxico (composto A), sem evidência clínica em humanos.[10] Os anestésicos inalatórios considerados seguros são o desflurano e o isoflurano.[2,9]

- A hidratação é feita de maneira abundante de modo a normalizar a função do enxerto rapidamente.[2,8] Sendo recomendada PVC entre 10 e 15mmHg, PAm > 60 mmHg.[2,10] Quanto à escolha da solução, ainda não existe consenso sobre qual a mais indicada.[10]

- Para manutenção do débito urinário adequado no enxerto, pode ser administrado manitol ou diuréticos de alça.[9,10]

- Ao final da cirurgia, é importante a reversão completa dos relaxantes musculares e, caso possível, a extubação do paciente.[9]

- A intensidade da dor pós-operatória (PO) apresenta grande variabilidade entre os pacientes.[6] O controle pode ser realizado por PCA venoso.[2,10]

▣▌▶ Transplante de fígado

- A indicação mais comum é a cirrose não colestática, secundária ao alcoolismo, e hepatite C.[8,10,12]

- Hepatopatas evoluem com encefalopatia, circulação hiperdinâmica, diminuição do volume plasmático e ascite.[6,7] Pode também haver disfunção renal, oligúria, distúrbios eletrolíticos e alterações endocrinológicas.[2,12]

- Os fatores pró-coagulantes e anticoagulantes estão diminuídos, apresentando um relativo equilíbrio (precário e instável), apesar de os exames laboratoriais indicarem um estado hipocoagulante.[12] A plaquetopenia é característica bem conhecida da cirrose em virtude do sequestro esplênico.[9]

▣▌▶ Pré-operatório

- Nos pacientes com risco de doença arterial coronariana (DAC) ou de diabetes melito (DM) ou em maiores de 45 anos, é necessário ecocardiograma com estresse por dobutamina.[12]

- A síndrome hepatopulmonar (SHP) e a hipertensão portopulmonar (HPP) são complicações vasculares pulmonares e devem ser rastreadas no pré-operatório por meio de ecocardiograma. Pressão arterial pulmonar média maior que 50 mmHg contraindica a realização do TH.[12]

- O aumento de creatinina sérica no pré-operatório é fator de risco para maior morbimortalidade no pós-operatório.[12]

■I▶ *Intraoperatório*

- Monitorização: pressão arterial invasiva (PAI) e cateter de artéria pulmonar são fundamentais para controle hemodinâmico. Ecocardiograma transesofágico também está indicado para otimização hemodinâmica;[9,12]
- Acesso venoso calibroso é necessário para reposição volêmica e transfusão rápida.[9]
- A intubação deverá ser feita em sequência rápida devido à ascite e ao retardo do esvaziamento gástrico.[2,9,12]
- Os opioides têm metabolização hepática, porém o fentanil e outros opioides sintéticos são seguros.[11,12] Para escolha do bloqueador neuromuscular, há a preferência pelo cisatracúrio porque sua metabolização é extra-hepática.[2,9,12]
- O isoflurano é o anestésico de escolha, utilizado em concentrações moderadas (0,5 a 1 CAM). O óxido nitroso deve ser evitado assim como o halotano.[9]
- A manutenção da normotermia é mandatória para adequada hemostasia.[2]
- A monitorização intraoperatória da coagulação deve ser realizada pela tromboelastometria e contagem de plaquetas; para a indicação, precisa de hemotransfusão.[11,12] Deve-se usar ácido tranexâmico nos pacientes com hiperfibrinólise até que o enxerto passe a funcionar normalmente.[12]
- O sangramento agudo com instabilidade hemodinâmica pode ocorrer em qualquer fase do transplante hepático (TH), necessitando de hemotransfusão maciça.[9]
- As etapas cirúrgicas do transplante são:
  - fase pré-anepática (dissecção): é comum que haja instabilidade hemodinâmica por sangramento. Podendo ocorrer hipocalcemia e hipomagnesemia, desencadeadas pela intoxicação do citrato dos hemocomponentes;[9,11,12]
  - fase anepática: inicia-se com a interrupção do fluxo hepático e termina com a reperfusão do enxerto. O pinçamento da veia cava inferior promove diminuição do retorno venoso, podendo ser atenuado pelo uso de *by-pass* venovenoso (desvio do fluxo para a veia cava superior). Nessa fase, comumente ocorrem acidose pronunciada, hipocalcemia, hiperfibrinólise, hipotermia e hipoglicemia;[9,12]
  - terceira fase: a reperfusão do órgão transplantado é caracterizada por hipotensão arterial e hipertensão pulmonar, acompanhadas de acidose, hipotermia e hipercalemia:[9]
    - a hipercalemia é a alteração eletrolítica mais grave na reperfusão, devendo ser tomadas medidas profiláticas durante a fase anepática;[2]

- deve-se atentar para a ocorrência de arritmias, bradicardia, parada cardíaca e embolia após a retirada dos clamps.[9,12]
- A dor PO é facilmente controlada com opioides venosos, a necessidade de analgésicos é reduzida nestes pacientes.[9]

■❱ Transplante cardíaco

- As indicações mais comuns são os pacientes com doença terminal cardíaca decorrentes de cardiomiopatia dilatada ou isquêmica.[13] Pacientes com hipertensão pulmonar associada são candidatos a transplante pulmão-coração.[11]

■❱ *Pré-operatório*

- A otimização perioperatória dos receptores é fundamental para o sucesso. Realizada através de inotrópicos, balão intraaórtico, dispositivos de assistência ventricular ou ECMO (*extracorporeal membrane oxygenation*);[13]
- O grau de hipertensão pulmonar prévia é o principal determinante da falência de ventrículo direito no pós-operatório.[13]

■❱ *Intraoperatório*

- PAI, PVC, catéter de artéria pulmonar (CAP) ou ecocardiograma transesofágico (ETE) são recomendados para guiar o manejo hemodinâmico.
- O objetivo da indução e manutenção anestésica é preservar a função cardíaca.[8] O propofol não é recomendado na indução em virtude da depressão miocárdica e da hipotensão.[13]
- Opioides em altas doses são utilizados com bons resultados.[2]
- Anestésicos inalatórios não são contraindicados e são bem tolerados – principalmente isoflurano e sevoflurano até 1 CAM; o N_2O não é recomendado por promover aumento da resistência vascular pulmonar.[11,13]
- Lembrar que a denervação cardíaca não possibilita mudanças na frequência cardíaca em situações de estresse e hipovolemia, assim como a atropina também não tem efeito. Há apenas respostas aos estímulos das catecolaminas circulantes;[11,13]
- O Isoproterenol é indicado para diminuição da resistência vascular pulmonar e manutenção da contratilidade e frequência cardíaca do coração do doador, além do desmame de circulação extracorpórea (CEC). A dobutamina, a epinefrina e o milrinone também podem ser utilizados;[11,13]
- O desmame de CEC pode ser dificultado por insuficiência cardíaca direita e piora da hipertensão pulmonar, devendo ser utilizados vasodilatadores pulmonares, como NO, iloprost e sildenafil;[2,13]
- Os antifibrinolíticos mais utilizados são o ácido épsilon-aminocaproico e o ácido tranexâmico.

■■❯ Transplante de pulmão

- Indicação: pacientes com doença respiratória grave e expectativa de vida menor que 50% em 2 a 3 anos. As principais etiologias são doença pulmonar obstrutiva crônica (DPOC), fibrose cística, fibrose pulmonar e deficiência de alfa-1-antitripsina.[14]
- O transplante pode ser unipulmonar, bipulmonar em bloco, bipulmonar sequencial ou cardiopulmonar.[2]

■❯❯ *Pré-operatório*

- A extensa avaliação clínica e laboratorial é indicada em razão das condições clínicas destes pacientes, envolvendo o uso de oxigênio, broncodilatadores inalatórios, corticosteroides e vasodilatadores.[2,14]
- A avaliação da função do ventrículo direito e das pressões da artéria pulmonar é fundamental.[14]

■❯❯ *Intraoperatório*

- Os pacientes com DPOC são mais propensos à hipotensão durante a indução e ventilação. Pacientes com hipertensão pulmonar (HP) têm alto risco de parada cardíaca na indução. Hipersecreção pulmonar é característica da fibrose cística, necessitando de toalete pulmonar frequente.[2, 8]
- A anestesia venosa está relacionada com melhor controle do plano anestésico.[8]
- Estes pacientes são muito sensíveis aos efeitos depressores dos benzodiazepínicos e opioides. Está contraindicado o uso de cetamina por aumentar a resistência vascular pulmonar.[14]
- O tubo endotraqueal mais utilizado é de duplo-lúmen, principalmente nos transplantes unilaterais e bilaterais sequenciais.[2,8]
- A instituição da ventilação monopulmonar é crítica; nela, a hipoxemia deve ser tratada sistematicamente com reajustes da FiO_2, recrutamento alveolar, pressão positiva contínua nas vias aéreas (CPAP, do inglês *Continuous positive airway pressure)* (pulmão não dependente), *pressão positiva expiratória* final (PEEP, do inglês *positive end-expiratory pressure)* (pulmão dependente) e pinçamento da artéria pulmonar (pode piorar a HP).[14]
- A estratégia de ventilação deve ser guiada pela patologia de base do paciente (obstrutiva ou restritiva).[14]
- A reposição volêmica deve ser restritiva, visando manter a perfusão adequada e estabilidade hemodinâmica. A transfusão sanguínea deve ser ponderada.[14]
- A circulação extracorpórea (CEC) pode ser utilizada, promovendo maior estabilidade hemodinâmica em contraposição à heparinização plena e aumento de sangramento e hemotransfusões.[14]

● REFERÊNCIAS BIBLIOGRÁFICAS

1. Brasil. Lei Nº 9.434, de 4 de Fevereiro de 1997. Dispõe sobre a remoção de órgãos, tecidos e partes do corpo humano para fins de transplante e tratamento e dá outras providências [acesso em 02 mai 2017]. Disponível em: http://www.planalto.gov.br/ccivil_03/leis/L9434.htm.

2. Spader DL. Anestesia para Transplantes. Bagatini A; Cangiani LM; Carneiro AF; Nunes RR. Bases do Ensino da Anestesiologia. Rio de Janeiro: Sociedade Brasileira de Anestesiologia; 2016. p. 1091-1104.

3. Gordon K; Joaquim EHG, Mandadori LA, Barcelos MG. Cuidados Perioperatórios no Doador de Órgãos. Cangiani, LM; Slullitel A; Potério GMB; Pires OC; Posso IP; Nogueira CS; Ferez D; Callegari DC. SAESP – Tratado de Anestesiologia SAESP.7ª ed. São Paulo: Atheneu; 2011. p. 2427-2443.

4. Brasil. Resolução do Conselho Federal de Medicina N° 1.480/1997 – Publicada no Diário Oficial da União, em 21 de Agosto de 1997, p. 18.227

5. Sardinha LAC; Filho VPD. Diagnóstico de morte encefálica. Cangiani, LM; Slullitel A; Potério GMB; Pires OC; Posso IP; Nogueira CS; Ferez D; Callegari DC. SAESP – Tratado de Anestesiologia SAESP. 7 ed. São Paulo: Atheneu; 2011. p. 2415-2426.

6. Kutsogiannis DJ; et al. Medical management to optimize donor organ potential: review of literature. Can J Anaesth. 2006 Aug; 53(8):820-30.

7. Steadman RH; Xia VW. Anesthesia for organ procurement. Miller, RD. Miller's Anesthesia. Philadelphia: Elsevier, 2010, 8 ed. Volume 2. p. 2292-2305.

8. Steadman RH; Xia VW. Organ Transplantation. Miller, RD; Sdrales LM. Miller's Anesthesia Review. Philadelphia: Elsevier, 2 ed. p. 419-425.

9. Steadman RH; Wray CL. Anesthesia for organ abdominal transplantation. Miller, RD. Miller's Anesthesia. Philadelphia: Elsevier, 2010, 8 ed. Volume 2. p. 2262-2289.

10. Hirata ES; Filho GA. Anestesia para Transplante Renal. Cangiani, LM; Slullitel A; Potério GMB; Pires OC; Posso IP; Nogueira CS; Ferez D; Callegari DC. SAESP – Tratado de Anestesiologia SAESP. 7 ed. São Paulo: Atheneu; 2011. p. 2445-2455.

11. Soeiro FS; Morais BS; André, RPD. Monitorização Hemodinâmica e reposição volêmica no transplante hepático. Moraes JMS, Pires OC, Volquind D, Vianna PTG, Albuquerque MAC. Educação Continuada em Anestesiologia. Rio de Janeiro: Sociedade Brasileira de Anestesiologia – SBA, 2012. Volume 2. p. 69-85.

12. Filho JAR; Nani RS; Kim SK. Anestesia para Transplante Hepático. Cangiani LM, Slullitel A, Potério GMB, Pires OC, Posso IP, Nogueira CS, Ferez D, Callegari DC. SAESP – Tratado de Anestesiologia SAESP. 7 ed. São Paulo: Atheneu; 2011. p. 2469-2479.

13. Franceschi RC, Carmona MJC, Júnior JOCA. Anestesia para Transplante Cardíaco. Cangiani LM, Slullitel A, Potério GMB, Pires OC, Posso IP, Nogueira CS, Ferez D, Callegari DC. SAESP – Tratado de Anestesiologia SAESP. 7 ed. São Paulo: Atheneu; 2011. p. 2458-2467.
14. Rodrigues ES, Barbosa MTP, Chini EM. Anestesia para Transplante Pulmonar. Cangiani LM, Slullitel A, Potério GMB, Pires OC, Posso IP, Nogueira CS, Ferez D, Callegari DC. SAESP – Tratado de Anestesiologia SAESP. 7 ed. São Paulo: Atheneu; 2011. p. 2483-2494.

Capítulo 10

Anestesia em Ortopedia

Ana Flávia Marques
Fabiana Di Pietro Magri
Pedro Solfa Campos Oliveira
José Eduardo Bagnara Orosz

■ ASPECTOS GERAIS

■) Perfil do paciente ortopédico e condutas perioperatórias

- Processos degenerativos em pacientes idosos ou lesões por traumas em pacientes jovens tornam heterogêneo o perfil do paciente ortopédico.

- Cirurgias ortopédicas são consideradas de risco cardiovascular intermediário. Em implantes de próteses de quadril e joelho, o maior fator de risco para mortalidade perioperatória é a idade avançada, e as principais complicações são devidas a eventos cardiovasculares. A avaliação da tolerância às atividades físicas é frequentemente dificultada em razão das limitações de mobilidade desses pacientes.

- Fraturas por traumas podem estar associadas a outras lesões orgânicas, e é imperativa a avaliação global do paciente.

- A perda sanguínea é variável, a depender da região operada, da possibilidade do uso de torniquete ou de o procedimento ser uma reabordagem.

- O risco de tromboembolismo venoso está presente em cirurgias ortopédicas de médio e grande portes, e a profilaxia é frequentemente indicada.

- A interação entre fármacos anticoagulantes e técnicas anestésicas regionais deve ser conhecida pelo anestesiologista para evitar lesões neurológicas pela expansão de hematomas.

- É necessário atenção ao posicionamento do paciente para fornecer condições cirúrgicas ótimas e evitar possíveis lesões.

- Deve ser realizado, e documentado, um breve exame neurológico com o fim de avaliação de déficits preexistentes.

- Número considerável desses pacientes ortopédicos apresentará artrite reumatoide, com consequente limitação da mobilidade cervical ou mesmo instabilidade da articulação atlantoaxial, com risco de subluxação do processo odontoide e lesão medular. Para os que fazem uso crônico de corticosteroides, estes devem ser repostos.

■▶ Escolha da técnica anestésica

- As técnicas regionais fornecem tanto anestesia para o período intraoperatório quanto analgesia pós-operatória, esta última por meio de anestésicos de longa duração ou pela inserção de cateteres, podendo promover analgesia preemptiva, evitar a dor pós-operatória aguda grave e consequentemente reduzir a incidência de dor crônica.

- Vantagens da anestesia regional em relação à anestesia geral: mobilização e reabilitação rápidas, menor tempo de internação, melhor analgesia pós-operatória, redução da incidência de náusea e vômitos, menor depressão cardíaca e respiratória, melhor perfusão regional devido ao bloqueio simpático, redução da perda sanguínea e menor risco de tromboembolismo venoso.

- Tais técnicas possibilitam evitar a manipulação das vias aéreas e a ventilação mecânica, desfavoráveis em pneumopatas graves, que podem apresentar dificuldade no retorno à ventilação espontânea, ou mesmo em cardiopatas graves, cuja resposta autonômica à laringoscopia é indesejável.

- Contraindicações para bloqueios neuroaxiais não necessariamente impossibilitam bloqueios periféricos.

● EXTREMIDADES SUPERIORES

- A utilização de técnicas de anestesia regional garante importante benefício aos procedimentos ortopédicos envolvendo extremidades superiores. A anestesia do plexo braquial e os bloqueios nervosos periféricos podem ser utilizados no tratamento e na prevenção da síndrome da dor regional complexa. As técnicas contínuas com uso de cateter proporcionam analgesia pós-operatória e permitem a mobilização precoce dos membros.

- Os procedimentos cirúrgicos frequentemente envolvem nervos periféricos com déficits preexistentes, e a decisão de realizar anestesia regional deve ser feita individualmente após discussão com o paciente e o cirurgião.

- Diferentemente dos bloqueios nas extremidades inferiores, o bloqueio persistente das extremidades superiores não é uma contraindicação à alta hospitalar, sempre devendo ser informada ao paciente a duração prevista da analgesia.

■▶ Ombros

- Quatro por cento dos pacientes submetidos a artroplastia total de ombro apresentarão um déficit neurológico pós-operatório. A lesão está no mesmo nível em que o bloqueio interescalênico é realizado, tornando impossível determinar a etiologia da lesão do nervo (cirúrgico *versus* anestésico). Em 90% dos casos há resolução da neuropraxia em 3 a 4 meses.

- A maioria das cirurgias de ombro é realizada na posição de "cadeira de praia ". A cabeça, o pescoço e os quadris do paciente devem ser protegidos e apoiados, cuidado deve ser tomado para evitar pressão sobre os olhos e as orelhas, e as conexões das vias aéreas devem ser apertadas e reforçadas com fita adesiva, pois o acesso ao rosto do paciente e às vias aéreas é limitado após a colocação dos campos cirúrgicos.

- Há relatos de acidentes vasculares cerebrais após anestesia geral na posição sentada , particularmente no cenário de hipotensão induzida. Foi sugerido que, durante a hipotensão induzida, a pressão arterial sistólica não deverá diminuir em mais de 20%-30% da linha de base (para 80 a 90 mmHg em pacientes normais), pois nessa posição já ocorre redução da pressão arterial média, da pressão venosa central, do volume sistólico, do débito cardíaco e da pressão de perfusão cerebral. Expansão volêmica e uso de vasopressores podem ser necessários a fim de manter pressão arterial adequada.

- Em cirurgias artroscópicas de ombro pode haver extravasamento extra-articular da solução de irrigação, levando a edema cervical importante, com risco de obstrução de vias aéreas.

- Comumente, durante os procedimentos cirúrgicos de ombro utiliza-se anestesia geral ou uma combinação de anestesia regional e geral. O bloqueio de plexo braquial interescalênico ou supraclavicular fornece excelente analgesia e pode ser realizado antes da incisão cirúrgica ou após a função neurológica pós-operatória da extremidade superior ter sido determinada. Vale lembrar que o bloqueio interescalênico não deve ser realizado em pacientes com doença pulmonar grave, uma vez que o bloqueio causa paresia diafragmática ipsilateral e 25% de redução da função pulmonar.

■) Úmero distal, cotovelo, antebraço

- As técnicas anestésicas regionais são as mais utilizadas. Bloqueios infraclaviculares e supraclaviculares são confiáveis e garantem anestesia aos quatro principais nervos do plexo braquial: mediano, ulnar, radial e musculocutâneo. Apesar de pequeno, existe o risco de pneumotórax, sendo tais bloqueios inadequados via ambulatorial. Já o bloqueio axilar do plexo braquial elimina o risco de pneumotórax e proporciona uma anestesia adequada para cirurgias de cotovelo.

■) Punho e mão

- O bloqueio via interescalênica pode ser ineficaz para cirurgias de punho e mão, pois 15% a 30% dos pacientes têm anestesia incompleta do nervo ulnar. A abordagem supraclavicular, embora resulte em bloqueio dos quatro principais nervos, não é adequada para procedimentos ambulatoriais devido ao risco de pneumotórax. Assim, a abordagem axilar é a mais indicada para procedimentos cirúrgicos de punho e mão.

- Os procedimentos menores, como liberação do túnel do carpo, redução das fraturas da falange e desbridamentos de ferida superficial, podem requerer apenas infiltração local ou bloqueio periférico distal. A anestesia regional intravenosa (bloqueio de Bier) usando um torniquete duplo permite uma cirurgia mais extensa e tempo de garrote mais longo do que o bloqueio periférico distal, mas não fornece analgesia pós-operatória.

EXTREMIDADES INFERIORES

Cirurgias de quadril

Fraturas de quadril

- São comuns em pacientes idosos que geralmente sofrem de condições médicas preexistentes. Estudos sugerem que, na presença de descompensação de tais condições, o adiamento da cirurgia para controle clínico pode reduzir a mortalidade de 29% para 2,9%.
- As fraturas intertrocantéricas estão associadas a perdas maiores de sangue e cirurgias mais longas do que a fratura intracapsular.
- Os bloqueios nervosos periféricos, incluindo os plexos lombar e femoral e os bloqueios do nervo cutâneo femoral lateral, podem ser utilizados. O bloqueio femoral fornecerá analgesia à região do quadril e o bloqueio do nervo cutâneo femoral lateral, à região lateral da coxa. Vale lembrar que o nervo cutâneo femoral lateral é sensitivo e não é passível de localização com estimulador de nervo periférico.
- No intraoperatório alguns fatores devem ser considerados: adequado posicionamento do paciente, (acolchoar pontos de pressão), manutenção de volume intravascular adequado, manutenção de temperatura corporal e observação às alterações hemodinâmicas.
- Idosos apresentam efeito cumulativo dos opioides, estando sujeitos a maior risco de efeitos colaterais como rebaixamento do nível de consciência e depressão respiratória.

Artroscopia e artroplastia de quadril

- Como nas fraturas de quadril, na maioria das vezes os pacientes são idosos e portadores de várias comorbidades, estando frequentemente desidratados e anêmicos; assim, a avaliação pré-operatória deve ser integral.
- Nas artroplastias está prevista perda sanguínea considerável (podendo chegar a 1.500 mL), daí a importância de haver reserva de hemoderivados.
- O paciente é posicionado em decúbito dorsal, em dorsal com lateralização do quadril ou em decúbito lateral, sendo esta última problemática em caso de necessidade de intubação orotraqueal no período intraoperatório. Deve-se proteger o períneo e não permitir a compressão do nervo pudendo. Coxim torácico deve ser utlizado para proteger o plexo braquial.

- A realização do bloqueio neuroaxial reduz a incidência de fenômenos trom-boembólicos ao promover aumento do fluxo sanguíneo nos membros inferiores em decorrência da vasodilatação. Além disso, a anestesia regional reduz a coagulabilidade por aumentar a atividade fibrinolítica.

- Pacientes mantidos em ventilação espontânea têm retorno venoso favorecido pela pressão intratorácica negativa durante a inspiração e redução da estase sanguínea a montante.

- São cirurgias de pós-operatório doloroso, sendo fundamental uma adequada analgesia para possibilitar a movimentação precoce e reduzir o risco de complicações tromboembólicas.

- As complicações decorrentes da cimentação óssea serão discutidas ainda neste capítulo.

■■❱ Cirurgias de joelho

- Procedimento cirúrgico ortopédico mais realizado nos EUA. Por serem pouco invasivas, são adequadas a hospitais-dia, razão pela qual dependem de procedimentos anestésicos que permitam rápida recuperação, possibilidade de marcha precoce e alta hospitalar mais breve e segura.

- O torniquete é frequentemente utilizado, tornando a perda sanguínea intraoperatória pouco significativa.

- Geralmente opta-se por bloqueio regional associado a sedação intravenosa, promovendo controle mais eficiente da dor no pós-operatório, a qual costuma ser superior à das cirurgias de quadril. O bloqueio do nervo femoral também pode ser adotado.

■■❱ Cirurgias de tornozelo e pé

- A inervação do pé é proporcionada pelo nervo femoral e pelo nervo ciático, assim, tanto o bloqueio do neuroeixo quanto os bloqueios periféricos distais nos membros inferiores são técnicas adequadas.

- Cinco nervos são geralmente bloqueados para fornecer anestesia completa para o pé: tibial, safeno, fibular profundo, tibial superficial e sural.

- A seleção da técnica regional deve se basear no local e no tempo cirúrgicos, no uso ou não de torniquetes de panturrilha ou de coxa e no grau de necessidade de analgesia pós-operatória.

- O bloqueio periférico evita os efeitos colaterais cardiovasculares e respiratórios, bem como a retenção urinária associada à anestesia de neuroeixo ou geral, proporcionando menor tempo de internação e recuperação mais rápida.

- O uso de anestésicos locais de longa duração e a adição de epinefrina ou clonidina possibilitam prolongar a analgesia pós-operatória. Os pacientes que são incapazes de cumprir os cuidados médicos recomendados podem não ser bons candidatos para técnicas regionais de anestesia e devem estar totalmente recuperados antes da alta hospitalar.

CIRURGIA DE COLUNA

- Tratamento cirúrgico da coluna engloba uma variedade de procedimentos, podendo ser dividido em três categorias: trauma, doença degenerativa e reparação de deformidade.

- A avaliação pré-operatória deve ser direcionada para o tipo de cirurgia e o perfil do paciente. Acometimentos graves na coluna levam a repercussão pulmonar e cardiológica, sendo necessária avaliação pré-operatória mais cuidadosa.

- A artrodese posterior, correção de escoliose e procedimentos espinhais anteroposteriores podem ser cirurgias longas e complexas, associadas a alterações hemodinâmicas importantes.

- A discussão pré-operatória com o cirurgião é crucial para decidir a abordagem cirúrgica e determinar a melhor técnica anestésica para o paciente.

- Em algumas situações o despertar do paciente no período intraoperatório é necessário para monitorização neurofisiológica e avaliação da função da medula espinhal. Os monitores do nível de consciência estão indicados.

- O decúbito ventral promove redução do retorno venoso e da complacência do ventrículo esquerdo, o que pode gerar isquemia para órgãos nobres como coração, cérebro e rins, resultando em danos. Associam-se ainda a essa posição: isquemia do nervo óptico (por aumento da PIO, que diminui a pressão de perfusão do nervo óptico), amaurose, oclusão da artéria vertebral, úlcera de pressão e déficit neurológico secundário a compressão medular, especialmente em idosos com espondilose cervical. O tubo endotraquel deve ser aramado e fixado com segurança, acessos periféricos devem ser monitorados, já que podem sair da sua posição adequada durante o estabelecimento da posição prona, e pontos de pressão devem ser acolchoados. O tórax e a pelve devem ser apoiados de modo a deixar o abdome livre e não prejudicar o retorno venoso.

- Cateter venoso central e monitorização hemodinâmica invasiva podem ser necessários; a opção pelo uso está condicionada ao tipo de abordagem e ao perfil do paciente, por exemplo, as cirurgias de correção de escoliose.

- A hipotensão induzida é uma técnica que visa manter a pressão arterial sistólica em aproximadamente 80 mmHg. Presume-se que pressão de perfusão inferior diminua o sangramento, porém é necessária cautela por sua associação com perda visual pós-operatória e isquemia espinhal anterior, levando a paralisia no pós-operatório. Assim, deve ser evitada em pacientes idosos e naqueles portadores de doença de causa isquêmica.

- Além da hipotensão induzida, há outros métodos para diminuir perda sanguínea e dependência de sangue alogênico. Eles incluem doação prévia, hemodiluição, uso de *cell saver*, posicionamento adequado, hemostasia cirúrgica cuidadosa e uso de antifibrinolíticos como aprotinina, ácido épsilon aminocaproico e ácido tranexâmico. Este último tem sido amplamente utilizado por ser seguro e eficaz, podendo ser administrado em bolo de 10 mg/kg em 30 minutos, seguido por infusão contínua de 1 mg/kg/h.

- Devido à grande área de superfície exposta, muitos pacientes apresentarão hipotermia. Esta deve ser corrigida pela infusão de líquidos aquecidos e o uso de equipamentos que colaborem na manutenção de temperatura corporal adequada, como colchão térmico.

- O paciente deve ser cuidadosamente reavaliado quanto a estado hemodinâmico, volume intravascular, hematócrito, perda de sangue, grau de reposição volêmica, temperatura e potencial para edema de face. A extubação prematura deve ser evitada, e a analgesia pós-operatória deve ser planejada com antecedência.

■ COMPLICAÇÕES

■❱ Síndrome da implantação do cimento ósseo (metilmetacrilato)

- Caracteriza-se por hipotensão sistêmica pronunciada, hipertensão pulmonar, taquicardia, hipoxemia, dispneia, queda de CO_2 expirado, depressão miocárdica e insuficiência aguda de ventrículo direito. Em geral, trata-se de um evento autolimitado, com duração inferior a 24 horas. Entretanto, a hipoxemia pode perdurar por até 5 dias.

- O cimento provoca liberação de prostaglandinas, ativa a cascata da via do complemento, e, além disso, o próprio aumento da pressão no canal intramedular decorrente de manipulação, fresagem e cimentação pode levar à embolização de partículas de gordura, ar e detritos para o plexo venoso medular. Resulta em sinais clínicos semelhantes aos da embolia gordurosa.

- Conduta : monitorização e suporte hemodinâmico e/ou ventilatório, manutenção da volemia, uso de vasopressores e inotrópicos.

■❱ Síndrome da embolia gordurosa

- Associada a fraturas ou manipulação cirúrgica de ossos longos (principalmente fêmur) e da pelve. A síndrome apresenta incidência de 3 a 4% em fraturas isoladas de ossos longos com mortalidade entre 10 e 20%. Caracteriza-se pela liberação de partículas de gordura na circulação sistêmica, levando a obstrução dos vasos pulmonares, com consequente instabilidade hemodinâmica.

- As manifestações clínicas envolvem sinais e sintomas respiratórios, neurológicos, hematológicos e cutâneos. Podem ter início em 12 a 72 horas ou ser fulminantes, levando a insuficiência respiratória aguda e parada cardíaca.

- Fatores de risco: gênero masculino, idade (20 a 30 anos), choque hipovolêmico, manipulação intramedular, artrite reumatoide, artroplastia de quadril com cimentação do componente femoral e artroplastia total de joelho bilateral.

- O diagnóstico é feito utilizando os critérios descritos por Gurd, divididos em maiores e menores. São necessários, pelo menos, um critério maior e quatro menores (Tabela 10.1).

Tabela 10.1 **Critérios de Gurd para embolia gordurosa**	
Maiores	• Petéquias axilares ou subconjuntivais; • Hipoxemia (PaO_2 <60 mmHg; FiO_2 <0,4); • Depressão do sistema nervoso central (desproporcional à hipoxemia); • Edema agudo de pulmão.
Menores	• Taquicardia (>110 bpm); • Febre (>38,5 °C); • Embolia retiniana avaliada pela fundoscopia; • Glóbulos de gordura presentes na urina; • Queda brusca e inexplicável do hematócrito e das plaquetas; • Aumento do VHS;[a] • Glóbulos de gordura presentes no escarro.

[a] Velocidade de hemossedimentação.

- O tratamento consiste em suporte hemodinâmico e ventilatório e em estabilização precoce da fratura.

■❱ Trombose venosa profunda (TVP)

- Trata-se de uma das principais causas de morte após cirurgia ou trauma nas extremidades inferiores. A trombose venosa pode acometer 40 a 80% dos pacientes ortopédicos, quando não é realizada profilaxia adequada. Em pacientes de risco (ver Tabela 10.2) deve-se instituir tromboprofilaxia por métodos mecânicos ou farmacológicos.

- Entre as principais medicações utilizadas para profilaxia encontram-se a heparina não fracionada, a heparina de baixo peso molecular e os anticoagu-

Tabela 10.2 **Fatores de risco para trombose venosa profunda**	
Hereditários/Idiopáticos	*Adquiridos/Provocados*
• Resistência à proteína C ativada; • (principalmente fator V de Leiden); • Mutação do gene da protrombina; • Deficiência de antitrombina; • Deficiência de proteína C ou S; • Hiper-homocisteinemia; • Aumento de fator VIII; • Aumento do fibrinogênio.	• Síndrome do anticorpo antifosfolipídio; • Idade > 65 anos; • Obesidade; • Gestação/puerpério; • Trauma; • Imobilização prolongada; • Procedimentos cirúrgicos; • Terapia estrogênica; • Doenças mieloproliferativas; • Síndrome nefrótica; • Neoplasias; • Doença de Behçet.

lantes orais. A administração de tromboprofilaxia 6 horas após o término da cirurgia demonstra eficácia e segurança, com duração da terapêutica por dias até semanas, dependendo do risco para eventos tromboembólicos.

GARROTEAMENTO DE MEMBROS

- **Vantagens:** reduzir a perda sanguínea e melhorar a visualização do campo operatório em procedimentos dos membros superiores e inferiores. Ainda, permitir a manutenção do anestésico local no membro durante o bloqueio regional intravenoso (bloqueio de Bier);

- **Desvantagens:** causa compressão e isquemia, tendo como principais complicações a neuropraxia seguida pela trombose venosa profunda;

- Ainda, ocorrem aumento da pressão arterial e da pressão venosa central e aumento da resistência vascular tanto sistêmica quanto pulmonar, em função do volume contido no membro garroteado;

- O torniquete pode levar a hipóxia celular, metabolismo anaeróbio, acidose celular, dor e ativação simpática, edema tecidual, hipotermia do membro garroteado, neuropraxia, dor regional complexa, parestesias, depleção de mielina e lise de sarcômeros, podendo evoluir para lesões histológicas musculares irreversíveis. Quanto à neuropraxia, há um risco maior no uso da faixa elástica do que no uso do garrote pneumático, pois este último possibilita controle da pressão;

- Após a desinsuflação, ocorre liberação de citocinas e de resíduos metabólicos na circulação (fenômeno de isquemia/reperfusão), levando a acidose metabólica, queda do retorno venoso, aumento do consumo de oxigênio, aumento discreto de lactato e potássio séricos e diminuição da resistência vascular sistêmica e pulmonar;

- As pressões e o tempo de torniquete recomendados estão apresentados na Tabela 10.3.

Tabela 10.3 Recomendações para o uso seguro de torniquetes		
Pressão		
Membro superior	50 mmHg acima da PAS[a]	≤ 250 mmHg[b]
Membro inferior	100 mmHg acima da PAS[a]	≤ 300 mmHg[b]
Tempo de torniquete		
Idealmente até 120 minutos. Se superior a 150 minutos, desinsuflar por 10-15 minutos e repetir o processo a cada hora.		

[a] PAS: pressão arterial sistólica; [b] pressão limite recomendada.

● REFERÊNCIAS BIBLIOGRÁFICAS

1. Association of Surgical Technologists. Recommended Standards of Practice for Safe Use of Pneumatic Tourniquets. Disponível em: http://www.ast.org/uploadedFiles/Main_Site/Content/About_Us/ Standards%20Pneumatic%20Tourniquets.pdf. [Acesso em 09 set 2017.]

2. Fitzgibbons PG, Di Giovanni C, Hares S et al. Safe tourniquet use: a review of the evidence. J Am Acad Orthop Surg 2012;20:310-19.

3. Guedes L, Rebelo H, Oliveira R et al. Analgesia regional em cuidados intensivos. Rev Bras Anestesiol 2012;62:5:719-30.

4. Horlocker TT, Wedel DJ. Anesthesia for Ortopaedic Surgery. In: Barash PG et al. Clinical Anesthesia. 7th ed., Philadelphia: Lippincott Williams & Wilkins, 2013. pp 1440-58 .

5. Romanek RM, Hamaji A, Kuriki W. Anestesia para procedimentos orto-pédicos. In: Cangiani LM et al. Tratado de Anestesiologia SAESP. 7ª ed. São Paulo: Atheneu, 2004. pp. 2063-91.

6. Sociedade Brasileira de Angiologia e Cirurgia Vascular. Trombose veno-sa profunda: diagnóstico e tratamento. Disponível em: www.sbacv.org. br/lib/media/pdf/diretrizes/trombose-venosa-profunda.pdf. [Acesso em 09 set 2017.]

7. Urban MK. Anesthesia for Orthopaedic Surgery. In: Miller RD et al. Miller´s Anesthesia. 8th ed. Philadelphia: Elsevier/Saunders, 2014. pp. 2386-406 .

Capítulo 11

Anestesia em Obstetrícia e Ginecologia

Fernando Eduardo Féres Junqueira
Mario Marcos Silva
Pedro Veloso Margarido
Vanessa Henriques Carvalho
Angélica de Fátima de Assunção Braga

■ ALTERAÇÕES FISIOLÓGICAS NA GESTAÇÃO

- Durante a gestação ocorrem grandes alterações anatômicas e fisiológicas no organismo materno, com implicações relevantes para os anestesiologistas (Tabela 11.1).

Tabela 11.1 Alterações fisiológicas na gestação		
Cardiovasculares	Débito cardíaco	Aumento (20-50%)
	Frequência cardíaca	Aumento (15-25%)
	Resistência vascular sistêmica	Redução (20%)
	Compressão aortocaval	Hipotensão supina (sempre desviar útero para a esquerda para evitá-la)
Hematológicas	Volume sanguíneo total	Aumento (25-40%)
	Volume plasmático	Aumento (40-50%)
	Hemoglobina	11 g/dL (anemia dilucional relativa)
	Contagem de plaquetas	Redução de até 20% (dilucional e consumo)

Continua

Continuação

Tabela 11.1 Alterações fisiológicas na gestação		
	Coagulação	Hipercoagulabilidade (aumento de fibrinogênio, fatores I,VII,VIII,IX,X,XII,aumento da hiperatividade dos fatores de degradação da fibrina) XI e XIII diminuição, protrombina sem alteração
	Atividade de pseudocolinesterase	Redução (20-30%) (maior duração da succinilcolina, esmolol, anestésicos locais tipo éster)
Ventilatórias	Via aérea	Ingurgitamento capilar da mucosa (risco de via aérea difícil e sangramentos na IOT)
	Volume minuto	Aumento (45%) (redução de 10 mmHg na $PaCO_2$)
	Frequência respiratória	Aumento (8-15%)
	Volume corrente	Aumento (45%)
	Capacidade residual funcional	Diminuição (25%)
	Consumo de O_2	Aumento (20%) (aumento de 10 mmHg na PaO_2)
	Hipóxia e indução inalatória	Ocorrem mais rapidamente
Gastrointestinais	Esvaziamento gástrico	Redução (apenas durante o trabalho de parto)
	Tônus do esfíncter esofágico inferior	Redução (progesterona)
	pH gástrico	Redução (gastrina)
	Risco de broncoaspiração	Aumentado

Continua

Continuação

Tabela 11.1 Alterações fisiológicas na gestação		
Hepático-Renais	TGO,TGP,LDH,FA,bilirrubina	Aumento
	Taxa de filtração glomerular	>50%
	Fluxo plasmático renal	>75%
Farmacológicas	Concentração alveolar mínima (CAM)	Reduzida (32-40% com 8-12 semanas)
	Sensibilidade aos anestésicos locais	Aumentada (necessidade de menores doses)
Musculoesqueléticas	Frouxidão ligamentar	
	Meralgia parestésica (distensão do nervo cutaneofemoral lateral)	Aumento do útero gravídico
	Síndrome do túnel do carpo	Aumento da relaxina
	Alargamento da sínfise púbica	

▄ TROCAS PLACENTÁRIAS

- Fluxo sanguíneo uterino de 700 mL/min na gestação a termo, circulação não possui autorregulação clinicamente relevante. Perfusão diminui com: hipotensão materna, manobra de Valsalva, contração uterina e posição supina;
- Transferência materno-fetal de fármacos depende: do peso molecular das drogas (≤ 500 kD), da lipossolubilidade, do grau de ionização, do gradiente de concentração, do tempo entre administração IV e contração uterina e da hipotensão;
- Opioides, anestésicos locais, benzodiazepínicos e outros hipnóticos e agentes voláteis atravessam a barreira uteroplacentária;
- Bloqueadores neuromusculares não despolarizantes, succinilcolina, heparina, insulina e hidralazina não atingem a circulação fetal.

▄ ANESTESIA PARA PARTO VAGINAL

▄❱ Métodos não farmacológicos

Não há evidência científica de qualidade que permita avaliar a efetividade de métodos não farmacológicos de analgesia (hidroterapia, massagem, *biofeedback*, acupuntura, hipnose, estimulação transcutânea).

■❙ Analgesia sistêmica

- Analgesia inalatória pode ser obtida com uma mistura de O_2 e N_2O na proporção de 50:50, administrada por máscara facial de acordo com demanda da paciente (i. e., dor das contrações), sem causar hipóxia materna nem depressão respiratória fetal;

- A meperidina, seja via endovenosa ou intramuscular, está associada a importantes efeitos colaterais materno-fetais e á ocorrência de depressão respiratória neonatal;

- Fentanil pode ser administrado na dose de 1 µg/kg para analgesia imediata (p.ex.: para aplicação de fórceps), sem evidências de depressão fetal importante;

- Analgesia controlada pela paciente (ACP) pode ser realizada com fentanil ou remifentanil, devendo-se atentar ao risco de depressão respiratória materna;

- Cetamina em baixas doses (0,2 a 0,4 mg/kg) não causa depressão fetal, porém pode causar amnésia materna e aumentar o risco de broncoaspiração.

■❙ Analgesia regional

- Bloqueio pudendo promove analgesia do períneo para parto vaginal com fórceps e episiorrafia;

- Os bloqueios de neuroeixo são as técnicas mais seguras e efetivas para analgesia de parto (Tabela 11.2);

- A dor do primeiro estágio do trabalho de parto é causada pelas contrações uterinas e pela dilatação do colo, e a analgesia pode ser obtida com bloqueio entre T10 e L1. No segundo estágio, há distensão perineal, sendo necessário também bloqueio de S2 a S4;

- A analgesia neuroaxial pode prolongar o primeiro e o segundo período do trabalho de parto e aumentar a incidência de parto instrumental, sem elevar

	Peridural (concentração/ volume inicial)	Subaracnóidea (dose inicial)
Tabela 11.2 **Bloqueios do neuroeixo em analgesia de parto**		
Droga		
Bupivacaína	0,0625-0,125%/5-10 mL*	1-2,5 mg (hiperbárica ou isobárica)
Levobupivacaína	0,0625-0,125%/5-10 mL*	
Ropivacaína	0,08-0,2% / 5-10 mL	
Fentanil (dose)	50-100 µg	10-25 µg

*Concentrações obtidas a partir de diluição de soluções de anestésico local com adrenalina 1:200.000.

o risco de necessidade de cesárea ou de sofrimento fetal, mesmo que seja realizada com dilatação ≤ 3 cm;

- Pacientes sob analgesia de parto, especialmente nos primeiros 30 minutos de instalação, devem ser monitorizadas a cada 5 minutos com oximetria de pulso, eletrocardiografia contínua e pressão arterial;

- Deve ser obtido registro da frequência cardíaca fetal antes e após a instalação do bloqueio;

- O uso de baixas concentrações de anestésicos locais, ou mesmo de técnicas combinadas, permite a deambulação materna supervisionada.

■I▶ Bloqueio peridural

- Bloqueio peridural contínuo promove analgesia durante o trabalho de parto com a possibilidade de complementação da dose e conversão a anestesia para cesárea;

- A passagem de cateter peridural é mais frequentemente realizada nos espaços intervertebrais L2-L3 e L4-L5. Aspiração nem sempre confirma localização intravascular ou subaracnóidea;

- Dose teste com 45 mg de lidocaína e 15 µg de epinefrina: contrações uterinas podem gerar resultado falso-positivo (elevação da frequência cardíaca e da pressão arterial);

- Infusões contínuas (velocidade de 8 a 12 mL/h) de soluções diluídas de anestésico locais (levobupivacaína ou ropivacaína a 1%, bupivacaína a 0,0625%), associadas ou não a fentanil 1 a 2 µg/mL, estão associadas a menor risco de injeção intravascular do que doses em bolos intermitentes;

- Para realização de parto instrumental (fórceps, vácuo) uma dose suplementar de 5 a 10 mL de lidocaína na concentração de 1% a 2% via cateter peridural é considerada adequada;

- Analgesia peridural controlada pela paciente é uma alternativa a infusões contínuas e bolos intermitentes.

■I▶ Raquianestesia

- Permite analgesia de início rápido, podendo ser empregada isoladamente em pacientes que estejam com dor muito intensa e na iminência do período expulsivo ou em pacientes multíparas. Há maior risco de bloqueio motor;

- As agulhas com pontas rombas (p.ex.: Whitacre) devem ser preferidas, uma vez que o uso de agulhas com bisel cortante (p.ex.: Quincke) está associado a uma maior incidência de cefaleia pós-punção dural;

- Quando utilizadas, as agulhas com bisel cortante devem ser inseridas no sentido longitudinal com relação às fibras da dura-máter (i. e., com bisel lateralizado em vez de perpendicular);

- Pode ser empregada em técnica de raquianestesia e peridural combinada, associando a rápida instalação e analgesia mais profunda (via subaracnóidea) com maior flexibilidade e duração (via peridural).

▬ ANESTESIA PARA CESÁREA

- **Indicações mais frequentes:** parada da dilatação, sofrimento fetal, desproporção cefalopélvica, apresentação desfavorável, prematuridade, cesárea prévia, cirurgia uterina prévia.
- A escolha da técnica anestésica dependerá das condições materno-fetais, do *status* do procedimento (eletivo, urgência, emergência) e do desejo materno.

▬▶ Bloqueios de neuroeixo

- Técnica mais segura em comparação com anestesia geral: evita manipulação de via aérea e reduz o risco de aspiração de conteúdo gástrico, evita o uso de drogas anestésicas depressoras, a mãe permanece alerta durante o parto, e pode ser associada a menor perda de sangue;
- É necessário bloqueio sensitivo até o nível T4 para evitar desconforto durante o procedimento;
- A complicação mais frequente é hipotensão. Pode ser realizada administração de até 10 mL/kg de cristaloide antes ou durante o procedimento anestésico;
- Deve-se realizar desvio uterino para a esquerda, seja com manobras manuais, uso de coxins sob o quadril à direita, cunha de Crawford ou leve inclinação lateral à esquerda da mesa cirúrgica;
- O tratamento da hipotensão deve ser instituído imediatamente ("tolerância zero"). Podem ser empregadas efedrina (5-10 mg) ou fenilefrina (100-150 μg). Na ausência de bradicardia materna deve ser preferida a fenilefrina, por apresentar menor incidência de acidose fetal.

▬▶▶ *Raquianestesia*

- Técnica de execução simples e rápida, e possui baixa latência;
- As doses empregadas frequentemente estão resumidas na Tabela 11.3.

Tabela 11.3 Bloqueios do neuroeixo em cesárea		
Droga	*Peridural (concentração/ volume inicial)*	*Subaracnóidea (dose inicial)*
Bupivacaína/ Levobupivacaína	0,5%/10-20 mL*	10-15 mg (hiperbárica)
Lidocaína	2%/10-20 mL*	
Fentanil (dose)	50-100 μg	10-20 mg
Morfina (dose)	3-5 mg	50-100 mg

*Soluções de anestésico local com adrenalina 1:200.000.

■❙❙ *Anestesia peridural*

- Técnica de execução mais complexa e demorada, maior latência que a raquianestesia, emprego de maior massa e volume de anestésico local, necessário para obter nível sensitivo adequado;
- A maior vantagem da técnica é a possibilidade de titulação da dose, extensão e duração do bloqueio através de cateter peridural;
- Bupivacaína apresenta alta toxicidade, e seu uso é cada vez menos recomendado. Injeção intravascular inadvertida de bupivacaína está associada a alta mortalidade materna;
- As doses empregadas frequentemente estão resumidas na Tabela 11.3.

■❙❙ *Anestesia combinada peridural e subaracnóidea*

É adequada em certas situações (p.ex.: pacientes obesas), permitindo associar a curta latência e o bloqueio motor proporcionados pela raquianestesia; a passagem de cateter peridural resulta em melhor controle de duração e nível de bloqueio, além de possibilitar o emprego de menores doses de anestésico local, e maior estabilidade hemodinâmica.

■❙❙ *Anestesia geral (Tabela 11.4)*

Tabela 11.4
Sequência sugerida para anestesia geral
• Considerar administração de antiácido não particulado (citrato de sódio), pró-cinético (metoclopramida) e antagonista do receptor H_2 de histamina (ranitidina);
• Material para via aérea, aspirador e drogas para ressuscitação prontamente disponíveis. Monitorização padrão e manutenção de desvio uterino para a esquerda durante o procedimento. Obtenção de cateter venoso, preferencialmente de calibre 18G ou maior quando apropriado;
• Pré-oxigenar paciente com O_2 a 100% por 3 minutos ou 4 capacidades vitais por 30 segundos;
• Iniciar indução quando cirurgião estiver pronto, neonatologista presente em sala e paciente posicionada com campos estéreis, podendo-se iniciar o procedimento imediatamente após confirmação de intubação;
• A realização da manobra de Sellick é controversa. Administrar agente de indução (propofol 2,5 mg/kg; se instabilidade hemodinâmica, etomidato 0,3 mg/kg ou cetamina 1-1,5 mg/kg) e em seguida relaxante muscular (rocurônio 0,9-1,2 mg/kg ou succinilcolina 1 mg/kg), não ventilar sob máscara e iniciar manobras de laringoscopia após 30-60 segundos;
• Após confirmação de intubação, autorizar o cirurgião a iniciar o procedimento. Manter ventilação mecânica objetivando-se normocarbia;
• Administrar agente halogenado em concentração maior que 0,6 CAM para evitar memória intraoperatória;

Continua

Continuação

Tabela 11.4
Sequência sugerida para anestesia geral

- Após nascimento, podem-se administrar opioides, hipnóticos e relaxantes musculares e aumentar a fração inspirada de halogenados. Deve-se administrar ocitocina profilática;
- Profilaxia para náuseas e vômitos: ondansetrona 4 mg IV. Analgesia pós-operatória: TAP Block ou morfina 0,1 mg/kg IV;
- Não foram encontradas diferenças com relação ao prognóstico neonatal entre pacientes submetidas a anestesia geral sob anestesia geral ou neuroaxial.

ANESTESIA PARA GESTANTES DE ALTO RISCO E URGÊNCIAS OBSTÉTRICAS

Pré-eclâmpsia

- Caracterizada por hipertensão gestacional (PA sistólica > 140 mmHg ou diastólica > 90 mmHg) associada a proteinúria (300 mg/dia). Está associada a contração do volume intravascular;
- Pré-eclâmpsia grave está presente com PA sistólica > 160 mmHg ou diastólica > 110 mmHg, plaquetopenia, disfunção hepática ou renal, edema pulmonar, epigastralgia, sintomas neurológicos (p.ex.: escotomas), edema pulmonar. A ocorrência de crise convulsiva define o quadro de eclâmpsia;
- Síndrome HELLP (Hemolytic anemia, Elevated Liver enzymes, Low Platelet count) é uma forma grave de pré-eclâmpsia que cursa com hemólise, plaquetopenia e elevação das enzimas hepáticas;
- O manejo clínico se faz com anti-hipertensivos e sulfato de magnésio (Tabela 11.5). Devem ser realizadas reposição volêmica e correção de coagulopatias quando indicado. O nitroprussiato deve ser reservado para casos graves refratários.
- A escolha da técnica anestésica (peridural *vs* subaracnóidea *vs* geral) vai depender da presença de coagulopatias e do estado volêmico da paciente;
- Antes da realização de bloqueios do neuroeixo: obter uma contagem de plaquetas. Nos casos de pré-eclâmpsia grave, solicitar adicionalmente tempo de protrombina com RNI e tempo de tromboplastina parcial ativada;
- Bloqueios de neuroeixo podem ser feitos com segurança com contagem de plaquetas ≥ 100.000 cél./mm^3, na ausência de consumo de plaquetas e de outras coagulopatias. Sua realização com contagens entre 50.000 e 100.000 cél./mm^3 é controversa, estando contraindicada com contagens inferiores a 50.000 cél./mm^3;
- Devem-se usar doses menores de vasopressores (p.ex.: efedrina) para tratamento de hipotensão, pois essas pacientes podem apresentar resposta exacerbada.

Tabela 11.5 Manejo clínico da pré-eclâmpsia grave		
Droga	*Dose*	*Comentários*
Sulfato de magnésio	• Ataque: 4 g IV em 5 min • Infusão de 1-2 g/h	• Anticonvulsivante de primeira linha • Intoxicação: diminuição dos reflexos tendíneos, insuficiência respiratória e arritmias • Neuroproteção fetal • Potencializa o bloqueio neuromuscular despolarizante e adespolarizante
Labetalol	• Ataque: 10-20 mg IV • Repetir 20-80 mg IV a cada 20-30 min (máximo de 300 mg) ou • Infusão: 1-2 mg/min IV	• Anti-hipertensivo de primeira linha • Ainda não disponível no Brasil • Contraindicado em pacientes com asma e insuficiência cardíaca
Hidralazina	• Ataque: 5 mg IV • Repetir 5-10 mg IV a cada 20-40 min ou • Infusão: 0,5-10 mg/h	• Hipotensão maternal • Cefaleia • Risco de sofrimento fetal

■❱ Hemorragia obstétrica

• Principal causa de mortalidade materna periparto;

■❱ *Placenta prévia*

• Placenta na porção inferior uterina, entre o feto e o orifício cervical;

• Mais comum em multíparas e idade materna avançada. Apresenta-se com hemorragia e sem dor, a partir do sétimo mês;

• Cesárea indicada na maioria dos casos. Anestesia neuroaxial pode ser indicada desde que a gestante esteja hemodinamicamente estável;

• O risco de placenta acreta (com invasão miometrial) é maior em pacientes com cirurgia uterina anterior e está associado a atonia uterina, hemorragia grave e necessidade de cesárea-histerectomia.

■❱ *Descolamento prematuro de placenta*

• Incidência em 1% das gestações. São fatores de risco: tabagismo, cocaína, trauma, gestação múltipla, síndromes hipertensivas, idade materna avançada e ruptura prematura de membranas;

- Volume sanguíneo exteriorizado pode não refletir perda volêmica real (hemorragia oculta);
- Complicações: hipovolemia, colapso cardiovascular, coagulação intravascular disseminada, insuficiência renal e necrose da hipófise anterior (síndrome de Sheehan);
- Bloqueios espinhais podem ser empregados na ausência de coagulopatia ou em instabilidade hemodinâmica.

▪▮ Hemorragia pós-parto

- Definida como perda volêmica > 500 mL em parto vaginal ou > 1.000 mL em cesárea;
- Atonia uterina: predisposta por gestações múltiplas, indução do trabalho de parto, poli-hidrâmnio, doenças hipertensivas, cesárea, corioamnionite, retenção placentária. Tratamento e prevenção com uterotônicos (Tabela 11.6);
- As recomendações para reposição volêmica em pacientes obstétricas são oriundas de estudos em pacientes traumatizados e incluem limitação do uso de cristaloides e coloides, transfusão de concentrado de hemácias, plasma

Tabela 11.6 Uterotônicos		
Droga	*Dose*	*Efeitos adversos*
Ocitocina	• Profilaxia: 10-20 UI em 1.000 mL de cristaloide • Tratamento: 20-40 UI em 1.000 mL de cristaloide • Infusão contínua (OMS sugere 60 gotas/min e uma dose máxima de 60 UI)	• Hipotensão, taquicardia, náusea, cefaleia, arritmias, isquemia miocárdica • Dessensibilização de receptores
Metilergotamina	• 0,2 mg IM a cada 2-4h S/N • OMS sugere dose máxima de 1 mg	• Hipertensão, vasoconstrição, espasmo de coronária • Contraindicada em doenças hipertensivas e isquêmicas
Misoprostol	• 800-1000 μg VO ou VR a cada 2h S/N	• Febre, náusea, broncoespasmo • Contraindicado na asma
Carboprost	• 0,25 mg IM a cada 15-60 min • OMS sugere dose máxima de 2 mg	• Broncoespasmo, hipertensão pulmonar, taquicardia. • Contraindicado na asma

fresco congelado em proporção de 1:1 e administração precoce de plaquetas (um *pool* a cada 4-6 unidades de hemácias) e crioprecipitado.

■❙❘ *Outras*

- Embolia amniótica apresenta-se com insuficiência respiratória, colapso cardiovascular e alterações neurológicas. O tratamento é de suporte intensivo.
- Inversão uterina se associa a dor e hipotensão e necessita de relaxamento uterino para seu tratamento, o que pode ser obtido com nitroglicerina IV ou agentes voláteis, a depender das condições hemodinâmicas da paciente.
- Pode ocorrer descompensação em gestantes cardiopatas devido às alterações fisiológicas. A dor promove estimulação simpática e aumento do trabalho cardíaco, tornando a analgesia de parto importante nesse contexto.
- A técnica anestésica em gestantes cardiopatas depende da função cardiovascular e do uso de drogas que interfiram na coagulação.

■ ANESTESIA PARA PROCEDIMENTOS NÃO OBSTÉTRICOS

- Os objetivos são segurança materna, bem-estar fetal e prevenção de trabalho de parto prematuro;
- Teratogênese: pode ser induzida em qualquer estágio, porém a organogênese crítica ocorre entre 13 e 60 dias de gestação;
- Drogas anestésicas, em altas doses, quando utilizadas em animais são teratogênicas. Estudos em humanos são insuficientes;
- O risco de trabalho de parto prematuro aumenta nos períodos intra e pós-operatórios, principalmente em cirurgias abdominais e pélvicas;
- Cirurgias eletivas: devem ser programadas para o período pós-puerperal: 2-6 semanas pós-parto;
- Cirurgias de agendamento flexível: idealmente entre 15 e 28 semanas. Menor risco de teratogenicidade (maior antes de 15 semanas) e de parto prematuro (maior com mais de 28 semanas);
- Cirurgia de emergência: não há evidências que suportem técnicas anestésicas específicas, porém técnicas regionais evitam exposição fetal, e, quando seguras para a mãe, devem ser consideradas;
- Monitorização FC fetal pré e pós-cirurgia (considerar monitoramento contínuo *vs* campo cirúrgico).

■ ANESTESIA E AMAMENTAÇÃO

- Os riscos são maiores com o uso de certas drogas e com crianças com risco aumentado de apneia (prematuros);
- AINES: ótima escolha devido à segurança e eficácia. Diminuem a necessidade de outros analgésicos;
- Ibuprofeno e paracetamol: seguros;

- Nalbufina: níveis no leite <42 μg/L. Droga segura;

- Morfina IM/IV: possui transporte para o leite limitado e potente efeito analgésico. Usar com cautela;

- Meperidina/petidina: há relatos de sedação neonatal (bradicardia e cianose) e materna. Preferível o uso de morfina;

- Codeína: drogas que dependem do metabolismo materno devem ser usadas com cautela. Recente preocupação surgiu devido a casos de doses tóxicas em neonatos filhos de mãe "metabolizadoras rápidas" (minoria das mulheres). Outras medicações devem ser consideradas. O mesmo vale para a oxicodona;

- Fentanil: estudos mostram que, após 2h, os níveis no leite materno são insignificantes;

- Drogas com uma alta velocidade de distribuição compartimental possuem concentração no leite materno muito baixa: tiopental, etomidato, propofol, anestésicos inalatórios e midazolam;

- Não há relatos na literatura sobre o uso de cetamina em mulheres lactantes;

- Bupivacaína e ropivacaína: possuem absorção oral muito pobre e, assim como outras drogas administradas via epidural/intratecal (inclusive ainda durante a gestação), podem ser consideradas seguras para o feto;

- Paciente submetidas a cirurgias com altas doses de anestésicos locais via SC, por exemplo lidocaína em lipoaspiração: recomendado descartar leite materno por 12 horas antes da próxima amamentação.

- Quando a paciente se encontra desperta e capaz de manter-se ereta, em geral está apta a retomar a amamentação.

● PARADA CARDÍACA EM GESTANTE

- Assegurar imediatamente que as vias respiratórias estejam desobstruídas;

- Manter o deslocamento do útero para a esquerda (PCR após 20 semanas de gestação ou no pós-parto imediato);

- Medicamentos vasoativos e desfibrilação devem ser empregados da mesma maneira que fora da gravidez;

- Garantir equipe apropriada para ressuscitação neonatal;

- PCR após 24 semanas de gestação, deve-se retirar o feto caso não haja êxito na RCP em 4 a 5 minutos;

- Considerar massagem cardíaca interna ou instituição de circulação extracorpórea em caso de intoxicação por bupivacaína, embolia por líquido amniótico ou extensa embolia pulmonar.

■ REFERÊNCIAS BIBLIOGRÁFICAS

1. Cavalcanti FS. Alterações fisiológicas da gravidez. In: Cangiani LM et al., eds., Tratado de Anestesiologia, 8ª ed. Rio de Janeiro: Atheneu, 2017. pp. 2223-60.

2. Flood P, Rollins MD. Anesthesia for Obstetrics. In: Miller et al., eds. Miller's Anesthesia. 8th ed. Philadelphia: Churchill Livingstone, 2015. pp. 2328-58.

3. Bastos CO, Soares EC, Ivo RA. Anestesia em obstetrícia. In: Bagatini A et al., eds. Bases do ensino da Anestesiologia. Rio de Janeiro: Sociedade Brasileira de Anestesiologia/SBA, 2016. pp. 665-708.

4. Braveman FR, Scavone BM, Blessing ME, Wong CA. Obstetrical Anesthesia. In: Barash PG et al., eds. Clinical Anesthesia. 7th ed. Philadelphia: Lippincott Williams & Wilkins, 2013. pp. 1144-77.

5. Torres MLA, Soares EC, Pinheiro RB. Analgesia para o trabalho de parto. In: Cangiani LM, et al., eds. Tratado de Anestesiologia. 8ª ed. Rio de Janeiro: Atheneu, 2017. pp. 2261-80.

6. Bastos CO, Castro LFL. Anestesia para cesariana. In: Cangiani LM, et al., eds. Tratado de Anestesiologia. 8ª ed. Rio de Janeiro: Atheneu, 2017. pp. 2281-304.

7. Siaulys MM. Anestesia para gestante com pré-eclâmpsia e eclâmpsia. In: Cangiani LM, et al., eds., Tratado de Anestesiologia. 8ª ed. Rio de Janeiro: Atheneu, 2017. pp. 2305-12.

8. American College of Obstetricians and Gynecologists. Task Force on Hypertension in Pregnancy. Washington. American College of Obstetricians and Gynecologists, 2013. 100p.

9. Siaulys MM. Anestesia para gestante com pré-eclâmpsia e eclâmpsia. In: Cangiani LM, et al., eds. Tratado de Anestesiologia. 8ª ed. Rio de Janeiro: Atheneu, 2017. pp. 2305-12.

10. Soares EC, Osanan GC, Bastos CO. Anestesia nas síndromes hemorrágicas da gestação. In: Cangiani LM, et al., eds. Tratado de Anestesiologia. 8ª ed. Rio de Janeiro: Atheneu, 2017. pp. 2313-32.

11. Montgomery A, Hale TW. ABM Clinical Protocol #15: Analgesia and Anesthesia for the Breastfeeding Mother, Revised 2012. Breastfeed Med 2012 Dec;7(6):547-53.

12. Ortman A, Leffert L. Anestesia para obstetrícia e ginecologia. In: Levine WC et al., eds. Manual de Anestesiologia Clínica - Massachusetts General Hospital 2012. 8ª ed. Rio de Janeiro: Guanabara Koogan, 2012. pp. 411-27.

Capítulo 12

Anestesia em Cirurgia Plástica

Bárbara Pellegrini Castro
Celso Schmalfuss Nogueira
Felipe Souza Thyrso de lara
Tomas Vitor de Souza Gama Queiroz Teixeira de Barros

■ REQUISITOS BÁSICOS

A anestesia para cirurgia plástica deve preencher alguns requisitos básicos:

- Depressão da consciência;
- Analgesia;
- Manutenção da homeostasia;
- Controle do sistema nervoso autônomo (SNA);
- Controle do sangramento;
- Relaxamento muscular (abdominoplastias);
- Profilaxia e tratamento de náuseas e vômitos;
- Despertar tranquilo.

■ AVALIAÇÃO PRÉ-ANESTÉSICA

Os principais objetivos da avaliação pré-operatória são reduzir a morbimortalidade no paciente cirúrgico e maximizar os resultados cirúrgicos e a satisfação do paciente.

Realização de história clínica pertinente ao procedimento cirúrgico:

- uso de medicamentos; cirurgias e anestesias prévias, alergia medicamentosa; história de tromboembolismo espontâneo; abortamento; uso de álcool, cigarro, drogas.
- Exame físico, incluindo das vias aéreas, cardiovasculares e pulmonares, deve ser realizado previamente.
- A partir disso, o anestesiologista deverá solicitar exames investigatórios de acordo com a necessidade de cada paciente, incluindo consultas com outras especialidades.

■ SELEÇÃO DA TÉCNICA ANESTÉSICA

- Anestesia local + sedação;
- Anestesia regional;
- Anestesia geral;
- Bloqueios periféricos;
- Monitorização assistida:
  - Segurança para o paciente, o cirurgião plástico e o hospital ou clínica.

■❙) Sedação e anestesia minimamente invasiva

- Procedimento sempre eletivo, em pacientes em bom estado de saúde e que, na sua maioria, desejam algum grau de sedação;
- Para cirurgias ambulatoriais, superficiais, tegumentares e não intracavitárias, que não demandam relaxamento muscular intenso:
  - ritidoplastia;
  - blefaroplastia;
  - rinoplastia;
  - plásticas auriculares;
  - implante capilar;
  - correção de ginecomastia;
  - lipoaspiração localizada.
- Vantagens:
  - elimina preconceitos contra anestesia geral;
  - sem necessidade de intubação orotraqueal;
  - ventilação espontânea – melhor relação V/Q;
  - maior estabilidade hemodinâmica;
  - alta precoce – *fast-tracking* para anestesia ambulatorial;
  - redução de custos.
- Infiltração com anestésico local e sedação venosa;
- Analgesia multimodal e intervenções preemptivas para náuseas e vômitos pós-operatórios;
- Monitorização contínua: oxímetro de pulso, pressão arterial não invasiva, eletrocardiografia, capnografia;
- Material para reanimação checado;
- Monitorização da consciência por meio de eletroencefalografia processada (BIS, SedLine);
- Manter Escore de Ramsay entre 4 e 5.
  - Grau 4: dormindo, responde rapidamente ao estímulo glabelar ou ao estímulo sonoro vigoroso;

- Grau 5: dormindo, responde lentamente ao estímulo glabelar ou ao estímulo sonoro vigoroso.
- Atenção para progressão a níveis mais profundos:
  - Prejuízo da função respiratória;
  - Insuficiência respiratória aguda;
  - Hipoxemia ($PaO_2 < 60$ mmHg);
  - Hipercarbia ($PaCO_2 > 53$ mmHg);
  - Acidose.
- Agentes com baixa meia-vida de eliminação plasmática:
- Propofol:
  - Pico de ação em 4 minutos;
  - Recuperação em 8 minutos;
  - Tempo de meia-vida beta = 30-90 minutos.
- Midazolam:
  - Pico de ação em 13 minutos
  - Recuperação em 27 minutos
  - Tempo de meia-vida beta = 1,7-2,6h
- Combinação de ambos: hipnose, ansiólise e amnésia;
- Dexmedetomedina:
  - Agonista alfa-2-adrenérgico;
  - Sedação sem alterar parâmetros respiratórios;
  - Tempo de meia-vida beta = 2h;
  - Infusão lenta de 1 mcg/kg por 10-15 minutos;
  - Infusão venosa contínua de 0,3-0,7 mcg/kg/h.
- Cetamina:
  - Propicia estabilidade hemodinâmica;
  - Contrabalança a depressão respiratória que pode ser provocada pelos outros agentes;
  - Bloqueio dos receptores NMDA antes da estimulação nociceptiva cria analgesia preemptiva e dissociativa.

■❱ Bloqueios periféricos

- Geralmente associados à anestesia geral;
- Uso em cirurgias de face:
  - Ritidoplastia, pálpebras, rinoplastia, lábios, mento;
- Orelha em abano (otoplastia);
- Cirurgias de mamas.

	Tabela 12.1 **Modelo de sedação sequencial intravenosa para anestesia** **minimamente invasiva**
1	Clonidina 0,2 mg via oral 30 a 60 min antes do procedimento (pré-operatório)
2	Glicopirrolato 0,2 mg + lidocaína 20 mg via endovenosa
3	Propofol em bolos sequenciais de 150 mcg/kg a cada 20 segundos até obter BIS^R < 75
4	Pode-se manter infusão basal de propofol em 20-50 mcg/kg/min
5	Cetamina 50 mg (em adultos, independentemente do peso) por via venosa 2-3 min antes da infiltração local
6	Ajustar basal de propofol caso a infusão de cetamina cause o aumento do mesmo
7	Infiltração de anestésico local adequada pelo cirurgião
8	Cetamina adicional apenas após duas novas infiltrações locais com falha (máximo de 200 mg, sem administrar nos últimos 20 a 30 min do procedimento)

■▶ Anestesia regional

- Os bloqueios espinhais oferecem excelentes resultados, com segurança e qualidade;
- Atenuam com maior efetividade as respostas endocrinometabólicas ao trauma e reduzem fenômenos tromboembólicos;
- A analgesia nas primeiras 24h de pós-operatório é mais efetiva, com menor requerimento de analgésicos por via sistêmica;
- Menor incidência de náuseas e vômitos.

■▶ Peridural

- Bloqueio peridural pode ser obtido em quase todos os segmentos da coluna, desde a região sacral até a cervical;
- Nível do bloqueio torácico:
  - Alto: T3-T4 a T6-T7;
  - Médio: T7-T8 a T8-T9;
  - Baixo: T9-T10 a T11-T12.
- Profundidade de espaço peridural:
  - Cervical: 2 mm;
  - Região médio-torácica: 3 a 5 mm;
  - Região lombar 5 a 7 mm.

- A anestesia peridural torácica para cirurgias estéticas de mamas e combinadas de mama e abdome propicia bons resultados nos períodos per e pós-operatório;
- Reduz resposta ao estresse pós-operatório e da resposta simpática sistêmica, com consequente diminuição de eventos cardíacos adversos;
- A anestesia peridural consegue anestesia cirúrgica bilateral com vantagens semelhantes às da raquianestesia;
- Oferece a opção de analgesia pós-operatória prolongada com uso de cateter peridural;
- Sugestões de doses para peridural torácica:
  - 10 a 15 mL bupivacaína 0,5% seguidos de doses subsequentes de 5 a 10 mL a 0,25%;
  - 40 mL de solução de ropivacaína a 0,5% e sufentanil 15 µg.

■❙❭ Raquianestesia alta para plástica

- Raquianestesia com punção lombar com bloqueio nociceptivo em dermátomos cervicais realizado com a mistura hiperbárica de 20 mg de bupivacaína a 0,5% associada a 150 µg de clonidina e 5 µg de sufentanil;
- É uma opção efetiva para a realização de abdominoplastias, cirurgias sobre o tecido mamário e de lipoaspiração das regiões corporais inervadas por nervos espinhais distais a C3;
- Importa que os procedimentos não excedam 4 a 5 horas;
- Técnica:
  - Acomodar o paciente na posição sentada e relaxada, proceder à antissepsia da região lombossacra;
  - Escolher o interespaço mais favorável entre L2/L3 ou L3/L4;
  - Realizar a punção subaracnoidea e verificar o livre refluxo do liquor;
  - Injetar a mistura anestésica de 5 µg de sufentanil, 150 µg de clonidina e 20 mg de bupivacaína hiperbárica a 0,5% com a maior velocidade possível;
  - Ao concluir a injeção, deitar o paciente imediatamente em DD e inclinar a mesa em cefalodeclive de 30 graus, tomar os cuidados para evitar o deslizamento do paciente e manter esse posicionamento por 15 minutos. Aferir os sinais vitais e registrá-los de 5 em 5 minutos;
  - Atentar para hipotensão e bradicardia.
- Alterações hemodinâmicas discretas responsivas aos tratamentos convencionais;
- Maior exposição das raízes posteriores (sensitivas) do que das anteriores (motoras e autonômicas);
- Ação preservada do diafragma e dos intercostais altos com volume corrente mantido;

- Vantagens em relação à peridural:
  - Maior simplicidade e segurança de punção;
  - Menor risco de toxicidade sistêmica pelo anestésico local.

■ LIPOASPIRAÇÃO

■▶ Segurança

- A Resolução N° 1.711 de 2003 do CFM estabelece parâmetros de segurança que devem ser observados na lipoaspiração, entre os quais:
  - Volumes aspirados (material coletado sobrenadante) não devem ultrapassar 7% do peso corporal na técnica infiltrativa, 5% na técnica não infiltrativa e 40% da superfície corporal em qualquer técnica. Deve ser evitada, no mesmo ato cirúrgico, a coincidência de parâmetros máximos;
  - A associação com outros procedimentos cirúrgicos deve ser evitada quando os parâmetros estiverem próximos do máximo admitido;
  - Medidas preventivas necessárias para evitar trombose venosa profunda e acidentes tromboembólicos.

Tabela 12.2 Tabela de Lund-Browder modificada	
Área	**Porcentagem de superfície corpórea**
Tórax anterior	4,5
Mama – ¼ tórax	1,125
Abdome	8,5
Metade superior do abdome	4,25
Metade inferior sem os flancos	2,125
Flancos	1,4
Braço anterior	1
Braço posterior	1
Coxa anterior	4,5
Coxa posterior	4,5
Face interna da coxa total	1,125
Culotes	1,125
Glúteos	5

■▶ Técnicas infiltrativas

- 1987 – Klein: técnica de infiltração tumescente:
  - diminui agressão aos tecidos;

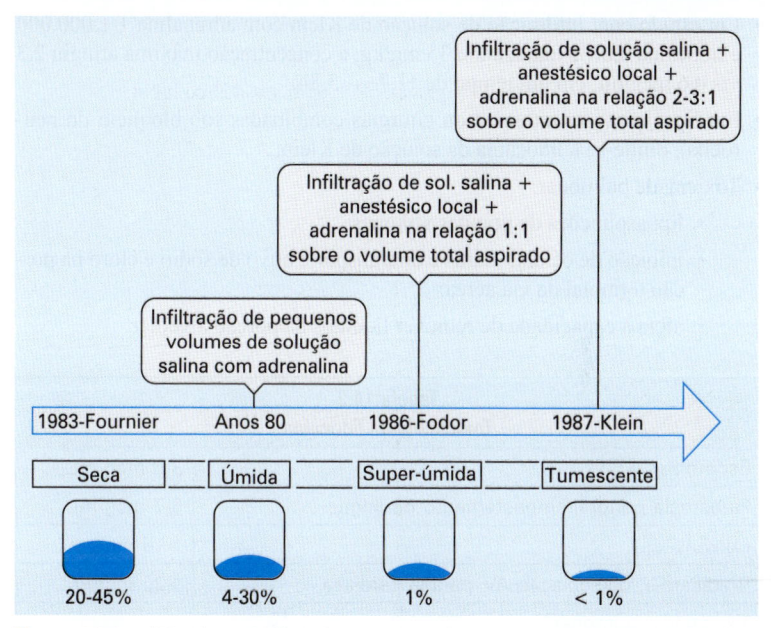

Figura 12.1 – *Técnicas infiltrativas e a redução da perda sanguínea.*

- proporciona analgesia cirúrgica e pós-operatória;
- líquido aspirado virtualmente sem sangue.
- Solução salina a 0,9% com lidocaína a 0,05-0,1% e adrenalina 1/500.000–1/1.000.000.
- A absorção da lidocaína é diretamente responsável pela concentração plasmática, mais do que a própria dose, e depende:
  - da concentração da solução: quanto mais diluída, mais lenta é a absorção; a lidocaína possui um perfil bifásico, e em concentrações menores que 10 mg/mL provoca vasoconstrição;
  - dos coadjuvantes químicos – vasoconstrição causada pela adrenalina;
  - da velocidade de infiltração;
  - da quantidade depositada no local, que deve atingir tumescência para que haja compressão mecânica dos vasos pela pressão do líquido infiltrado no interstício.

■I Toxicidade da lidocaína

- 35 mg/kg de lidocaína utilizados em técnica infiltrativa tumescente são seguros e efetivos para lipoaspiração abdominal (há autores que elevam essa dose para até 45 mg/kg);
- Porém a alta hospitalar não deve ser precoce;

- Em estudo com infiltração de solução de Klein com adrenalina 1/1.000.000 e lidocaína 0,08% totalizando 35 mg/kg, a concentração máxima atingiu 2,3 +/- 0,6 mcg/mL em um tempo de 11,7 +/- 3,8h;

- Em lipoaspirações extensas ou cirurgias combinadas sob bloqueio do neuroeixo, omite-se a lidocaína da solução de Klein;

- Toxicidade pulmonar:

  - lipoaspirações de grandes volumes;

  - inibição de células claras e do transporte ativo de sódio e cloro na porção terminal da via aérea;

  - afeta a capacidade de remover líquidos da porção alveolar.

Tabela 14.3 Toxicidade da lidocaína	
Escotomas	3-6 mcg/mL
Parestesia perioral/empastamento de língua	5-7 mcg/mL
Convulsões	>10 mcg/mL
Bradicardia, dissociação AV, parada cardíaca	>25 mcg/mL
Toxicidade pulmonar	?

Tabela 14.4 Pacientes com risco aumentado para intoxicação por lidocaína
Diabéticos
Usuários de eritromicina, sertralina, fluconazol e outras drogas que inibem as isoenzimas 3 a 4 e 1 a 2 do citocromo P450
Submetidos a anestesia geral
Baixas concentrações de proteínas plasmáticas
Pacientes que tiveram a cirurgia interrompida antes de a lipoaspiração programada ser concluída

▮▶ Balanço hídrico

- 80% do volume infiltrado ganha a circulação após 2h, com intensidade máxima após 10h (entre 6 e 14h no pós-operatório), e são esperadas:

  - hemodiluição;

  - diminuição da densidade urinária.

- Atentar para:

  - grande hemodiluição;

  - sobrecarga cardíaca;

- edema pulmonar;
- parada cardiorrespiratória.
- Simplificadamente:

> BALANÇO HÍDRICO: IV – Tum – (Inf + PC + D + J)

IV: fluidos intravenosos; Tum: volume infiltrado no subcutâneo; Inf: volume aspirado infranadante; PC: Perdas cirúrgicas; D: débito urinário; J: jejum pré e intraoperatório.

Lipoaspiração de grandes volumes

- A partir de 4 litros de tecido gorduroso ou 5 litros de tecido gorduroso + líquido infiltrado;
- Procedimento anestésico cirúrgico prolongado;
- Riscos:
  - hiper ou hipovolemia;
  - distúrbios respiratórios graves;
  - maior toxicidade de lidocaína e adrenalina;
  - distúrbios hidroeletrolíticos;
- Utilizar técnica superúmida 1:1 com lidocaína < 35 mg/kg;
- Considerar anestesia geral com IOT;
- Comunicação entre a equipe.

PLÁSTICAS COMBINADAS

- A prática de cirurgia plástica combinada em face, tórax, abdome e membros é discutível, não apenas pela duração do ato cirúrgico como pela magnitude do sangramento;
- O cirurgião deve programar cirurgias combinadas se dispuser de equipe treinada para encurtar o tempo cirúrgico;
- As variações dos parâmetros respiratórios, o balanço hídrico e a quantidade de anestésico local administrada devem ser bem titulados;
- A anestesia geral com ventilação controlada, associada a bloqueios regionais ou não, em cirurgias plásticas combinadas, pode ser considerada a melhor opção.

POSICIONAMENTO DO PACIENTE

- O posicionamento adequado do paciente na mesa cirúrgica é de extrema importância no controle da qualidade e segurança em cirurgia plástica;
- Na posição de cefaloaclive, sob anestesia geral, notadamente, há redução da pressão arterial média (PAM), da pressão venosa central, do volume sistólico e do débito cardíaco;

- A observação de Enderby, de que a pressão arterial sistólica (PAS) sofre decréscimo de 0,8 mmHg por 1 cm de elevação da região considerada no plano vertical em relação ao nível do coração, deve ser monitorada com muita atenção quando a cirurgia plástica for realizada na posição sentada;

- A manutenção de PAM em valores não inferiores a 50 mmHg (PAS = 60 a 70 mmHg) é reconhecida como limite de segurança em anestesia hipotensiva com finalidade de redução do sangramento perioperatório.

■ COMPLICAÇÕES DA CIRURGIA PLÁSTICA

- Náuseas e vômitos:
    - Extremamente desconfortáveis
        - Associados ou não ao uso de opioides
    - Pode ocasionar:
        - Sangramentos e/ou hematomas
        - Ruptura de suturas
    - Profilaxia e/ou tratamento:
        - Ondansetrona/Palanosetrona
        - Dexametasona
        - Droperidol
- Hematomas:
    - Despertar o paciente após a realização do curativo
    - Mais comuns nas cirurgias de face
    - Evitar hipotensões profundas durante hemostasia
- Queimaduras:
    - Falha técnica
    - Fuga da corrente elétrica pelo eletrodo
    - Necrose
- Eventos tromboembólicos:
    - Mais comuns em abdominoplastia combinada a outros procedimentos (0,067%)
    - Diminuição do retorno venoso pela correção da diástese do reto abdominal
    - Interrupção da drenagem venosa superficial
    - Pouca mobilização no pós-operatório
    - São também fatores de risco: peso acima de 70 kg, idade maior que 50 anos e cirurgias ginecológicas combinadas
- Embolia gordurosa: até 1986, principal causa de morbimortalidade em lipoaspiração

- diminuiu com a técnica infiltrativa
- efeito antitrombótico do anestésico local
- ocorrência menos frequente com técnicas anestésicas regionais
- mobilização precoce após anestesia regional
- Trombose venosa profunda: incidência de 0 a 0,59%
  - Enoxaparina não aumenta risco de hematoma
  - Uso recomendado em diferentes doses para pacientes de médio e alto riscos, baseando-se no escore de Caprini
- Edema pulmonar;
- Toxicidade da adrenalina:
  - efeitos indesejáveis com início em 30 min;
  - elevação da frequência cardíaca com pico em 3h;
  - elevação da pressão arterial;
  - aumento do sangramento operatório.
- Hemorragia e perfuração de órgãos:
  - relato de perfuração de grandes vasos;
  - coagulopatia pós-operatória;
  - catéter de sucção mal posicionado.

Tabela 14.5
Recomendação para a prevenção de eventos tromboembólicos em cirurgia plástica

Procedimento	Escore de Caprini	Recomendação
Previamente a qualquer cirurgia plástica eletiva estética e reconstrutiva em pacientes internados	7 ou mais	Estratégias de redução de risco: limitar tempo cirúrgico, perda de peso, descontinuar reposição hormonal (por 4 a 6 semanas antes e 2 após), mobilização precoce. Considerar uso de heparina de baixo peso molecular (HBPM) no pré-operatório.
Lipoescultura, abdominoplastia, reconstrução mamária e outros procedimentos com duração maior que 1 hora	3 a 6	HBPM no pós-operatório 40 mg subcutâneo ao dia (ou 5000 UI de heparina *standard* duas vezes ao dia). Considerar utilizar profilaxia mecânica durante o pós-operatório.
	7 ou mais	Considerar fortemente uso estendido de HBPM no pós-operatório.

- Infecção:
  - atualmente é a complicação mais frequente;
  - a profilaxia antibiótica sistêmica é recomendada para cirurgia plástica contaminada de cabeça e pescoço, ortognática/mandibular, septoplastia/rinoplastia, mão e membro superior e pele;
  - também é recomendada para a cirurgia plástica limpa da mama;
  - a profilaxia antibiótica não é recomendada em casos cirúrgicos limpos de cabeça e pescoço, área ortognática/mandibular, mão e membro superior, pele e abdominoplastia.
- Sedação inadequada:
  - a infiltração ou o bloqueio devem garantir a analgesia;
  - não tentar compensar analgesia inadequada com sedação profunda sem o controle das vias aéreas.

■ REFERÊNCIAS BIBLIOGRÁFICAS

1. Aryan S, Martin J, lal A, Cheng D, Borah G, Chung KC, Conly J, Havlik R, Lee WPA, McGrath MH, Pribaz J, Young Vl. Antibiotic prophylaxis for preventing surgical-site infection in plastic surgery: an evidence-based consensus conference statement from the American Association of Plastic Surgeons. Plastic and Reconstructive Surgery 2015 June;135 (6): 1723-39.

2. Benitez, PRB et al. Raquianestesia lombar com bloqueio nociceptivo cervical. Revisão crítica de uma série de 1.330 procedimentos. Rev Bras Anestesiol fev. 2016; ; 66(1): 86-93,

3. Benitez, PRBB, Nogueira CS, Oliveira CRD. Raquianestesia em Cirurgia Plástica. In: Imbelloni LE. Raquianestesia. Rio de Janeiro: Elsevier, 2013. pp. 221-33.

4. Friedberg BL. Anesthesia in Cosmetic Surgery. 1th ed. Cambridge, United States of America; Cambridge University Press, 2007.

5. Harrison B, Khansa I, Janis J. Evidenced-base strategies to reduce postoperative complications in plastic surgery. Plast Reconstr Surg 2016; 137:351-60.

6. Iorio Ml, Venturi Ml, Davison SP. Practical guidelines for venous thromboembolism chemoprophylaxis in elective plastic surgery. Plastic and Reconstructive Surgery 2015 February; 135 (2): 413-23.

7. Klein JA., Jeske Dr. Estimated maximal safe dosages of tumescent lidocaine. International Anesthesia Research Society. Irvine, California. May 2016; 122 (5): 1350-9.

8. Matarasso A, Levine SM. Evidence-based medicine: liposuction. Plastic and Reconstructive Surgery 2013 December; 132 (6): 1697-705.

9. Matos Júnior WN, Jimenez FVC, Rocha RP, Ribeiro SM. Estudo quantitativo da superfície corpórea de interesse para a lipoaspiração. Rev Bras Cir Plast 2005; 20 (1): 22-5.

10. Mustoe TA, Buck DW 2nd, Lalonde DH. The safe management of anesthesia, sedation, and pain in plastic surgery. Plast Reconstr Surg 2010;126(4):165e-76e.
11. Nociti JR. Anestesia para Cirurgia Plástica. In: Cangiani LM, Slullitel A, Potério GMB, Pires OC, Posso IP; Nogueira CS, Ferez D, Callegari DC. Tratado de Anestesiologia SAESP.São Paulo: Atheneu, 2011. pp. 2103-115.
12. Schwartzman UP, Batista KT, Duarte LTD et al. Complicações anestésicas em cirurgia plástica e a importância da consulta pré-anestésica como instrumento de segurança. Rev Bras Cir Plast 2011;26:221-7.
13. Shapiro FE. Anesthesia for outpatient cosmetic surgery. Curr Opin Anaesthesiol 2008; 21: 704-10.
14. Trussler AP, Tabbal GN. Patient safety in plastic surgery. Plast Reconstr Surg 2012;130:470e-8e.

Capítulo 13

Anestesia em Pediatria

Leonardo de Andrade Reis
Ivan Moreno Ferreira Ducatti
Davi Ratts Barbosa Coutinho
Guilherme Frederico Ferreira dos Reis

■ FISIOLOGIA

A população pediátrica possui, em relação aos adultos, diferenças anatômicas e fisiológicas importantes, que lhe conferem particularidades em relação ao manejo anestésico.

Crianças menores de 2 anos apresentam volume cefálico maior em relação ao tórax, com maior proeminência occipital, que favorece o desalinhamento dos eixos das vias aéreas, tornando mais difícil a visualização das estruturas das vias aéreas.

O desenvolvimento das crianças é agrupado conforme a faixa etária:

- RN/Neonato: 0-30 dias;
- Lactentes: 1 mês-2 anos;
- Pré-escolar: 2 anos-7 anos;
- Escolar: > 7 anos.

O peso do paciente pediátrico deve ser conhecido pelo anestesista não apenas para cálculo de doses dos fármacos, pois é um dado importante na avaliação pré-anestésica para estimar as particularidades fisiológicas do indivíduo.

Déficit de crescimento pode indicar presença de distúrbio subjacente grave que pode afetar significativamente o procedimento anestésico.

■ Sistema cardiovascular

A circulação fetal se caracteriza por alta resistência pulmonar e baixa resistência sistêmica, além da presença de três *shunts*: canal arterial, forame oval e duto venoso.

O transporte de O_2 provindo da placenta é feito através da veia umbilical fetal. Esse sangue mantém saturação de oxigênio entre 80 a 85% e pressão parcial de oxigênio de 40 a 50 mmHg.

O fluxo sanguíneo de retorno do feto para a placenta é feito através das duas artérias umbilicais, que são provenientes das artérias ilíacas comuns do feto.

Diferentemente dos adultos saudáveis, o coração do feto apresenta uma circulação em paralelo, em que a somatória dos fluxos dos ventrículos direito e esquerdo (60% e 40%, respectivamente) representa o fluxo sanguíneo total no feto.

A circulação de transição é a circulação presente na transição da vida fetal para a neonatal. É marcada pelo fechamento do forame oval, ocasionado pelo aumento das pressões nas câmaras cardíacas direitas, com consequente aumento do retorno venoso pulmonar e aumento da pressão atrial esquerda.

Acidose, hipoxemia, hipercapnia, dor, hipotermia e ativação do simpático podem causar reabertura dos *shunts* por aumento da resistência vascular pulmonar.

O coração da criança possui aproximadamente 30% de tecido contrátil, caracterizando um órgão menos eficiente e com baixa complacência. Por esse motivo o aumento da pré-carga (sobrecarga hídrica) não é bem tolerado.

O aumento da contração é limitado, tornando o aumento do débito cardíaco (DC) mais dependente da frequência.

A contração cardíaca é mais dependente do cálcio, tornando o coração mais sensível aos efeitos dos anestésicos inalatórios.

O DC nas crianças sofre maior variação por alterações de frequência cardíaca quando comparado ao volume de sangue ejetado (fração de ejeção).

O mecanismo de Frank-Starling tem resposta reduzida, tornando o RN menos capaz de lidar com aumento da pré-carga.

O consumo de O_2 é alto no RN (6 mL.kg^{-1}.min^{-1}) quando comparado ao do adulto (3-4 mL.kg^{-1}.min^{-1}).

O DC é duas a três vezes maior no RN do que no adulto, permanecendo elevado no primeiro ano de vida.

A presença de níveis aumentados de hemoglobina e a ocorrência de hemoglobina fetal, associadas ao DC aumentado, garantem maior transferência de O_2 aos tecidos e a possiblilidade de extração de O_2 do organismo materno.

Crianças abaixo de 2 anos apresentam sistema nervoso simpático pouco desenvolvido, com predominância parassimpática, apresentando maior chance de bradicardia reflexa durante estimulação na parede faríngea (laringoscopia ou IOT).

▌❱ Sistema respiratório

O desenvolvimento estrutural completo da árvore broncoalveolar ocorre ao fim das 36 semanas de gestação com o desenvolvimentos dos alvéolos, que por sua vez aumentam em número até os 18 meses, tornando-se totalmente maduros aos 8 anos de idade.

A cartilagem cricoide é o ponto de maior estreitamento da via aérea.

Ao nascimento, o neonato possui de 20 a 50 milhões de sáculos aéreos terminais dos quais se desenvolvem os alvéolos, alcançando padrões de adulto por volta de 6 anos (aproximadamente 300 milhões).

Ao nascimento, o RN possui pouca massa muscular, o diafragma e a musculatura intercostal possuem baixa quantidade de fibras musculares responsáveis pela atividade muscular mantida, gerando assim uma maior propensão à fadiga.

Um estado de déficit relativo das musculaturas diafragmática e intercostais está presente até os 2 anos de idade, o que pode ocasionar um estado de fadiga precoce, insuficiência respiratória e até apneia quando ocorre aumento do trabalho respiratório.

Devido à estrutura cartilaginosa da caixa torácica somada à baixa massa muscular, o recém-nascido possui uma complacência torácica maior. Entretanto, as forças de retração pulmonares são apenas um pouco menores que no adulto, propiciando assim um aumento no risco de colabamento pulmonar.

O trabalho respiratório do RN é três vezes maior do que no adulto devido ao menor diâmetro da via aérea e à respiração predominantemente diafragmática.

A relação de ventilação alveolar/capacidade residual funcional é aproximadamente três vezes maior no RN quando comparado a adultos. A baixa reserva de oxigênio somada ao seu consumo maior explica a rápida dessaturação em casos de apneia.

A baixa capacidade residual funcional, associada ao DC aumentado, explica a indução inalatória mais rápida no RN.

O volume de fechamento das vias aéreas é maior que a capacidade residual funcional, favorecendo a ocorrência de atelectasias.

A necessidade ventilatória é significativamente maior nos RN, com altas frequências devido às altas taxas metabólicas (o consumo de O_2 e a produção de CO_2 por unidade de peso são o dobro dos do adulto). O volume corrente é proporcional ao do adulto.

O posicionamento da cabeça é de extrema importância durante o manejo da via aérea. Devido ao maior tamanho da cabeça em relação ao corpo e à proeminência occipital (principalmente em prematuros, neonatos e lactentes), a posição ideal é obtida com pescoço neutro ou em leve extensão. A utilização de um pequeno coxim sob os ombros melhora a visualização da via aérea durante a laringoscopia, assim como a ventilação sob máscara facial.

As vias aéreas e a região cervical dos RNs possuem características anatômicas que tornam seu acesso potencialmente difícil:

- occipício mais volumoso;
- língua mais espessa;
- epiglote mais longa;
- diâmetro de vias aéreas superiores menor;
- laringe com posicionamento mais anterior e superior.

A população pediátrica apresenta maior resistência ao fluxo de ar e maior predisposição à obstrução de vias aéreas superiores na presença de secreção, edema ou sangue. Tanto a mucosa quanto a submucosa da laringe são estruturas ricamente vascularizadas e com abundante tecido linfático, o que torna a epiglote e a glote mais suscetíveis a edema e sangramento durante sua manipulação.

A respiração do RN tem a característica de ser rítmica, com períodos de pausa menores que 10 segundos, sem dessaturação ou bradicardia.

Devido à imaturidade do SNC, os RN podem apresentar resposta parodoxal ao CO_2, evoluindo com apneia quando apresentam retenção desse gás.

Até a 44ª semana pós-concepção existe o risco de apneia pós-operatória, demandando a necessidade de vigilância nesse período e cautela na alta ambulatorial. Cafeína 10 mg.kg^{-1} tem sido usada na profilaxia.

Tabela 13.1 Tamanho e profundidade do TOT por faixa etária		
Faixa etária	Diâmetro interno (mm)	Distância rima labial/carina (cm)
Prematuro	2,5	8
RN a termo	3	9
Lactentes	3,5	10
1 a 2 anos	4	11
> 2 anos	(Idade/4) + 4 – TOT sem cuff (Idade/4) + 3,5 – TOT com cuff	(Idade/2 + 12)

Tabela 13.2 Parâmetros ideais por faixa etária				
Idade	Freq. Respiratória (rpm)	Freq. Cardíaca (bpm)	Pressão Sistólica (mmHg)	Pressão Diastólica (mmHg)
Recém-nascido	40	140	65	40
12 meses	30	120	95	65
3 anos	25	100	100	70
12 anos	20	80	110	60

■❙ Sistema nervoso central

O cérebro do RN, ao nascimento, corresponde a 10 a 15% do seu peso corporal total, dobrando de tamanho em 6 meses e atingindo o peso de cérebro adulto aos 12 anos (cerca de 2% do peso corporal total).

O processo de mielinização do SNC inicia-se na vida intraútero por volta do terceiro trimestre e completa-se ao fim do segundo ano de vida. Autorregulação vascular e reatividade vascular cerebral ao CO_2 estão presentes desde o nascimento.

O tecido cerebral recebe a maior porcentagem do débito cardíaco, que, associado a imaturidade da barreira hematoencefálica e do metabolismo hepático, faz com que as crianças apresentem um rápido equilíbrio dos agentes anestésicos no sítio efetor, assim como têm risco aumentado de toxicidade (p.ex.: anestésicos locais).

O cone medular em neonatos e lactentes está localizado em nível de L2-L3, e é mais caudal do que nos adultos, assim como as meninges estão localizadas em S3-S4.

A linha de Truffier cruza a linha média da coluna vertebral no interespaço L4-L5 ou L5-S1, sendo portanto a referência apropriada para bloqueios espinhais nos paciente pediátricos.

O volume de LCR relativo por peso é maior em RN e lactentes (4 mL/kg), explicando as maiores doses de anestésicos locais necessárias e a menor duração da raquianestesia nessa população.

A pressão intracraniana (PIC) do RN é dependente do fluxo sanguíneo cerebral e do grau de hidratação. Possui valores mais baixos durante a infância, com aumento progressivo até a adolescência. PIC na criança varia de 3 a 7 mmHg.

Tem-se estudado os efeitos dos fármacos na morte neuronal cronogramada (apoptose). Evidências sugerem maior apoptose nas crianças submetidas à anestesia inalatória.

Trabalhos recentes têm colocado em dúvida a interferência da anestesia no desenvolvimento cognitivo dos pacientes.

Agitação e delírio são relativamente frequentes no pós-operatório, notadamente nas anestesias inalatórias. A causa é multifatorial, com incidência reportada entre 10 e 67% e duração aproximada de 10 a 30 minutos. O anestesista deve estar atento para adequada analgesia, descartando a etiologia álgica.

Medicação pré-anestésica e opioides atenuam os eventos de agitação.

■❙ Sistema urogenital

O RN possui uma função renal (glomerular e tubular) imatura e com baixo fluxo sanguíneo (baixas pressão e perfusão sanguínea). No primeiro mês de vida a maturidade renal corresponde a 90% de sua função, tornando-se semelhante à do adulto ao fim do segundo ano de vida.

Implicações:

- Baixa taxa de reabsorção de sódio (baixa atividade tubular);
- Menor capacidade de eliminação de sódio (baixa taxa de filtração glomerular);
- Limitada capacidade de concentrar urina, com maiores perdas hídricas e menos tolerância a estados de desidratação;
- Limitada capacidade de eliminação de potássio, de H^+, reabsorção de bicarbonato e glicose (pode ocorrer glicosúria);
- Na presença de hiperglicemia pode ocorrer diurese osmótica.

■❭ Sistema digestivo

Ondas peristálticas ausentes na porção inferior do esôfago das crianças somadas a uma imaturidade do esfíncter esofagiano superior tornam frequentes episódios de regurgitações com saída de conteúdo gástrico.

O refluxo gastroesofágico é uma das condições relacionadas com apneia e bradicardia no RN pré-termo.

A produção de glicogênio hepático está diminuída, tornando o RN mais dependente da glicose exógena.

■❭ Metabolismo

Os pacientes pediátricos são particularmente mais suscetíveis a hipotermia, principalmente neonatos e lactentes, devido à maior superfície corporal e à resposta termorreguladora ineficiente, com menor capacidade de gerar calor e menor gordura corporal.

A hipotermia no RN gera maior risco de apneia e bradicardia.

O limite inferior de temperatura crítica no RN é entre 32 a 35 °C, dependendo do seu peso. A radiação constitui o principal meio de perda térmica na criança.

A anestesia interfere na termorregulação, diminuindo o tônus vasomotor e determinando a redistribuição interna de calor entre os compartimentos central e periférico.

São fatores de risco para o desenvolvimento de hipotermia perioperatória: idade (neonatos), peso corpóreo (IMC < 20), tipo e duração do procedimento cirúrgico e temperatura ambiente.

A hipotermia interfere nos fatores de coagulação, aumentando o TP, o TTPA e inibindo a agregação plaquetária, sendo causa de perdas sanguíneas significativas, com necessidade de transfusão.

As reservas de glicogênio hepático do RN são diminuídas, e consequentemente há maior risco de hipoglicemia, que pode cursar com hipoventilação, cianose, letargia, sudorese e convulsões.

A área da superfície corpórea é a medida mais importante para avaliação e cálculo da quantidade basal de líquido e das exigências nutricionais, porém apresenta fórmula de difícil determinação. A maioria dos fármacos utilizados na criança tem doses sugeridas relacionadas ao peso.

A água é o componente mais importante do corpo, constituindo 70% do peso corpóreo do RN a termo e 80% do peso do pré-termo.

Ao nascimento o volume sanguíneo circulante em relação ao peso corporal é máximo (cerca de 90 mL/kg no RN a termo), com concentração de hemoglobina de aproximadamente 180 g/L.

Os níveis de hemoglobina fetal (HbF) ao nascimento correspondem a aproximadamente 50 a 95% da hemoglobina total. A HbF possui maior afinidade de ligação ao oxigênio, resultando em maior saturação de oxigênio.

FARMACOLOGIA

O RN, em comparação ao adulto, possui um maior volume de distribuição de drogas hidrossolúveis porém um menor metabolismo hepático, o que se reflete em maiores doses de indução e menores doses de manutenção.

Os níveis séricos de albumina diminuídos podem tornar o RN mais sensível à toxicidade por anestésicos, notadamente na presença de acidose.

Hipnóticos: O propofol atualmente é o principal agente hipnótico utilizado em anestesia pediátrica. Sua injeção venosa pode provocar dor e ocasionar retirada repentina do membro, com risco de perda do acesso venoso.

Halogenados:

- O sevoflurano é preferido para indução anestésica inalatória por não apresentar irritação de vias aéreas superiores, apresentar boa estabilidade hemodinâmica (preferência nos casos de cardiopatia congênita), ter odor menos pungente e levar à indução de forma rápida. A CAM do sevoflurano é estável em RN prematuros e crianças até 6 meses (CAM: 3,3%), diminuindo entre 6 meses e 12 anos (CAM: 2,5%) antes de atingir valores semelhantes aos dos adultos.

- Halotano, isoflurano e desflurano possuem CAMs mais baixas nos RN prematuros quando comparados aos RN a termo, atingindo valores máximos (entre 1 e 6 meses de idade), com posterior declínio gradual.

Opioides:

- A imaturidade da barreira hematoencefálica parece proporcionar uma maior permeabilidade aos opioides, sugerindo cautela no uso em pacientes que não estão em terapia intensiva.

- Não está recomendado o uso a longo prazo de petidina de peridina (meperidina), por apresentarem atividade epileptogênica devido ao acúmulo de metabólitos (norpetidina).

- Fentanil, alfentanil e remifentanil são os opioides mais comumente usados. Apresentam rápida difusão no SNC, sem limitação de penetração intracerebral pela barreira hematoencefálica.

Relaxantes musculares:

- Recém-nascidos apresentam maior sensibilidade aos relaxantes não despolarizantes até a idade de 1 ano, por imaturidade do sistema neuromuscular.
- Atracúrio e cisatracúrio por vezes são preferidos por apresentarem meias-vidas idênticas às apresentadas em adultos.
- As doses de suxametônio devem ser aumentadas em RNs devido à diminuição da sensibilidade secundária por imaturidade dos receptores. Seu uso hoje limita-se à intubação durante a indução em sequência rápida e ao tratamento de laringoespasmo que não responde a manobras de ventilação com pressão positiva. Bradicardia pode ocorrer durante a administração de suxametônio.

■ AVALIAÇÃO PRÉ-ANESTÉSICA

- Prematuridade: Limítrofe (36 e 37 semanas), moderados (31 e 35 semanas) e graves (24 e 30 semanas):
  - Riscos: maior propensão a insuficiência respiratória, menor capacidade de manter a temperatura corporal.
- Anemia: Controversa a realização de procedimentos eletivos em crianças anêmicas: Investigar a causa da anemia e tratar. Por volta dos 4 meses de vida ocorre a anemia fisiológica:
  - Recomendado hematócrito > 25% para procedimentos cirúrgicos.

■ Sistema respiratório

- Broncodisplasia pulmonar:
  - Acomete principalmente neonatos prematuros com doença de membrana hialina;
  - Pode cursar com hipoxemia crônica e hipercarbia;
  - Anormalidade de vias aéreas;
  - Alterações de parede torácica.
- Infecção de vias aéreas superiores (IVAS):
  - Requer investigação clínica;
  - Diminuição da capacidade vital;
  - Maior chance de laringoespasmo, broncoespasmo, atelectasias e dessaturação.
- Asma brônquica:
  - Risco de broncoespasmo no intraoperatório.
  - Diferenciar os tipos de asma e as frequências das crises.
- Apneia Obstrutiva do Sono:
  - Crianças que cursam com esse tipo de doença apresentam hipertrofia de adenoamígdala, palato mole redundante, restrição das vias respiratórias.
- Via Aérea Difícil:
  - Predita por anomalias craniofaciais, síndromes, problemas musculoesqueléticos, problemas infecciosos.

■▶ Sistema imunológico

A avaliação pré-anestésica é essencial para a história de reação alérgica tanto a medicamentos como a alimentos:

- Avaliar crianças submetidas a múltiplos procedimentos;
- Imunização:
  - Vacinação com vírus atenuado, indicado adiar a cirurgia por até 3 semanas;
  - Vacinação acelular ou inativas, indicado adiar cirurgia por 1 semana.

■▶ Metabolismo

- Diabetes melito:
  - Avaliação com o mínimo de 10 dias de antecedência para otimização glicêmica e metabólica, dosagens de glicemia, eletrólitos e hemoglobina glicada.
- Tratamento crônico com corticosteroides:
  - Tratamentos prolongados apresentam supressão do eixo hipotálamo--hipófise-adrenal.
- Sistema cardiovascular:
  - Patologias mais frequentes: comunicação interventricular (CIV)/persistência de canal arterial (PCA)/comunicação interatrial (CIA);
  - A principal alteração que auxilia o diagnóstico é a presença de sopro, o qual deve ser diferenciado em patológico ou inocente;
  - A investigação é mandatória em síndromes genéticas ou malformações congênitas.
- Sistema nervoso:
  - Avaliação cuidadosa de pacientes com doenças degenerativas e neuromusculares, com risco de fadiga muscular e ventilação prolongada;
  - Pacientes em uso de anticonvulsivantes podem necessitar de medicação para manter nível terapêutico.

■▶ Jejum

Tabela 13.3	
Período de jejum de acordo com a idade e o tipo de alimentação	
Neonatos, lactentes e maiores que 36 meses	
Líquido sem resíduos	2 horas
Leite materno	4 horas
Fórmula infantil e leite não humano	6 horas
Refeição leve	6 horas
Refeição completa	8 horas

● HIDRATAÇÃO

Necessidade basal de água

- De 0 a 10 kg: 4 mL.kg^{-1}.h^{-1};
- De 10 a 20 kg: 2 mL.kg^{-1}.h^{-1};
- Acima de 20 kg: 1 mL.kg^{-1}.h^{-1};
- Exemplo: 30 kg: (10 × 4 mL.kg^{-1}.h^{-1}) + (10 × 2 mL.kg^{-1}.h^{-1}) + (10 × 1 mL.kg^{-1}.h^{-1}). Total: 70 mL.kg^{-1}.h^{-1}.
- Perda de jejum: necessidade basal × tempo de jejum.

Tabela 13.4 Hidratação em pediatria (de acordo com o peso)			
Hora	*Jejum*	*Basal*	*Insensíveis, diurese, sangramento*
1ª	50%	Sim	Sim
2ª	25%	Sim	Sim
3ª	25%	Sim	Sim
Demais	Não	Sim	Sim

● ANESTESIA INALATÓRIA

- Diferem significativamente nas crianças nas diversas faixas etárias;
- A dose de inalatórios para manter a concentração alvo é menor nos neonatos;
- O maior determinante da distribuição dos fármacos é o débito cardíaco, que no neonato é quase duas vezes maior que a de um adulto;
- O recém-nascido apresenta 70% do peso corporal composto por água, com menor quantidade de gordura, 15%, interferindo no metabolismo de drogas lipofílicas;
- Sevoflurano, desflurano e óxido nitroso (NO) possuem baixa solubilidade e apresentam rápida saturação e eliminação;
- A indução anestésica inalatória é muito utilizada na população pediátrica por ser simples, por ter boa aceitação da população pediátrica, por sua ação vasodilatadora e por facilitar a venóclise;
- Podem ocorrer delírio e agitação psicomotora no despertar da anestesia inalatória;
- Devido à baixa capacidade residual funcional, a indução inalatória é mais rápida no paciente pediátrico.

● ANESTESIA REGIONAL

- Permite redução da necessidade de anestésicos, analgésicos e bloqueadores neuromusculares, alta mais precoce da SRPA, redução de náuseas e vômitos, alimentação mais rápida e maior segurança em relação aos planos profundos anestésicos;

- Permite benefício adicional quando a anestesia geral é contraindicada, em portadores de doenças neuromusculares, metabólicas, pulmonares, cardíacas, quando há risco de hipertermia maligna e em situações de risco de broncoaspiração;

- O bloqueio periférico é considerado mais seguro do que o bloqueio de neuroeixo em crianças;

- Bloqueios guiados por ultrassom favorecem e facilitam a localização de estruturas, desde que se tenha conhecimento anatômico e que sejam realizados por profissionais experientes;

- Os pacientes pediátricos toleram mal a manipulação e realização de anestesia regional, requerendo sedação profunda ou anestesia geral.

■■▶ Bloqueios do neuroeixo

- Raquianestesia.
    - Taxa de insucesso de até 45% quando empregada como técnica anestésica isolada;
    - Deve ser evitada em pacientes com doença de neuroeixo, infecções locais, aumento do PIC e hipovolemia grave;
    - Doses de 0,3 mg.kg^{-1} a 1 mg.kg^{-1} de bupivacaína são as mais utilizadas, podendo-se utilizar como adjuvantes morfina, fentanil e até clonidina para aumento da duração do bloqueio;
    - É recomendada a utilização do espaço entre L4-L5 ou L5-S1 para RN e lactentes, e L3-L4 para crianças mais velhas.

- Peridural Sacral:
    - As principais indicações são cirurgias de membros inferiores, quadril, abdome inferior, inguinais, cirurgia anal, correção de hipospádia e orquidopexia;
    - Contraindicações: cisto pilonidal, lesões sépticas, distrofias, mal-formações;
    - Complicações: altura do bloqueio, raquianestesia total, dor no local da injeção, bloqueio persistente.

- Volume de anestésico local para peridural sacral (em mL):
    - (Idade + 5) × Fator de correção
    - Fator de correção: 1,1 para atingir T12
      1,3 para atingir T10
      1,5 para atingir T8

- Para anestesia peridural lombar utiliza-se a mesma fórmula, dividindo o resultado por 2: (Idade + 5) × fator de correção/2.

■❱ *Tap block* (bloqueio do plano transverso da parede abdominal)

- Utilizado em cirurgias do intestino, apendicectomia, correção de hérnia, cirurgia abdominal, orquidopexias com abordagem inguinal, laparotomias e laparoscopias;
- Utiliza-se 0,2 mL.kg^{-1} de anestésico local, respeitando-se a dose tóxica.

■❱ Bloqueio de plexo braquial

- Utiliza-se 0,5 mL.kg^{-1} de anestésico local, respeitando-se a dose tóxica.

■❱ Bloqueio ileoinguinal

- Utilizado em cirurgias de correção de hérnia inguinal
- Utiliza-se 0,2 mL.kg^{-1} de anestésico local, respeitando-se a dose tóxica.

■❱ Bloqueio peniano

- Utilizado postectomias e hipospádia distal;
- Utiliza-se 0,1 mL.kg^{-1} de anestésico local.

● ANALGESIA PÓS-OPERATÓRIA

- O planejamento da técnica analgésica deve ser feito juntamente com o planejamento da técnica anestésica. Pacientes pediátricos toleram mal a dor e têm baixa compreensão desses eventos;
- Atenção para os casos de agitação pós-operatória: são possíveis indicativos de dor, e este sintoma deve ser sempre considerado nesses casos;
- Sempre se deve associar técnicas mais adequadas para menor risco ao paciente;
- Técnicas de analgesia com bloqueios e regionais têm maior segurança em relação aos agentes venosos;
- Normalmente injeções únicas de anestésico locais são frequentemente insuficientes para manter analgesia duradoura. Assim, pode-se combinar agentes venosos ou orais para prolongar a analgesia, sempre respeitando dosagens e manejos;
- A analgesia multimodal deve ser considerada, incluindo a adição de adjuvantes.

● ANESTESIA PARA MALFORMAÇÕES CONGÊNITAS

- Os sistemas cardiovascular, renal, respiratório e nervoso central não estão completamente maturados;
- O anestesista deve estar sempre atento à temperatura corporal e a depressão causada por anestésicos venosos ou inalatórios;
- Sempre associar anomalias congênitas às dificuldades clínicas de cada paciente.

■▶ Atresia de esôfago e fístula traqueoesofágica

- Incidência de 1:3.000-3.500 nascidos vivos;
- A maioria é acompanhada de outras doenças cardiovasculares, musculoesqueléticas, vertebrais, polidactilia, anomalias de cotovelo e joelho;
- As duas maiores complicações anestésicas são desidratação e aspiração pulmonar;
- Evitar ventilação com pressão positiva;
- As complicações mais comuns no pós-operatório são pneumonites e atelectasia.

■▶ Hérnia diafragmática congênita

- Incidência de 1:2.000 a 1:5.000 nascimentos;
- Mortalidade de 34% com até 8 dias de vida;
- Associada a alterações como dos sistemas nervoso central e cardiovascular, trato gastrointestinal, genitourinário;
- Acarreta hipoplasia pulmonar, e é possível a manutenção dos *shunts* circulatórios devido à hipertensão pulmonar;
- Principais preocupações para o anestesista: hipertensão pulmonar, mantunção da normotermia, normo ou hipocarbia e pH normal ou alto;
- Podem ocorrer alterações ventilatórias ou hemodinâmicas;
- Perdas sanguíneas mínimas;
- Geralmente opioides como fentanil e sulfentanil são bem tolerados.

■▶ Onfalocele

- Incidência de 1 a 2 para cada 10.000 nascimentos;
- Hérnia intestinal na base do cordão umbilical;
- Pode estar associada a atresia intestinal, atresia biliar, alterações dos sistemas cardiovascular e genitourinário, defeitos craniocefálicos;
- Os pacientes são mais propensos a desidratação, hipotermia, sequestro de líquido no terceiro espaço, alterações acidobásicas e eletrolíticas, sepse e hemorragia;
- Os pacientes devem ser intubados com os cuidados para a prevenção de aspiração de conteúdo gástrico e requerem adequado relaxamento muscular para a ventilação;
- Após o fechamento da cavidade podem ocorrer síndrome compartimental intra-abdominal e dificuldade ventilatória pelo deslocamento do diafragma.

■▶ Gastrosquise

- Incidência de 4-5:10.000 nascidos;
- Caracterizada pela ausência de membrana que envolve os órgãos colapsados;

- Pode estar associada a anormalidades do sistema cardiovascular, tratos gastrointestinal e genitourinário;
- Os cuidados anestésicos são os mesmos que para a onfalocele.

◼ REFERÊNCIAS BIBLIOGRÁFICAS

1. Bartels M, Althoff RR, Boomsma DI. Anesthesia and cognitive performance in children: No evidence for a causal relationship. Twin Research in Human Genetics 2009; 12 (3): 246-53.

2. Conceição MJ. Medicação pré-anestésica e indução da anestesia na criança. In: LM Cangiani et al. Tratado de Anestesiologia SAESP. 8ª ed. Rio de Janeiro: Atheneu, 2017. pp 2441-8.

3. Coté CJ. Pediatric Anesthesia. In: Miller RD. Miller´s Anesthesia. 8ª ed. Philadelphia: Elsevier, 2014. pp. 2757-98.

4. Fujita ACG. Características morfológicas do recém-nascido e da criança. In: LM Cangiani et al. Tratado de Anestesiologia SAESP. 8ª ed. Rio de Janeiro: Atheneu , 2017. pp 2421-40.

5. Lima LC, Cumino DO. Anestesia em Pediatria. In: Bagatini A et al. Bases do ensino da Anestesiologia. Rio de Janeiro: Sociedade Brasileira de Anestesiologia/SBA, 2016. pp. 1039-90.

6. Mason KP. Paediatric emergence delirium: a comprehensive review and interpretation of the literature. British Journal of Anaesthesia 2017; 118(3): 335-43.

7. Soriano SG, Anand KJS. Anesthetics and brain toxicity. Curr Opin Anaesthesiol 2005; 18: 293-7.

8. Vanzillotta PP. Anestesia em Pediatria. In: Manica J et al. Anestesiologia - Princípios e técnicas. 3ª ed. Porto Alegre: Artmed, 2004. pp. 883-909.

Capítulo 14

Anestesia em Urologia

Guilherme Haelvoet Correa
Patricia Mara Beltrame
Cibele Mari Shinike
Thiago Ramos Grigio
Ayrton Bentes Teixeira

INTRODUÇÃO

Os pacientes submetidos a cirurgias urológicas frequentemente são idosos com comorbidades que requerem atenção na avaliação pré-operatória, buscando compensar as doenças de base e minimizar a morbimortalidade. Não é incomum os pacientes se apresentarem com comprometimento da função renal, exigindo do anestesiologista o domínio das alterações farmacológicas esperadas e a melhor escolha dos agentes anestésicos.

ANATOMIA, FISIOLOGIA E FISIOPATOLOGIA

Anatomia

A urologia compreende o trato urinário, que inclui rins, ureteres, bexiga e uretra, além das glândulas suprarrenais e o sistema genital masculino, do qual fazem parte próstata, vesículas seminais, ductos deferentes, testículos, escroto e pênis.

A inervação do sistema urogenital envolve vias toracolombares e sacrais. O conhecimento dessa inervação é fundamental no momento da escolha da técnica anestésica, especialmente quando a opção é pela anestesia regional, visando garantir um nível de anestesia adequado para cada procedimento. A Tabela 14.1 resume .[1]

Fisiologia

Os rins têm papel vital para a manutenção da homeostase, participando da formação da diurese e das eliminação das impurezas, regulando o balanço hidroeletrolítico e a osmolaridade do líquido extracelular. Além disso, têm papel fundamental no equilíbrio acidobásico e participação endócrina, com a

Tabela 14.1
Correspondência de órgãos do sistema urológico e metas para altura dos bloqueios de neuroeixo

Órgão	Simpático	Parassimpático	Dor
Rim	T8 – L1	Vago	T10 – L1
Ureter	T10 – L2	S2 – S4	T10 – L2
Bexiga	T11 – L2	S2 – S4	T11 – L2 Corpo S2 – S4 Colo
Próstata	T11 – L2	S2 – S4	T11 – L2 S2 – S4
Pênis	L1 – L2	S2 – S4	S2 – S4
Escroto	Não	Não	S2 – S4
Testículos	T10 – L2	Não	T10 – L1

produção de eritropoetina e de substâncias que irão atuar na regulação da pressão arterial e do cálcio.[2]

Os rins recebem cerca de 25% do débito cardíaco. A ultraestrutura funcionante é o néfron, responsável pela formação e concentração da urina. A taxa de filtração glomerular é a melhor maneira de avaliar a função renal, e o *clearance* de creatinina é, na prática, o modo mais simples e menos dispendioso.[2]

A autorregulação do fluxo sanguíneo renal ocorre com níveis pressóricos médios de 80 a 200 mmHg, e, a partir de alterações no tônus vascular das arteríolas aferente e eferente, mantém a taxa de filtração glomerular sem grandes variações.

■ ANESTESIA NO PACIENTE COM INSUFICIÊNCIA RENAL

O anestesiologista tem papel fundamental na prevenção de agressões ao sistema urinário. O manejo de fluidos e a regulação hidroeletrolítica são os dois pontos que merecem atenção especial, por oferecerem risco à vida do paciente.

Existem diferenças entre os diversos tipos e estágios de insuficiência renal, seja aguda ou crônica, ou mesmo nesta última classe, entre as fases de evolução da doença, como uma doença renal crônica dialítica ou uma não dialítica em início de degradação funcional. Apesar dessas diferenças, o manejo no intraoperatório e algumas condutas podem ser generalizados e pensados para esses diversos tipos.

Pacientes que apresentam hipoalbuminemia e proteinúria (p.ex.: pacientes nefróticos) possuem diminuição da pressão oncótica. Dessa maneira, há extravasamento de líquido para o espaço extracelular e retenção de sódio e água, tornando os pacientes edemaciados.

Apesar do aumento da água corporal total, esses pacientes apresentam diminuição do volume intravascular e aumento do volume no espaço extravascular.

A hipovolemia pode ser causa de piora da função renal nesses pacientes, porém nenhum estudo randomizado demonstrou que o controle rígido do volume intravascular é superior ao controle mais liberal na prevenção de injúria renal.

■) Uremia

A uremia é uma complicação comum, e pode se manifestar clinicamente de diversas maneiras.

Pacientes com doença renal crônica apresentam importantes manifestações que devem ser cuidadosamente avaliadas no perioperatório, como hipervolemia, hipertensão, anemia, acidose metabólica com hiato aniônico aumentado devido a redução na absorção de bicarbonato e excreção de amônia, hipercalemia e distúrbios de coagulação.[3]

A anemia tem relação direta com o grau de uremia. Na maior parte das vezes, o organismo desses pacientes possui mecanismos de compensação que possibilitam seu funcionamento em regime de hematócrito baixo, não devendo ser transfundidos profilaticamente.

Não há evidências de que transfusão pré-operatória melhore o desfecho da cirurgia em pacientes com uremia crônica, mesmo com níveis de hematócrito baixos, entre 16 e 18%.

Esses pacientes apresentam aumento do tempo de sangramento em virtude da diminuição da atividade do fator 3 plaquetário, agregação e adesividade plaquetárias reduzidas e diminuição do consumo de protrombina, levando a problemas na coagulação.

■) Cuidados

Pacientes com litíase renal também apresentam distúrbios metabólicos, uma vez que o uso de diuréticos, restrição de sal e ingestão de cálcio são comuns nesses pacientes. Cerca de 70% possuem cálculos de oxalato de cálcio. Devemos tomar cuidado com a desidratação pré-operatória e piora da acidose, que pode acelerar a formação de mais cálculos.[3]

O uso de contrastes em exames ou procedimentos cirúrgicos pode causar insuficiência renal aguda induzida por contraste em pacientes já suscetíveis a lesões renais. Enquanto na população geral o risco é de 1-2%, em pacientes transplantados renais esse índice é em torno de 10%, podendo chegar a 20% em pacientes com maiores comorbidades.[4]

O risco de reações adversas nos pacientes com doenças renais é maior do que o da população geral. O efeito farmacológico das medicações com eliminação renal é maior e mais prolongado em pacientes nefropatas, uma vez que a lentificação na eliminação renal propicia maior nível sérico e consequentemente aumento dos efeitos adversos.

A administração de eletrólitos para correção dos distúrbios é outro fator que aumenta a chance de reações adversas.

■❙ Drogas

Uso de substâncias nefrotóxicas e hipoperfusão renal no perioperatório podem afetar a função renal agudamente, sendo a necrose tubular aguda a forma mais comum.[4]

O uso de opioides derivados da família das fenilpiperidinas (fentanil, alfentanil, sufentanil, remifentanil) é seguro, exceto a meperidina, que não deve ser usada em pacientes renais devido ao acúmulo de seu metabólito, a normeperidina, que reduz o limiar de convulsão.[5]

A morfina deve ser utilizada com cautela, pois é convertida em metabólitos ativos que são eliminados via renal. Dessa maneira, podem ocorrer acúmulo desses metabólitos e efeitos colaterais como náusea, vômitos e até depressão respiratória. Doses baixas e únicas geralmente são seguras. Se forem necessárias novas doses de morfina, aconselha-se avaliação cuidadosa dos efeitos adversos dos opioides antes da próxima administração.

Dos agentes hipnóticos e indutores, o propofol, o etomidato e a cetamina são drogas de escolha para uso em anestesia. Os benzodiazepínicos, por serem muito ligados a proteínas, são contraindicados em pacientes com função renal já comprometida, devido ao aumento de sua fração livre no plasma.[5]

Dentre os bloqueadores neuromusculares, a succinilcolina deve ser usada criteriosamente devido ao aumento transitório do potássio em cerca de 0,5 mEq/L. A literatura mostra que a droga pode ser usada, com certo nível de segurança, com valores séricos de potássio de até 5,5 mEq/L.[6]

Bloqueadores não despolarizantes (atracúrio e cisatracúrio), que possuem metabolização por esterases plasmáticas, são recomendados. Rocurônio pode ser usado, preferencialmente com seu reversor sugammadex disponível, pois, apesar do maior volume de distribuição em pacientes renais, o *clearance* não está alterado.[6]

Quanto aos agentes voláteis, o metoxiflurano causa nefrotoxicidade a partir de íons fluoretos oriundos do seu metabolismo. Com relação ao isoflurano, ao sevoflurano e ao enflurano, a nefrotoxicidade permanece controversa. O mecanismo seria semelhante, porém raramente alcançando níveis tóxicos séricos. Nas anestesias com sevoflurano é prudente manter fluxo de gases frescos mínimo de 2 L/min, pela possível nefrotoxicidade relacionada ao composto A.[2]

■❙ NEFRECTOMIA

Compreende a retirada de um rim ou de parte dele, podendo ser simples, parcial ou radical.

Nefrectomia simples é reservada basicamente para o tratamento de doenças benignas. Nefrectomia parcial pode ser indicada para o tratamento de algumas doenças benignas e, atualmente, como técnica de preferência para o tratamento de tumores renais, quando podem ser removidos por completo, com segurança técnica e oncológica.[7] Já a nefrectomia radical é indicada para o tratamento de tumores renais, e inclui a ressecção do rim, dos vasos renais, do ureter proximal em conjunto com a gordura perirrenal e fáscia de Gerota, podendo também ser retirada a glândula adrenal ipsilateral e realizada linfadenectomia.

O carcinoma de células claras é a lesão sólida renal mais comum (70-80% dos casos). A incidência é maior a partir dos 60 anos, e destacam-se como fatores de risco tabagismo e obesidade.[8]

■■❱ Técnicas de realização

As nefrectomias podem ser abertas, laparoscópicas ou robóticas. A via de acesso depende da preferência e experiência do cirurgião, da localização e tamanho tumorais.

■❱ *Abordagem retroperitoneal aberta*

O paciente deve ser posicionado em decúbito lateral com extensão do flanco; a incisão realizada é a lombotomia.[2,7]

Possíveis repercussões decorrentes do posicionamento: redução da capacidade residual funcional e da capacidade pulmonar total, risco de atelectasia e pneumotórax. Existe ainda o risco de lesão do plexo braquial devido a compressão e isquemia.

■❱ *Via transperitoneal*

No acesso anterior, o posicionamento é em decúbito dorsal com extensão do dorso, e a incisão pode ser subcostal ou toracoabdominal.[7]

Possíveis complicações incluem lesões de vísceras. Em todos os casos, independentemente da via, deve ser considerada a possibilidade de hemorragia.[2]

■❱ *Técnica minimamente invasiva*

Apresenta menor perda sanguínea, menor tempo de internação hospitalar, menor necessidade de analgesia e menor tempo de recuperação cirúrgica.[9,10]

A utilização da cirurgia robótica vem crescendo, porém, estudos comparando desfechos e complicações de laparoscopia clássica e robótica ainda são escassos.[9,10]

Com relação ao pneumoperitônio, são esperados inúmeros efeitos hemodinâmicos e respiratórios, secundários tanto ao aumento da pressão intra-abdominal quanto à absorção do CO_2, podendo provocar quadros de pneumomediastino, enfisema subcutâneo, que pode comprometer as vias aéreas superiores com edema faríngeo, oligúria transitória pelo aumento da pressão perirrenal exercida pelo gás, além do aumento da resistência vascular pulmonar e sistêmica, diminuindo a complacência pulmonar e a capacidade residual funcional, elevando a pressão arterial e diminuindo o débito cardíaco.[9]

■❚ Técnicas anestésicas

O risco cardiovascular deve ser avaliado no pré-operatório, já que os pacientes são, na maioria, idosos e portadores de outras doenças.

Pode ser associada anestesia de neuroeixo a anestesia geral, visando principalmente a menor dor no pós-operatório.

No intraoperatório, recomendam-se acessos venosos periféricos calibrosos. Quando necessário acesso venoso central, este deve ser realizado idealmente ipsilateral à cirurgia, para evitar a possibilidade de pneumotórax bilateral. Monitorização invasiva vai depender do *status* clínico do paciente e da complexidade da cirurgia.[2]

Tumores renais com trombo invadindo a veia cava e o átrio direito ocorrem em 4-10 % dos pacientes. Podem causar redução do retorno venoso pela obstrução tumoral e embolização aguda no intraoperatório.[11] Sugere-se monitorização com ecocardiograma transesofágico e atentar para a possível necessidade de circulação extracorpórea em tumores com invasão vascular supradiafragmática.[7,11]

● CISTECTOMIA

Compreende a retirada, total ou parcial, da bexiga. A cistectomia parcial é reservada para casos benignos e tumores cuja localização permite a preservação da bexiga. A cistectomia radical no homem inclui a ressecção da bexiga, próstata e vesículas seminais. Na mulher é realizada ressecção da bexiga, ovário, trompas, útero e parte da cúpula vaginal.

O principal tipo histológico é o urotelial, e a incidência aumenta com a idade, sendo o pico na oitava década de vida. Tem grande correlação com o tabagismo.[12]

■❚ Técnicas de realização e anestésicas

O posicionamento é em decúbito dorsal ou em litotomia modificada.

Planejamento anestésico deve considerar o longo tempo cirúrgico e a possibilidade de grande perda sanguínea, com a preferência recaindo sobre a anestesia geral, pelo maior conforto do paciente e maior controle hemodinâmico e ventilatório. São aconselháveis acesso venoso central e monitorização invasiva da pressão arterial.

A técnica anestésica mais indicada é a anestesia geral, associada a anestesia epidural para melhor analgesia no pós-operatório.[11]

■❚ *Técnica minimamente invasiva*

A cistectomia robótica traz benefícios quando comparada ao procedimento aberto: menor perda sanguínea, menor dor pós-operatória e menor tempo de hospitalização.[12]

Devem ser consideradas algumas dificuldades no manejo da anestesia, como dificuldade de acesso intravenoso, já que os braços do paciente ficam ao longo e cobertos, tempo cirúrgico relativamente longo, posição de Trendelenburg profundo e elevada pressão intra-abdominal com efeitos clínicos hemodinâmicos e respiratórios.[12]

Deve-se sempre verificar o posicionamento em Trendelenburg para evitar danos neurológicos.

PROSTATECTOMIA RADICAL[13]

Indicada em pacientes com neoplasia localizada e expectativa de vida de pelo menos dez anos; para doença localmente avançada, pode ser indicada para controle de complicações locais.

Remove a glândula prostática e a vesícula seminal.

Técnicas de realização e anestésicas

Pela técnica aberta, a incisão pode ser retropúbica ou perineal; pode-se acessar também por via laparoscópica ou por cirurgia robótica. Não há superioridade de uma técnica sobre a outra em termos de controle de doença.

Videolaparoscopia está associada a melhor visualização do campo, menor perda sanguínea e preservação de estruturas. As complicações decorrentes do pneumoperitônio são semelhantes às das outras cirurgias por videolaparoscopia.

Anestesia epidural combinada com anestesia geral confere menor sangramento no intraoperatório, melhor analgesia no pós-operatório, menor incidência de tromboembolismo e tempo de hospitalização reduzido.[14]

Técnica minimamente invasiva

A cirurgia robótica, apesar do maior tempo cirúrgico, promove melhor visualização do campo cirúrgico e menor incidência de complicações, sangramento e transfusão.

Deve-se atentar ao posicionamento do paciente, ao acesso vascular e às complicações do pneumoperitônio, como hipercapnia, hipoxemia, aumento das pressões intraocular e intracraniana e diminuição da pressão de perfusão para extremidades inferiores.

Complicações

- Sangramento: em média entre 500 e 1.500 mL. Cerca de 30% dos pacientes podem necessitar de transfusão.
- Pós-operatórias: trombose venosa profunda, embolia pulmonar, infecção.

RESSECÇÃO TRANSURETRAL DA PRÓSTATA

- É indicada para tratamento de hiperplasia prostática benigna.
- Técnica de realização: inserção de um ressectoscópio monopolar ou bipolar através da uretra e ressecção de tecido prostático com uma alça metálica por meio de eletrocoagulação ou vaporização a *laser*.[15]

■❱ Soluções de irrigação

Características da solução ideal: transparente, atóxica, isotônica, eletricamente neutra, barata e de fácil esterilização.

Água destilada é transparente, barata e eletricamente neutra, mas é excessivamente hipotônica. Quando absorvida em grande quantidade para a circulação, provoca hemólise, choque e falência renal.

Soluções próximas à isotonicidade:

- glicina 1,2% e 1,5%;
- manitol 3 a 5 %;
- glicose 2,5 a 4%;
- sorbitol 3,5%;
- Cytal (sorbitol 2,7% e manitol 0,54%);
- ureia 1%.

A Tabela 14.2 apresenta a osmolaridade das soluções de irrigação.

Tabela 14.2
Osmolaridade das soluções de irrigação

Solução	Osmolaridade (mOsm/L)	Desvantagens
Água destilada	0	Hemólise, hiponatremia, hemoglobinemia, hemoglobinúria
Glicina 1,5%	220	Cegueira transitória, hiperamoniemia, hiperoxalúria
Manitol 5%	275	Diurese osmótica, expansão intravascular
Sorbitol 3,5%	165	Hiperglicemia, acidose lática, diurese osmótica
Plasma	280 a 295	

■❱ Técnicas anestésicas

■❱ Anestesia subaracnóidea

Técnica de escolha, pois fornece anestesia adequada para a realização do procedimento e boas condições de campo para a equipe cirúrgica, além de permitir o reconhecimento precoce de possíveis complicações inerentes ao procedimento.

O nível de bloqueio deve ser suficiente para interromper a transmissão sensorial proveniente da próstata e do colo vesical, sendo necessário nível sensorial em T10.

Bloqueios com níveis acima de T10 devem ser evitados, pois impedem a percepção de sintomas sugestivos de perfuração vesical ou da cápsula prostática.

Vantagens: diagnóstico precoce de intoxicação hídrica e hipervolemia, uma vez que o paciente se encontra desperto; percepção da perfuração vesical e da cápsula prostática; menor sangramento secundário a queda da pressão arterial pelo bloqueio simpático; menor ocorrência de TVP e embolia pulmonar; diminuição da necessidade de analgésicos no pós-operatório.[16]

Anestesia geral

Pode ser necessária em pacientes que requerem maior controle hemodinâmico e ventilatório ou que apresentem alguma contraindicação ao bloqueio de neuroeixo.

Posicionamento

Geralmente é realizada em posição de litotomia, associada ou não a Trendelenburg.

Implicações: redução da complacência pulmonar, deslocamento cefálico do diafragma com redução no volume residual funcional, capacidade vital e volume corrente, aumento da pré-carga.

Lesões nervosas pela compressão mecânica da perneira ou estiramento: nervos fibular comum e superficial, obturador, cutâneo femoral lateral, isquiático e femoral.

Complicações

Sangramento

Ocorrência comum, na maior parte dos casos controlável, necessitando de transfusão em 2,5% dos casos.

Na vigência de sangramento incontrolável, o procedimento deve ser interrompido. A passagem de uma sonda Foley, seguida de tração, reduz o sangramento.

Perfuração vesical ou da cápsula prostática

Os sinais e sintomas incluem bradicardia, hipotensão, agitação, diaforese, náusea, dor abdominal, dispneia, dor nos ombros.

Perfuração extraperitoneal é mais comum e pode se manifestar com dor periumbilical, inguinal ou suprapúbica.

Perfuração intraperitoneal, bem menos frequente, pode causar sintomas relacionados a irritação diafragmática, como dor no andar superior do abdome, região precordial, ombro ou pescoço.

Síndrome de RTU

Complicação potencialmente fatal, incidência reportada de 2 a 10%.[17]

A principal causa é a hiposmolaridade causada pela absorção excessiva da solução de irrigação, decorrente da violação da cápsula prostática e a abertura de seios venosos, associada a sinais de sobrecarga volêmica e hiponatremia dilucional.[18]

Hiposmolaridade gera edema cerebral pelo mecanismo de movimentação de água para dentro das células no sistema nervoso central.

Níveis de sódio abaixo de 120 mEq/L já começam a provocar sintomatologia: sintomas neurológicos iniciais incluem irritabilidade, agitação e confusão mental. Alterações cardiovasculares como inotropismo negativo, hipotensão, arritmias, alargamento de QRS e supra de ST ocorrem com níveis de 115 mEq/L. Níveis inferiores a 110 mEq/L são encontrados em pacientes que convulsionam e entram em coma, além de apresentarem hipotensão grave, bradicardia reflexa, edema pulmonar e sinais de falência cardíaca que são decorrentes de sobrecarga volêmica.

Prevenção

- Reduzir o tempo cirúrgico: ressecções menores e com menor tempo de duração geram menores volumes absorvidos.
- A altura do frasco de irrigação em relação à mesa cirúrgica é limitada a 60 a 90 cm, uma vez que gera a pressão hidrostática que determina a entrada de líquidos pelos seios venosos.
- Hipotensão arterial deve ser tratada com o uso de vasopressores em vez de expansão com cristaloides, medida que visa evitar a piora da sobrecarga volêmica, hiponatremia e hiposmolaridade.
- Dosagem de sódio no intraoperatório para pacientes de maior risco.

Tratamento

- Primeira medida: comunicação ao cirurgião e interrupção imediata do procedimento.
- Hiponatremia com sintomas moderados e com níveis séricos de sódio até 120 mEq/L deve ser tratada com restrição hídrica e diuréticos de alça. Níveis abaixo de 120 mEq/L e com sintomatologia grave devem receber também solução de NaCl a 3% em infusão de no máximo 100 mL/h, que deve ser suspensa quando o sódio for superior a 120 mEq/L.
- O objetivo é restaurar a osmolaridade, não devendo a velocidade de correção ser acima de 0,5 mEq/L/h, sob risco de provocar desmielinização do SNC, também conhecida como mielinólise pontina cerebral.
- Suportes ventilatório e hemodinâmico devem ser assegurados, devendo-se considerar monitorização invasiva (PAM) e acesso venoso central. ECG de 12 derivações, eletrólitos, creatinina, glicemia e gasometria arterial são bem indicados para diagnósticos diferenciais e como guia de tratamento.

■ RESSECÇÃO TRANSURETRAL DE BEXIGA

- Indicações: diagnóstico e ressecção de tumores vesicais em pacientes com hematúria ou alterações da micção.

■❙ Técnicas anestésicas

■❙❙ *Anestesia geral*

Pode ser necessária em ressecções realizadas próximas ao nervo obturador, pelo risco de estimulação do nervo pelo eletrocautério e movimentação brusca e repentina das pernas, aumentando o risco de perfuração da bexiga.

■❙❙ *Anestesia regional*

Nível anestésico em T10 é necessário para bloquear a dor associada à distensão vesical pelo líquido de irrigação, mas níveis superiores são indesejáveis pela impossibilidade de diagnóstico de uma possível perfuração da bexiga.

Não elimina o risco de estimulação do nervo obturador pelo eletrocautério.

Fornece melhor estabilidade hemodinâmica e potencialmente evita complicações cardiovasculares, porém nenhum estudo demonstrou diferença estatística significativa em relação à morbimortalidade entre anestesia geral e regional.

■❙ Complicações

- Perfuração vesical: ocorre por hiperdistensão durante o procedimento. O urologista deve estar atento a diminuição ou retorno irregular do líquido de irrigação. O diagnóstico é facilitado se o procedimento estiver sendo realizado sob anestesia regional sem sedação ou com sedação leve, pois o paciente pode apresentar agitação ou referir dor abdominal, precordial, em ombros ou pescoço. Em pacientes sob anestesia geral a única manifestação pode ser a instabilidade hemodinâmica.

- Hiper-reflexia autonômica: advinda da hiperdistensão vesical, caracterizando-se por alterações do sistema nervoso autônomo, que se manifestam com picos hipertensivos, bradicardia reflexa, vasoconstrição periférica, disritmias cardíacas, podendo levar a desfechos mais graves, como AVE, hemorragia retiniana, edema pulmonar e parada cardiorrespiratória.

■ LITOTRIPSIA A *LASER*

- Indicações: procedimento minimamente invasivo, de escolha para retirada de cálculos ureterais baixos que não são elegíveis para litotripsia extracorpórea por ondas de choque;

- Técnica de realização: o raio *laser* é liberado por meio de um ureteroscópio rígido ou flexível, sendo facilmente absorvido pelos cálculos, que se desintegram pela ação da energia pulsátil;

- Hematúria é comum;

- Todas as pessoas presentes na sala durante o procedimento devem utilizar óculos de proteção.

■❙ Técnicas anestésicas

Idealmente a escolha recai sobre anestesia geral com bloqueio neuromuscular para evitar movimentos do paciente durante o procedimento, porém é passível de realização com anestesia regional, necessitando de bloqueio no nível de T8 a T10.

● LITOTRIPSIA EXTRACORPÓREA POR ONDAS DE CHOQUE

- Técnica de realização: um eletrodo emite ondas mecânicas que atravessam os tecidos e que, quando se encontram com estruturas rígidas como os cálculos, liberam energia, causando sua desintegração.[14]

■) Técnicas anestésicas

A técnica de escolha é sedação em adultos e anestesia geral em crianças.

Bloqueio do neuroeixo não é uma boa opção devido à alta incidência de hipotensão pelo posicionamento sentado.

■) Complicações

Hematúria, equimoses e dores musculares são comuns. Existem relatos de hemoptise e lesão pulmonar, principalmente em crianças.

Arritmias cardíacas são hoje pouco comuns com os novos aparelhos.

É contraindicação absoluta a realização em pacientes com coagulopatias e gestantes.

● REFERÊNCIAS BIBLIOGRÁFICAS

1. Chanan JA. Anestesia em Urologia. In Bagatini A, Cangiani LM, Carneiro AF, et al. Bases do ensino da Anestesiologia. Rio de Janeiro; 2016. Pp. 652-64.
2. Stafford-Smith M, Shaw A, Sandler A, Kuhn C. The Renal System and Anesthesia for Urologic Surgery. In Barash, Paul G, Clinical Anesthesia. 7th ed. Philadelphia: Lippincott Williams & Wilkins. pp. 1400-39.
3. Fleisher LA, Mythen M. Anesthetic Implications of Concurrent Diseases. In RD Miller et al., eds. Miller's Anesthesia. 8th ed., Philadelphia: Elsevier Saunders, 2015. pp. 1202-05.
4. Cheungpasitporn W, Thongprayoon C, Mao MA, D'Costa MR, Kittanamongkolchai W, Kashani KB. Contrast-induced acute kidney injury in kidney transplant recipients: A systematic review and meta-analysis. World J Transplant 2017 Feb 24;7(1):81-7.
5. Lemmens HJM. Kidney transplantation: recent developments and recommendations for anesthetic management. Anesthesiol Clin North America 2004;22:651–62.
6. Naguib M, Lien CA, Meistelman C. Pharmacology of Neuromuscular Blocking Drugs. In RD Miller et al., eds. Miller's Anesthesia. 8th ed.. Philadelphia: Elsevier Saunders, 2015. pp. 986-987 .
7. Olumi AF, Preston MA, Blute ML. Open Sugery of the Kidney. In: Wein, AJ, Kavoussi, LR et al. Campbell-Walsh Urology. 11th ed. Philadelphia: Elsevier, 2016. pp. 1414-45 .

8. Campbell SC, Lane BR. Malignant Renal Tumors. In: Wein, AJ, Kavoussi, LR et al. Campbell-Walsh Urology. 11th ed. Philadelphia: Elsevier, 2016. pp. 1314-1364 .

9. Joshi GP, Cunningham A. Anesthesia for Laparoscopic and Robotic Surgeries. In Barash, Paul G, Clinical Anesthesia. 7th ed. Philadelphia: Lippincott Williams & Wilkins, 2013. pp. 1257-73 .

10. Schwartz MJ, Rais-Bahrami S, Kavoussi LR. Laparoscopic and Robotic Surgery of the Kidney. In: Wein, AJ, Kavoussi, LR et al. Campbell-Walsh Urology. 11th ed. Philadelphia: Elsevier, 2016. pp. 1446-83 .

11. Lutti MN, Gonçalves TAM, Sandrin CEE. Anestesia para cirurgia dos rins e das vias urinárias. In: Tratado de Anestesiologia SAESP. 8a ed. São Paulo: Atheneu, 2017. pp. 2887 –906.

12. Oksar, Menekse et al. Considerações anestésicas para cistectomia robótica: estudo prospectivo. Rev Bras Anestesiol, Campinas, 2014; 64(2): 109-15.

13. Kim SM. Anestesia para cirurgias da próstata. In: Cangiani LM, Carmona MJC, Torres MLA, et al. Tratado de Anestesiologia SAESP. 8ª ed. São Paulo: Atheneu, 2017. pp. 2911-14.

14. Malhotra V, Sudheendra V, O'Hara J, Malhotra A. Anesthesia and the Renal and Genitourinary Systems. In RD Miller et al., eds. Miller's Anesthesia. 8th ed. Philadelphia: Elsevier Saunders, 2015. pp. 2217-43 .

15. Smith DR, Tanagho EA, McAninch JW. Smith's General Urology. 15th ed. New York: Lange Medical Books/McGraw-Hill, Health Professions Division, 2000.

16. Kirollos MM, Campbell N. Factors influencing blood loss in transurethral resection of the prostate (TURP): auditing TURP. Br J Urol 1997; 80:111-15.

17. Ghanem AN, Ward JP. Osmotic and metabolic sequelae of volumetric overload in relation to the TUR syndrome. Br J Urol 1990;66:71-8.

18. Gray RA, Lynch C, Hehir M, et al. Intravesical pressure and the TUR syndrome. Anaesthesia 2001; 56:461-5.

Capítulo 15

Anestesia em Oftalmologia

Fabio Escalhão
José de Brito Magalhães Neto
Renato Sena Fusari
Luis Henrique Cangiani

INTRODUÇÃO

A anestesia para cirurgia oftalmológica apresenta algumas peculiaridades que, se bem compreendidas pelo anestesiologista, proporcionam um desfecho cirúrgico favorável. Na anestesia para cirurgia oftalmológica, os desafios enfrentados pelo anestesiologista são a regulação da pressão intraocular (PIO), prevenção do reflexo oculocardíaco (ROC), controle de efeitos sistêmicos dos fármacos utilizados pelos oftalmologistas na forma de colírio, analgesia e imobilidade do globo ocular, baixo sangramento e despertar tranquilo.

Pressão intraocular

A PIO contribui para manutenção da forma e do conteúdo do globo ocular e, por consequência, das propriedades ópticas do olho. O valor normal da PIO é de 12 a 20 mmHg e ela é dependente do equilíbrio dinâmico entre os seguintes fatores:

- Volume de humor aquoso;
- Volume do humor vítreo;
- Volume sanguíneo intraocular;
- Forças extrínsecas.

O valor da PIO pode apresentar variações transitórias sem ocasionar danos a estruturas intraoculares. Por exemplo, um simples piscar de pálpebras eleva a PIO em até 5 mmHg e, em episódios de tosse, pode elevar até 80 mmHg. Essas alterações agudas da PIO são muito importantes para o anestesiologista. Muitos fármacos utilizados durante a anestesia como benzodiazepínicos e o propofol reduzem a PIO. Algumas manobras como a intubação traqueal ou o posicionamento do paciente em cefalodeclive, elevam o valor da PIO. Diante de situações de elevações agudas da PIO, pode haver diminuição do fluxo sanguíneo na artéria central da retina e consequente amaurose ou, até mesmo, a extrusão de conteúdo ocular em casos de traumas abertos.

A maior parte dos fármacos utilizados durante a anestesia reduz os valores da PIO. Tantos os agentes inalatórios como os venosos a reduzem porque também reduzem a pressão arterial e, por consequência, o volume sanguíneo na coroide. Além disso, o relaxamento dos músculos extrínsecos do globo ocular e o da musculatura radial da íris facilita o escoamento do humor aquoso da câmara anterior do olho. A succinilcolina aumenta seus valores em torno de 5 a 10 mmHg por aproximadamente 6 minutos após sua administração. Esse fato é explicado principalmente pela contratura da musculatura extraocular (fasciculações) decorrente do uso de succinilcolina. É importante ressaltar que a PIO tem elevações agudas e intensas durante a manobra de laringoscopia e intubação traqueal e, possivelmente, na extubação do paciente, caso ocorram episódios de *bucking* (tosse) enquanto o paciente ainda está intubado.

■❙ Reflexo oculocardíaco

Descrito originalmente em 1908 por Dagnini e Aschner, o ROC é caracterizado pelo aparecimento de arritmia cardíaca (qualquer arritmia cardíaca), desde bradicardia até parassinusal, resultante da tração mecânica dos músculos extraoculares durante a cirurgia ou da compressão do globo ocular. É um arco reflexo cuja via aferente é o nervo trigêmeo e a eferente é o nervo vago. O ROC é mais frequente em crianças submetidas a cirurgias de estrabismo, mas pode também acontecer em paciente de outras faixas etárias e em outros tipos de cirurgias como no descolamento de retina com cerclagem.

Atualmente algumas medidas são tomadas para a prevenção do ROC, porém nenhuma delas ainda é completamente efetiva e livre de riscos. A administração de anticolinérgicos (p. ex.: atropina) antes da cirurgia diminui seu aparecimento. Obviamente, não é a melhor escolha em pacientes portadores de insuficiência coronariana. O bloqueio retro ou peribulbar ameniza o aparecimento do ROC, porém não o evita completamente.

O reflexo entra em fadiga após a tração repetida dos músculos extrínsecos do olho. Caso as técnicas para redução do ROC falhem, deve-se imediatamente solicitar ao cirurgião que solte as estruturas e aguarde para que a atropina possa cortar a eferência vagal do reflexo. O ROC é potencializado quando há hipercapnia. Portanto, deve-se checar ventilação mecânica para adequar a $ETCO_2$ (medida do CO^2 ao final da expiração) e também aprofundar o plano anestésico com administração de fármacos venosos e/ou inalatórios. A administração de atropina 10 mcg/kg é uma medida que pode ser efetuada antes que a tração muscular seja realizada pelo cirurgião e, desse modo, previne-se o ROC. Se a atropina for administrada após o início das alterações do ritmo cardíaco, é fundamental que o cirurgião solte as estruturas e espere que a atropina possa reverter a arritmia. Entre as arritmias que podem ocorrer, a bradicardia sinusal é a mais comum.

AVALIAÇÃO PRÉ-ANESTÉSICA

O principal objetivo da visita pré-anestésica é a criação de um bom relacionamento entre o anestesiologista e o paciente, em possam ser esclarecidos todos os passos do período perioperatório e o paciente exponha suas dúvidas.

A avaliação pré-anestésica deve ser feita como o mesmo rigor das demais cirurgias. Toda a história clínica e o exame físico adequado devem ser realizados e valorizados. As doenças preexistentes, como o diabetes, hipertensão arterial, doenças coronarianas e pulmonares, assumem grande importância, uma vez que a grande maioria dos pacientes submetidos à cirurgia oftalmológica, como as facoemulsificações do cristalino, é idosa. Outros pontos relevantes são as cirurgias prévias, oftalmológicas ou não, medicamentos de uso contínuo, alergias a medicamentos ou a alimentos e história de tosse crônica ou tabagismo.

Algumas medicações costumam estar presentes no dia a dia desses pacientes, como medicações de uso contínuo, e podem influenciar na anestesia. Alguns exemplos desses fármacos são:

- Acetazolamida: indicada no tratamento do glaucoma, com o objetivo de reduzir o volume e a produção do humor aquoso. Seu uso crônico pode levar a alterações do equilíbrio hidreletrolítico. Portanto, pode ser recomendada a dosagem de eletrólitos no pré-operatório.

- Manitol: indicado em pacientes portadores de glaucoma que serão submetidos à trabeculectomias. Seu uso leva à desidratação do humor vítreo e consequente diminuição da PIO. Durante a infusão do manitol, pode ocorrer hipervolemia aguda chegando até a edema agudo de pulmão, caso a reserva cardíaca do paciente esteja previamente reduzida. O evento final, do ponto de vista do equilíbrio hidreletrolítico, é um quadro de desidratação hipernatrêmica.

- Ecotiofato: indicado no tratamento de paciente com glaucoma. Produz uma inibição prolongada da pseudocolinesterase com o objetivo de reduzir produção do humor aquoso. Com isso, ocorre prolongamento do tempo de ação de fármacos que são metabolizados pela pseucolinesterase plasmática como a succinilcolina e o mivacúrio.

- Pilocarpina: utilizado para provocar miose no final de cirurgias como as facoemulsificações. É um fármaco colinomimético que pode provocar bradicardias e hipotensão arterial.

- Fenilefrina: fármaco alfa1 agonista potente. Sua apresentação em colírio a 10% equivale a 5 mg de fenilefrina em cada gota de colírio. Tem efeito vasoconstritor importante levando à hipertensão arterial e bradicardia reflexa. É utilizada no período pré-operatório para produzir midríase e preparar o paciente para cirurgias de facoemulsificação e cirurgias retinianas.

- Atropina: utilizada para produzir midríase. Pode ter efeitos sistêmicos como taquicardia. Sua dose tóxica é facilmente atingida em pacientes pediátricos, de modo que é importante ficar atento aos seus efeitos sistêmicos.

- **Timolol:** fármaco betabloqueador utilizado em pacientes com glaucoma e que leva à bradicardia. Esse efeito ocorre por ação direta sobre o miocárdio após a absorção sistêmica do fármaco.

A absorção sistêmica dos colírios se dá pela conjuntiva na mucosa nasofaríngea. Pode-se diminuir sua absorção sistêmica, após serem instilados, comprimindo o saco lacrimal e removendo o excesso com gaze.

ANATOMIA DO OLHO

O olho é um importante e complexo órgão sensorial esférico, com diâmetros horizontal e vertical de aproximadamente 24 mm. Sua anatomia pode ser estudada didaticamente dividida em duas partes: estruturas extra e intraoculares.[1,2]

Estruturas extraoculares

As estruturas extraoculares – órbita, músculos extraoculares, conjuntiva, sistema lacrimal e pálpebras – conferem proteção e lubrificação para o olho.

A órbita, estrutura de interesse particular neste tema, representa uma base mecânica, um arcabouço ósseo, que envolve e protege o olho. Seu formato é de uma pirâmide quadrangular, com o vértice posterior e a base aberta na porção anterior. Tem volume aproximado de 26 mL na mulher e 30 mL no homem. Dentro da órbita, o globo ocular ocupa cerca de 6,5 mL, com diâmetros horizontal de 4 cm e vertical de 3,5 cm e aproximadamente 4,5 cm de profundidade (diâmetro anteroposterior) (Figura 15.1). A órbita é formada pelos seguintes ossos: na parede medial estão o esfenoide, etmoide, lacrimal e processo frontal da maxila; na parede lateral estão a asa maior do esfenoide, zigomático e parte do frontal; na parede inferior estão o maxilar, zigomático e palatino e, no teto da órbita, estão o frontal e asa menor do esfenoide. A fissura orbitária superior localiza-se na junção do terço medial com os dois terços laterais da borda anterior da parede superior, constituindo-se em ponto de referência para os bloqueios. No vértice da órbita, existem três orifícios pelos quais passam vasos e nervos responsáveis pelo suprimento sanguíneo e inervação sensitiva, motora e autonômica do olho e estruturas anexas. Pela fissura orbitária superior, penetram na órbita a artéria oftálmica e ramos do nervo oftálmico. Na fissura orbitária inferior, passam o nervo maxilar superior e veia oftálmica inferior.[3]

Os músculos extraoculares são responsáveis pelo controle dos movimentos do olho, sendo quatro músculos retos (superior, inferior, medial e lateral) e dois oblíquos (superior e inferior). Eles inserem-se no vértice da órbita, ao redor da fissura esfenoidal e do canal do nervo óptico, em um tendão comum denominado tendão de Zinn. A exceção é em relação ao músculo oblíquo inferior, que se insere na parede nasal da órbita. Estes músculos são inervados pelos nervos oculomotor (III par craniano), troclear (IV par craniano) e abducente (VI par craniano) (Tabela 15.1 e Figura 15.2).

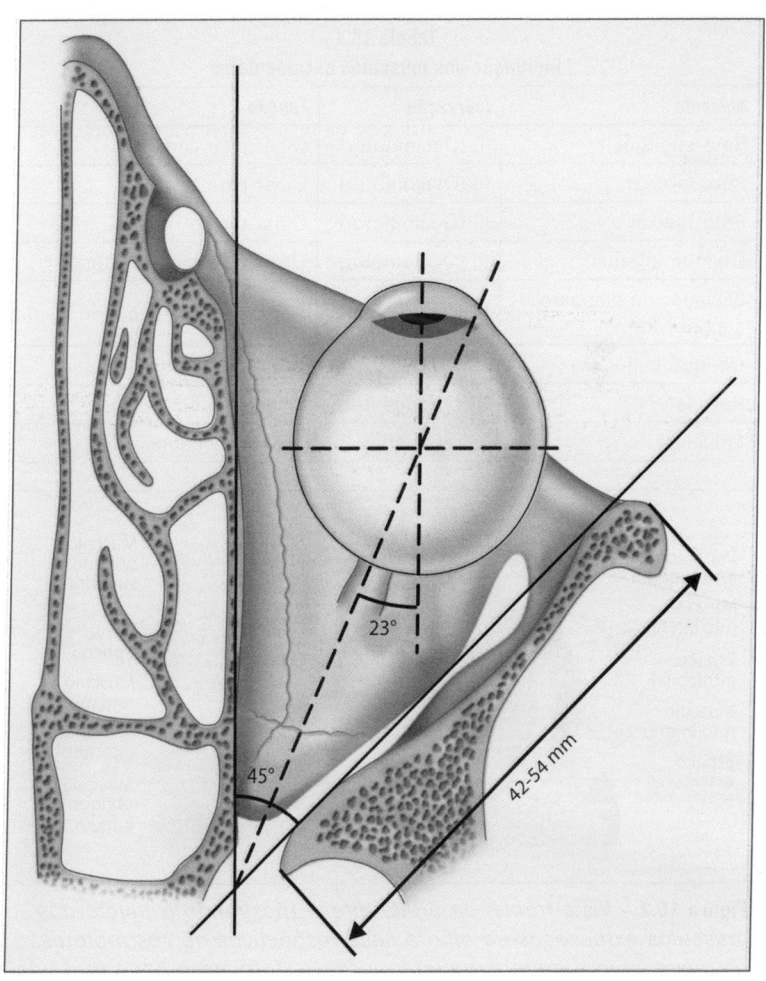

Figura 15.1 – *Vista superior da órbita direita e do globo ocular.*

▪▪) Vascularização

O suprimento sanguíneo da órbita e das estruturas intraorbitárias é feito principalmente pela artéria oftálmica, ramo da carótida interna. A artéria oftálmica penetra na órbita juntamente com o nervo óptico através de seu canal. A artéria central da retina, ramo da artéria oftálmica, corre inferolateralmente ao nervo óptico. As artérias ciliares posteriores curtas e longas caminham ao lado do nervo óptico e aglomeram-se perto do globo ocular. Já as veias orbitárias estão mais concentradas no espaço extraconal, na porção anterossuperior da órbita, sendo que a veia oftálmica superior, uma das mais calibrosas, localiza-se no ângulo superomedial da órbita. Este ângulo e o vértice da órbita são os

Tabela 15.1
Inervação dos músculos extraoculares

Músculo	Inervação	Função
Reto superior	III (Oculomotor)	Olhar para cima
Reto inferior	III (Oculomotor)	Olhar para baixo
Reto medial	III (Oculomotor)	Olhar medial
Oblíquo inferior	III (Oculomotor)	Olhar para cima e lateral
Elevador de pálpebra superior	III (Oculomotor)	Abrir pálpebra superior
Oblíquo superior	IV (Troclear)	Olhar para baixo e media)
Reto lateral	VI (Abducente)	Olhar para fora
Orbicular	VIII (Facial)	Fechar pálpebra

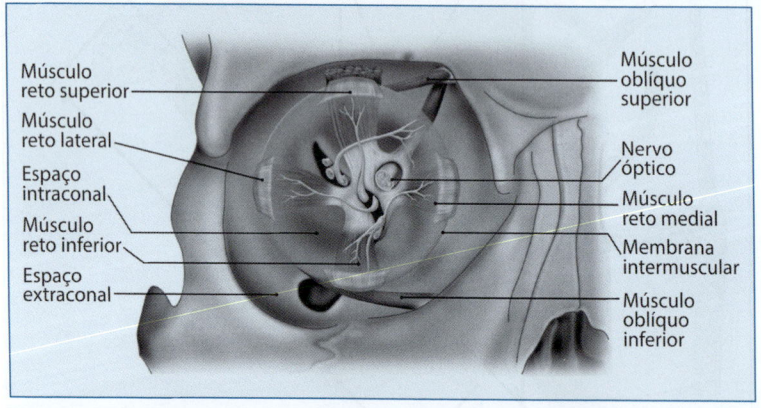

Figura 15.2 – *Vista frontal da órbita direita mostrando o trajeto dos músculos extrínsecos do olho e seus respectivos nervos motores, os quais, com a membrana intermuscular, formam o cone musculo-membranoso que separa anatomicamente os espaços intra e extraconal. Trajeto intraconal do nervo óptico.*

locais onde há maior vascularização. Os dois pontos menos vascularizados são a extremidade lateral da reborda orbitária inferior e a região medial da órbita. Portanto, esses últimos são os pontos recomendados para a realização dos bloqueios. (Figura 15.3)

■■▶ Inervação

■▶ *Nervos motores da órbita*

O nervo oculomotor (III par craniano) se divide em porções superior e inferior antes de entrar no espaço intraconal através da fissura orbitária supe-

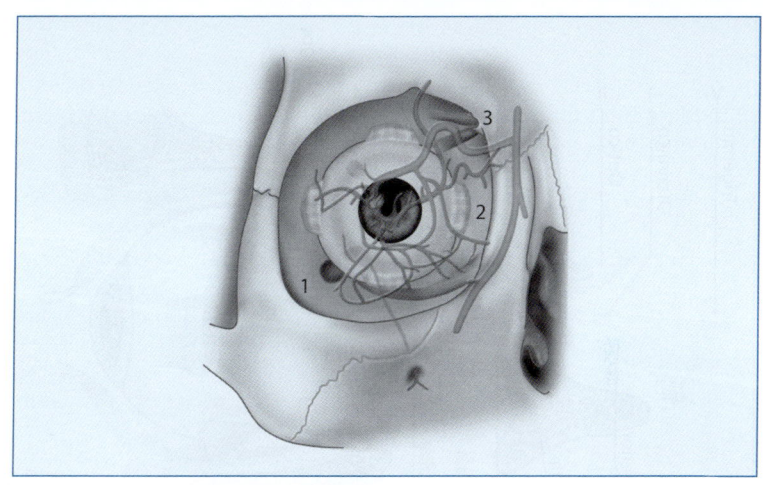

Figura 15.3 – *Vista frontal da órbita direita, mostrando a disposição central e posterior das artérias e periférica e anterior das veias, os locais menos vascularizados são a extremidade inferolateral da órbita (1) e cantal medial (2). A região mais vascularizada é o ângulo superomedial (3).*

rior. Seu ramo superior inerva o músculo retossuperior e o músculo elevador da pálpebra superior. Já o ramo inferior inerva os músculos retoinferior, retomedial e oblíquo inferior.

O nervo troclear (IV par craniano) entra no espaço extraconal da órbita superior através da fissura orbitária superior, acima do anel de Zinn, percorrendo a superfície externa do músculo oblíquo superior no espaço extraconal, antes de se tornar intramuscular no terço anterior da órbita.

O nervo abducente (VI par craniano) também entra na órbita através da fissura orbitária superior e no anel de Zinn, inervando o músculo reto lateral.

O nervo facial, através de seu ramo zigomático, inerva o músculo orbicular, responsável pelo fechamento das pálpebras (Figura 15.4).

■❙❙ Nervo óptico

O nervo óptico é uma continuação de um trato do sistema nervoso central (SNC) responsável pela visão. Carrega as meninges cerebrais por mais de 1 cm após deixarem o SNC. Suas fibras nasais se cruzam no quiasma óptico. Ele está envolto pelas meninges, comunicando-se com o espaço subaracnóideo. Dessa forma, a injeção acidental do anestésico na bainha do nervo óptico pode levar à dispersão para o líquido cefalorraquidiano (LCR), levando a uma anestesia de tronco cerebral, uma das mais sérias complicações dos bloqueios oftálmicos.

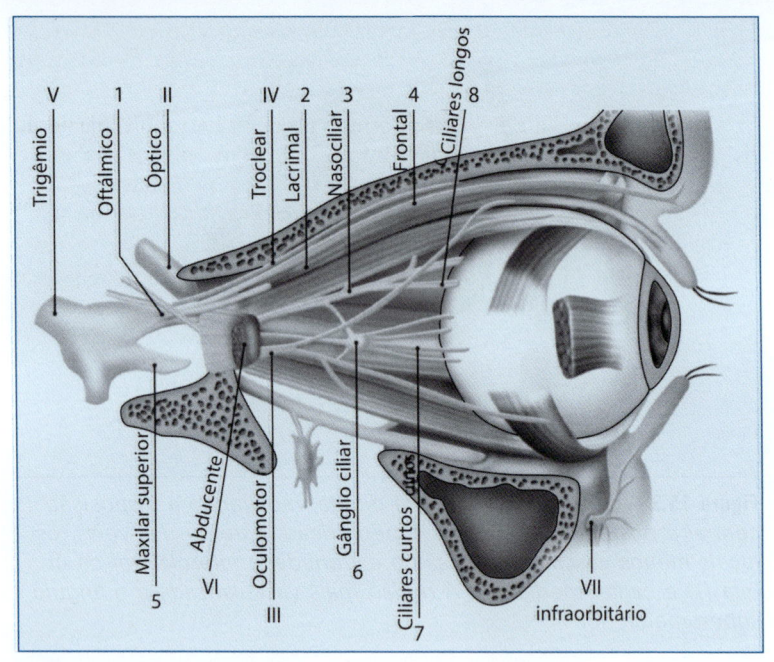

Figura 15.4 – *inervação sensitiva, motora e autonômica do globo ocular e estruturas orbitárias.*

■❙❱ Nervos sensoriais da órbita

São os nervos responsáveis pela inervação sensitiva do globo ocular. A divisão oftálmica do nervo trigêmeo é a principal responsável pela inervação sensorial da órbita. Ela se divise no seio cavernoso, sendo seus principais ramos os nervos lacrimal, frontal e nasociliar. Já a divisão maxilar supre a órbita inferior.

O nervo lacrimal entra na órbita acima do anel de Zinn e prossegue no espaço extraconal para a glândula lacrimal e pálpebra superior. O nervo frontal caminha entre o músculo elevador da pálpebra superior e a periórbita superior, saindo da órbita no sulco supraorbitário. O nervo nasociliar entra na órbita através da fissura orbitária superior e do anel de Zinn. Atravessa no sentido lateromedial sobre o nervo óptico, após enviar pequenos ramos sensoriais que passam através do gânglio ciliar sem fazer sinapse. Continuam para o globo ocular com os nervos ciliares curtos. Após passar para o lado medial do nervo óptico, origina os nervos ciliares longos que se estendem para a porção posterior do globo. Continua para a frente na órbita medialmente originando os nervos etmoidais posteriores e anteriores e, depois, sai da órbita anterior na reborda superomedial.

■❙❱ Estruturas intraoculares

As estruturas intraoculares são divididas em camadas, sendo a mais externa composta pela esclera. A esclera é uma camada densa e fibrosa em que os músculos extraoculares se inserem. Tem a função de proteger e dar forma ao globo ocular. A outra estrutura externa do globo ocular é a córnea. A córnea é a camada mais anterior do olho, transparente e ricamente inervada.

A camada média é formada pelo trato uveal. A úvea é o conjunto de íris, corpo ciliar e coroide e a camada interna pela retina, onde se encontra o nervo óptico. O cristalino é uma estrutura que não se situa em nenhuma dessas camadas. Localiza-se posteriormente à pupila e tem função de "lente natural", orientando a passagem de luz até a retina.

O conteúdo do globo ocular, ou "meio transparente do olho", inclui o cristalino, humor aquoso, que preenche o espaço entre córnea e cristalino, o humor vítreo, que ocupa o espaço desde a face posterior do cristalino até a retina.

A câmara anterior é formada pela córnea, cristalino, ângulo iridocorneano e pelo corpo ciliar. Já o segmento posterior é formado pela esclera, coroide, retina e humor vítreo (Figura 15.5).

● ESCOLHA DA TÉCNICA ANESTÉSICA

A anestesia para procedimentos oftalmológicos pode ser basicamente de três tipos: geral; locorregional; ou sedação com anestesia tópica. A escolha da técnica, assim como para outras especialidades, dependerá de características do paciente, do procedimento proposto, do cirurgião e da experiência do anestesiologista. Vale lembrar que as cirurgias de facoemulsificação do cristalino (catarata), que representam grande parte dos procedimentos oftalmológicos realizados com anestesia, geralmente são realizadas em pacientes de idade mais avançada e, consequentemente, com mais doenças associadas, tornando a anestesia regional especialmente interessante nesse grupo.[5]

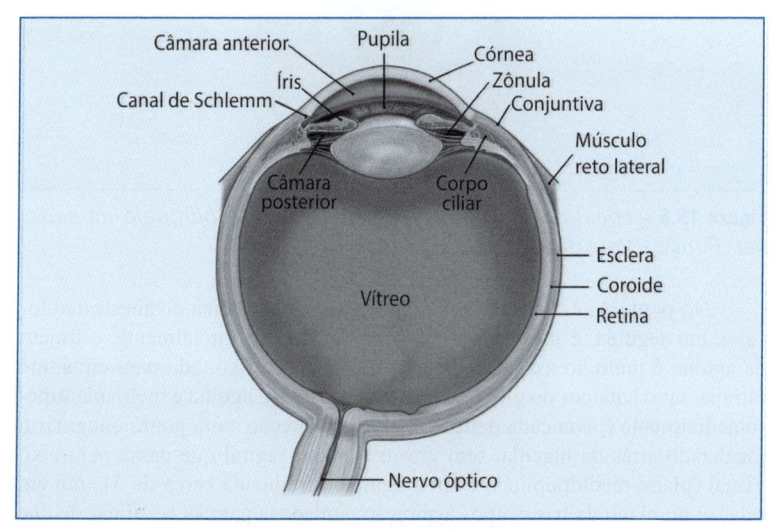

Figura 15.5 – *Globo ocular e estruturas intraoculares.*

Muitas vezes, a anestesia geral torna-se mandatória, como nos casos de recusa do paciente ao bloqueio locorregional, infecção na região de punção, contraindicação ao uso de anestésicos locais e em pacientes não colaborativos (crianças, deficientes mentais, pacientes surdos, excessivamente ansiosos, autistas e outros). Nestes casos, deve-se atentar para o uso de fármacos que podem provocar aumento da PIO, como a succinilcolina e a cetamina. Esses fármacos devem ser utilizados com cuidado em procedimentos em que há lesão penetrante do globo ocular ou cirurgia prévia recente.

■❙ Bloqueio retrobulbar

Essa técnica consiste no depósito dos anestésicos dentro do cone formado pelos músculos extrínsecos do olho.[4]

Inicialmente, o paciente é orientado a manter os olhos em sua posição primária, isto é, olhando para frente. Desse modo, o nervo óptico e os vasos intraorbitários permanecem mais distantes da agulha do que em outras posições, como olhando para cima e medialmente, diminuindo assim as chances de complicações. Para a realização da punção localiza-se o ponto A (Figura 15.6), conhecido como ponto de Atkinson, que fica na borda inferolateral da órbita. Esse ponto é ideal porque se afasta do músculo oblíquo inferior, de seu feixe vasculonervoso e do músculo retoinferior.

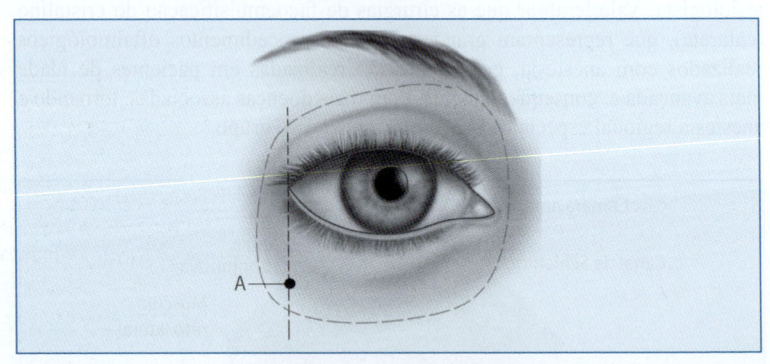

Figura 15.6 – *Local de introdução da agulha para o bloqueio intraconal. Punção transdérmica inferolateral.*

No ponto A, é realizada uma infiltração intradérmica de anestésico local e, em seguida, é introduzida a agulha de 35 mm. Inicialmente, o trajeto da agulha é junto ao assoalho da órbita, com o bisel voltado para cima, até ultrapassar o equador do globo ocular. Em seguida, a agulha é inclinada superomedialmente e avançada delicadamente em direção a um ponto imaginário localizado atrás da mácula, sem cruzar o plano sagital que passa pelo eixo visual (plano mediopupilar). Com a agulha introduzida cerca de 31 mm em relação ao plano da íris e, após aspiração cuidadosa para se certificar de que nenhum vaso foi atingido, injeta-se a solução anestésica.

A injeção deve ser lenta, enquanto acompanha-se, por palpação, a tensão e mobilidade do globo ocular e pálpebra superior afim de se evitar a administração de volumes excessivos. O volume de anestésico injetado varia entre 3 e 8 mL, de acordo com objetivo do bloqueio, em que maiores volumes melhoram a qualidade do bloqueio, mas aumentam o risco de perda vítrea nas cirurgias intraoculares. Em geral, pode-se utilizar, com segurança, cerca de 6 mL de solução, entretanto algumas órbitas grandes aceitam a injeção de até 10 a 12 mL de solução.[3]

Imediatamente após a injeção, deve-se comprimir suavemente o globo ocular e pálpebras com uma gaze estéril para facilitar a difusão dos anestésicos, evitando a proptose decorrente da pressão no fundo do globo ocular e diminuindo a PIO.

■■▶ Bloqueio peribulbar

Nesta técnica, a solução de anestésico local é depositada fora do cone muscular, reduzindo os riscos de lesão do nervo óptico e da injeção acidental em sua bainha, dependendo da difusão dos anestésicos para dentro do cone muscular. Após a injeção, comprime-se o globo ocular com delicadeza por cerca de 5 a 10 minutos, aguardando-se essa difusão da solução. Como o anestésico local é depositado mais longe do vértice do cone muscular, o tempo de latência do bloqueio peribulbar é maior.

A técnica de Bloomberg utiliza duas punções. Uma na borda inferoexterna da órbita (Figura 15.7, ponto A), onde são injetados 5 mL de anestésicos a 18 mm de profundidade. A segunda é feita junto à borda superointerna da órbita, entre a incisura frontal e a tróclea (ponto B), utilizando-se o mesmo volume e profundidade.

Na técnica descrita por Weiss, recomenda-se punção única no ponto entre os dois terços mediais e o terço lateral da borda orbitária inferior (ponto A). São injetados 5 mL a 16 mm de profundidade. Apesar disso, as novas recomenda-

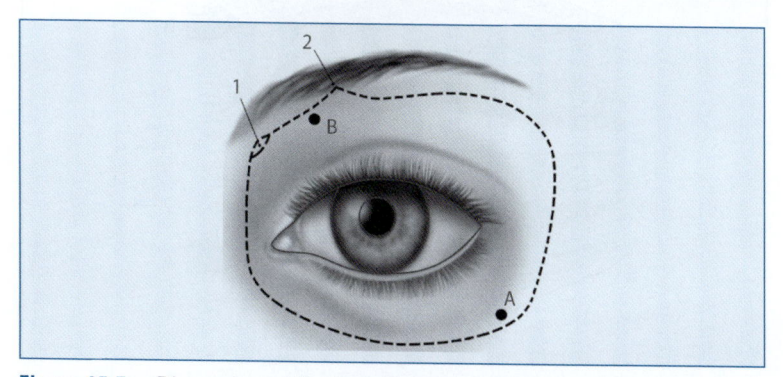

Figura 15.7 – *Bloqueio peribulbar. Pontos de introdução da agulha (pontos A e B). (1) Tróclea; (2) Incisura/forame supraorbitário.*

ções orientam que esse ponto A seja mais próximo do canto externo do olho, afim de se evitarem lesões dos músculos obliquoinferior, do feixe vasculonervoso e do retoinferior.

■❚▶ Bloqueio periconal

Nesta técnica, também chamada de peribulbar posterior, a solução anestésica é depositada com uma agulha mais longa (25 mm), posteriormente ao globo ocular, mas também fora do cone muscular. Essa técnica pode ser realizada com duas punções, nos mesmos pontos descritos para a peribulbar (descrita por Loots) ou com punção única descrita no ponto A (Davis e Mandel), valendo a mesma recomendação de que esse ponto A seja mais próximo ao canto externo do olho (Figura 15.8).

■❚▶ Bloqueio periconal medial

Devido ao fato de o ponto B ser uma região ricamente vascularizada, há maior risco de hematoma e também por conter estruturas como o músculo retossuperior e tróclea (tendão do músculo oblíquo superior), Haustead et al. recomendaram a troca do ponto B pelo ponto C (Figura 15.9), nos bloqueios peribulbar e periconal e também na complementação do bloqueio retrobulbar, que eventualmente seja necessária.

Após a anestesia tópica da conjuntiva, a agulha é introduzida através da conjuntiva, na pequena depressão medial da carúncula. A agulha é avançada no plano transverso, com inclinação para a parede medial da órbita, evitando a penetração no músculo reto medial. Se a agulha atingir a parede óssea medial da órbita, deverá ser recuada e redirecionada com menor inclinação.

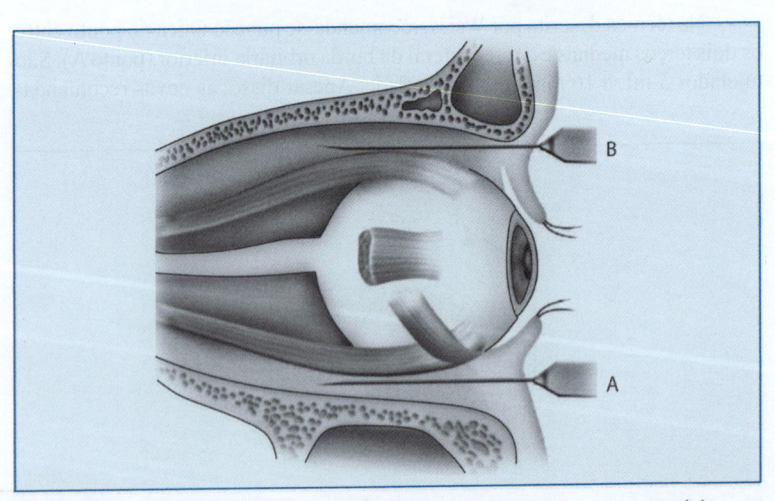

Figura 15.8 – *Bloqueio extraconal periconal. Desenho esquemático mostrando a posição final da agulha (técnica com punção única).*

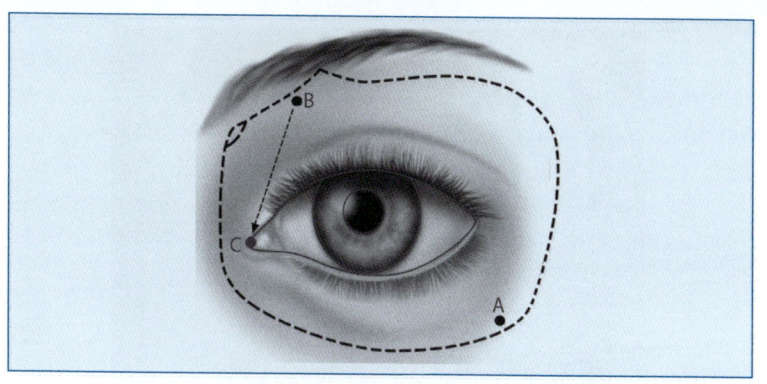

Figura 15.9 – *Bloqueio periconal medial da órbita (ponto C).*

Na prática, é muito difícil predizer a real localização da ponta da agulha no momento imediatamente anterior à injeção da solução de anestésico local. Quando a agulha não é deslocada em direção ao vértice do cone muscular, a técnica realizada é a peribulbar (mais anterior) ou periconal (mais posterior). Na verdade, atualmente são conhecidas como técnicas extraconais, porque o anestésico local é depositado fora do cone muscular e, por isso, o volume injetado e o tempo de latência do bloqueio devem ser maiores. Quando o trajeto da agulha é redirecionado para o vértice do cone muscular, como na técnica retrobulbar clássica, pode-se dizer que a técnica é intraconal. Ou seja, o anestésico local será injetado dentro do cone muscular, por isso o volume injetado e o tempo de latência serão menores.

■ Acinesia do músculo orbicular das pálpebras

O objetivo deste bloqueio é atingir o nervo facial ou seus ramos. Desse modo, consegue-se evitar que o paciente consiga apertar as pálpebras durante a realização do bloqueio peri ou retrobulbar, conferindo maior segurança às cirurgias intraoculares e facilitando os bloqueios e cirurgias oftalmológicas.

A técnica de acinesia do nervo facial descrita por O'Brien consiste no bloqueio do nervo facial (VII par craniano) no seu trajeto junto ao côndilo da mandíbula, logo adiante do meato auditivo externo. A palpação do côndilo pode ser facilitada solicitando ao paciente que abra e feche a boca. A agulha é introduzida perpendicularmente à pele até tocar o côndilo mandibular (0,5 a 1 cm de profundidade), próximo à articulação temporomandibular (ATM), onde são injetados 2 a 3 mL de anestésico local (Figura 15.10). A punção e a injeção da solução de anestésico local são feitas fora da ATM.

A técnica descrita por Van Lint se utiliza da infiltração subcutânea próximo às bordas inferior e lateral da órbita para anestesiar os ramos terminais temporais do nervo facial. O volume anestésico é de aproximadamente 5 mL (Figura 15.11).

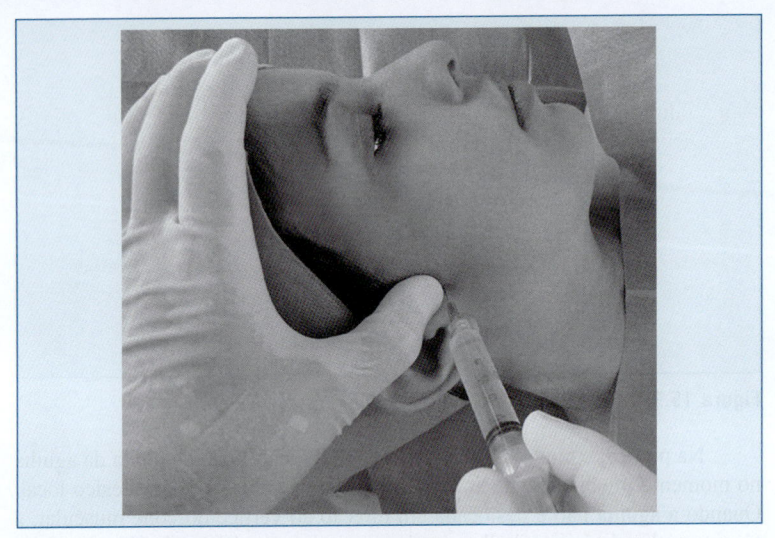

Figura 15.10 – *Ponto de punção para a realização da técnica de O'Brien.*

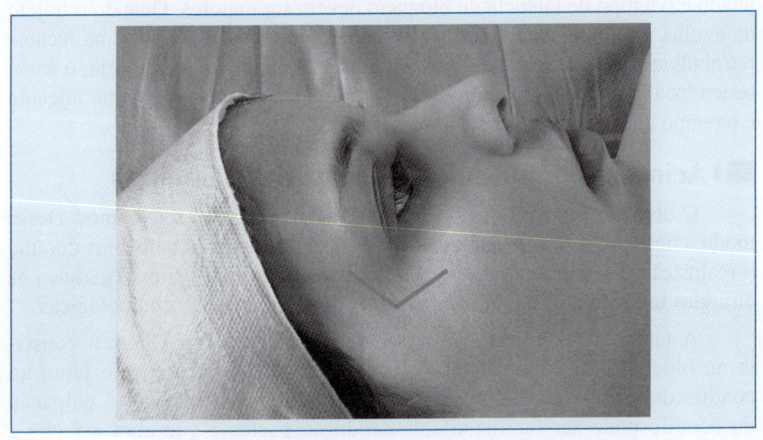

Figura 15.11 – *Linhas para infiltração da solução da solução de anestésico local na técnica de Van Lint.*

■❚ Sedação para a realização dos bloqueios

A sedação deve levar em conta que a maioria dos procedimentos oftalmológicos é realizada em regime ambulatorial, por isso deve ser leve. O objetivo é que o paciente permaneça calmo, colaborativo e responsivo durante a realização do bloqueio e durante a cirurgia. Outro fato importante é que, durante a cirurgia, o anestesiologista não tem controle da via aérea, por isso se faz o uso de fármacos que mantenham o paciente ainda com reflexos protetores das vias aéreas presente e com fluxo aéreo livre. A associação de midazolam e fentanil ou alfentanil é muito útil e segura, desde que utilizada com cautela. É recomendada a diluição de 50 mcg de fentanil com 5 mg de midazolam em 5 mL. A seguir, pode-se fazer a titulação da dose-resposta à sedação pela administração, por via venosa, desta solução de modo lento e individualizado.

■■) Soluções de anestésico local e adjuvantes

A solução mais utilizada é composta meio a meio por lidocaína 2% e bupivacaína 0,5 ou 0,75%, geralmente associada à adrenalina (1:200.000). A ropivacaína 0,75 ou 1% também pode ser utilizada.

A utilização da hialuronidase adicionada à solução de anestésico local é fundamental. A hialuronidase facilita a difusão dos anestésicos no espaço retrobulbar onde há gordura. A hialuronidase atua como um solvente e possibilita a utilização do volume adequado nos bloqueios. A concentração de hialuronidase na solução de anestésico local é de 20 a 50 UI.mL^{-1}. Além disso, reduz o tempo de latência e a proptose, resultante no volume injetado atrás do globo ocular. Importante lembrar que o uso de vasoconstritores associados aos anestésicos não é recomendado em pacientes com doenças hematológicas ou vasculares já que pode contribuir para redução da pressão de perfusão ocular.

■■ ANESTESIA GERAL EM OFTALMOLOGIA

A anestesia geral pode ser utilizada em cirurgias oftalmológicas tanto intraoculares como extraoculares. Para facilitar a discussão do assunto, vamos separar esses dois eventos.

As cirurgias intraoculares permitem que várias técnicas de anestesia geral sejam utilizadas. A escolha depende do estado físico do paciente, da duração da cirurgia, dos equipamentos disponíveis, do regime do procedimento (paciente internado ou em regime ambulatorial) e da experiência do anestesiologista

Diversos fármacos podem ser utilizados em qualquer anestesia geral. Desta maneira, vamos separar alguns aspectos importantes em relação a alguns fármacos e situações específicas da cirurgia oftalmológicas a serem discutidos.

■■) Pressão intraocular

Com relação à PIO, a succinilcolina é o fármaco que deve ser utilizado com mais cuidado. Ela aumenta a pressão intraocular, porém sempre é utilizada em situações de emergência em que a intubação orotraqueal é necessária. A intubação traqueal aumenta muito mais a PIO do que propriamente a succinilcolina. É importante ficar claro que, nas situações de emergência, a elevação da PIO tem, pelo menos, duas causas evidentes: utilização de succinilcolina e a manobra de intubação traqueal. Seu uso não está contraindicado, apenas deve ser feito tomando medidas preventivas como colocar o paciente em cefaloaclive, utilização de benzodiazepínicos e opioides em doses adequadas e intubação suave, se possível.

De fato, nas cirurgias em que o globo ocular não está íntegro e o paciente apresenta-se de estômago vazio, a succinilcolina deve ser evitada porque pode levar à extrusão do conteúdo ocular. Nesse caso, a melhor escolha é por um fármaco bloqueador neuromuscular adespolarizante.

Contudo, no paciente que se encontra com o globo ocular íntegro, a succinilcolina pode ser utilizada já que seu efeito de elevação da PIO não traz prejuízo e seu efeito clínico é de, aproximadamente, 6 minutos. Desta maneira, até a cirurgia ser iniciada a pressão ocular já terá retornado aos valores iniciais.

Nas situações em que há necessidade de intubação orotraqueal, é importante ressaltar que a indução da anestesia geral deve ser realizada com doses adequadas ou até um pouco maiores do que as habituais. O objetivo é que haja diminuição do efeito nociceptivo relacionado à manobra de laringoscopia intubação orotraqueal. A lidocaína, na dose de 1 a 2mg.kg^{-1} por via venosa, é um fármaco que está bem indicada nessa situação porque ajuda a diminuir o reflexo de tosse e, desse modo, diminui o risco de aumento da pressão intraocular.

■❯ Tempo cirúrgico

Nas cirurgias vitreorretinianas, que são procedimentos mais longos, a anestesia geral é, muitas vezes, necessária. O tempo cirúrgico prolongado incomoda o paciente. É necessário que o paciente permaneça na mesma posição durante o procedimento. Desse modo, em alguns pacientes, pode ser necessária a anestesia geral para que o paciente se mantenha imóvel. Isso é comum em pacientes que tem doenças como autismo, doença de Parkinson, pacientes com alterações do comportamento como esquizofrenia ou outros distúrbios.

É importante lembrar que, nos procedimentos realizados sob anestesia geral, há maior incidência de ROC e de náuseas e vômitos. Portanto, é válido que, quando se optar pela anestesia geral, associe-se o bloqueio locorregional para diminuir esses efeitos adversos.

■❯ Injeção intraocular de gás

No final de algumas cirurgias de retina, o cirurgião pode injetar gás na cavidade vítrea para manter a retina em posição. Esse gás, pouco difusível, exerce uma pressão constante na câmara posterior do globo ocular, durante um certo tempo. O tipo do gás injetado é que define a quantidade de tempo que permanecerá dentro do globo ocular. Os mais utilizados são o hexafluoreto de enxofre ou o perfluorocarbono, com duração média de pelo menos 14 a 20 dias. Na anestesia geral inalatória, é comum o uso de óxido nitroso. O óxido nitroso, que é um gás muito difusível, se não for interrompido pelo menos 15 minutos antes da injeção de gás pelo cirurgião, pode levar a um aumento do tamanho da bolha de gás e, consequentemente, aumenta a PIO. Quando termina a anestesia, a saída do óxido nitroso de dentro da bolha gasosa pode reduzir seu tamanho, reduzir a pressão sobre a retina e comprometer o resultado cirúrgico. O mesmo cuidado deve ser tomado em caso de reoperações em curto espaço de tempo, em que ainda há bolha gasosa na câmara posterior do olho. Nessa situação, a administração de óxido nitroso pode aumentar o tamanho da bolha e a pressão sobre a retina. Para evitar esses possíveis eventos adversos relacionados ao uso de óxido nitroso nas cirurgias retinianas, a solução é um ótimo entrosamento com a equipe cirúrgica. É muito importante que o anestesiologista seja avisado sobre o momento em que o gás será utilizado, ou caso o paciente tenha sido operado recentemente.

■❱ Cirurgias extraoculares

A cirurgia para correção do estrabismo é comumente realizada sob anestesia geral e apresenta algumas peculiaridades a serem discutidas. Nela podem ocorrer reflexo oculocardíaco, dor, náuseas, vômitos e risco de hipertermia maligna.

Nesses pacientes, deve-se realizar uma avaliação mais criteriosa para hipertermia maligna. Existe a comprovação de que pacientes que apresentam espasmo do músculo masseter após uso de succinilcolina têm risco maior de evoluir com quadro de hipertermia maligna. Como os pacientes portadores de estrabismo têm maior chance de apresentar espasmo do músculo masseter após uso de succinilcolina, eles têm, consequentemente, uma maior chance de evoluírem com quadro de hipertermia maligna.

Para a prevenção do reflexo oculocardíaco, dor, náuseas e vômitos é importante a associação de uma anestesia locorregional para diminuir a incidência desses efeitos durante e após a cirurgia. Com relação especificamente a náuseas e vômitos pós-operatórios, o uso de inibidores competitivos do receptor da serotonina (5-Ht_3), como a ondansetrona, associados ou não ao droperidol ou dexametasona, diminui significativamente a incidência desses efeitos colaterais.

■❱ Cirurgias anexas ao globo ocular

Nesse grupo, temos cirurgias da pálpebra, da órbita e do sistema de drenagem do canal lacrimal. Como já dito, o reflexo oculocardíaco sempre pode ocorrer, uma vez que o globo ocular pode ser comprimido inadvertidamente. No caso das cirurgias do sobre o canal lacrimal, é importante lembrar que o sangramento atrapalha bastante o campo operatório. Por isso, hipotensão arterial, muitas vezes, ajuda a técnica operatória e, consequentemente, reduz o tempo cirúrgico. O sangue pode escoar pela rinofaringe e descer para o estômago ou pulmão. Por causa disso, é importante o uso de tubo traqueal com balonete para proteger a via aérea e a colocação de um tampão com gaze úmida no cavum para impedir que o sangue vá para o estômago.

■❱ Procedimentos diagnósticos

A maioria dos procedimentos diagnósticos em oftalmologia pode ser realizados apenas com o uso de anestesia inalatória. O sevoflurano é o anestésico de escolha para esses procedimentos realizados em crianças. É o fármaco inalatório de escolha por ser mais seguro, menos arritmogênico, indução e recuperação suaves e cheiro menos irritativo para as vias aéreas.

Alguns procedimentos como a tonometria e sondagem do canal lacrimal merecem alguns cuidados. A tonometria é utilizada no diagnóstico e acompanhamento do glaucoma. Quando realizada sob anestesia inalatória deve ser feita em plano superficial e sempre com o mesmo anestésico, uma vez que anestesia inalatória muito profunda pode interferir nos valores da pressão intraocular e, desse modo, alterar o resultado do exame. Uma alternativa para esses procedimentos é o uso de cetamina; seu inconveniente são as possibilidades de alucinações e nistagmo.

Na anestesia para sondagem do canal lacrimal, o que demanda atenção é a solução utilizada para avaliação da viabilidade do canal. Essa solução pode atingir a laringe, provocar laringoespasmo ou até mesmo ser aspirada para os pulmões. Para evitar essas complicações, no momento da injeção da solução coloca-se um fluxo de oxigênio na narina contralateral de 3 a 10 L/min e fecha-se a boca da criança. Parte desse fluxo sairá pela narina ipsilateral levando a solução para fora, o que evita as complicações.

■❯ Emergência em oftalmologia

A principal preocupação do anestesiologista no paciente de estômago cheio, que se apresenta para uma cirurgia de emergência, é a regurgitação do conteúdo gástrico e a possível broncoaspiração. Nesta situação, deve-se optar por uma das três técnicas para intubar o paciente com estômago cheio: intubação com paciente acordado; intubação após uso de succinilcolina; intubação após uso de bloqueador adespolarizante.

No caso da emergência oftalmológica, o paciente, além de estar de estômago cheio, pode apresentar uma lesão perfurante do globo ocular. Como já foi visto neste capítulo, a tosse, a laringoscopia e a intubação podem levar a um aumento da pressão intraocular, com consequente extravasamento do conteúdo ocular no caso de lesões penetrantes ou contusas da esclera. Dessa maneira, a hipótese de intubação traqueal com o paciente acordado está praticamente descartada, pois acarreta um risco muito grande de o paciente apresentar os eventos que predispõem ao aumento da pressão intraocular.

A succinilcolina tem como uma das principais indicações proporcionar ótimas condições para a intubação traqueal em paciente com estômago cheio, porém como já foi discutido, seu uso ocasiona um aumento transitório da pressão intraocular. Uma opção para o uso de succinilcolina seria a utilização de fármacos que possam minimizar os efeitos da succinilcolina e laringoscopia sob a PIO (midazolam, fentanil, lidocaína e bloqueadores adespolarizantes para diminuir as fasciculações), no entanto, nenhum desses fármacos se mostrou totalmente eficaz em diminuir a chance dessa complicação.

A terceira opção, atualmente, é a melhor escolha para esses casos. O uso de bloqueadores adespolarizantes em doses que diminuam sua latência (doses para indução em sequência rápida) se mostra uma boa técnica para essa situação. É necessária uma indução mais "generosa" para evitar reflexos de tosse sob laringoscopia, uma vez que não estão presentes as mesmas condições de relaxamento muscular que a succinilcolina proporciona. Devem ser utilizados 3 a 4 $DE_{95\%}$ para que haja boas condições de intubação com curta latência. Importante lembrar que em pacientes com possível via aérea difícil, essa técnica demanda maior atenção uma vez que esse bloqueio é longo e duradouro, ao contrário do que acontece com a succinilcolina.

O uso de anestesia regional para essa situação está indicado para pacientes considerados de alto risco para anestesia geral. Alguns estudos recentes demonstram que não foram encontradas complicações intra ou perioperatórias relacionadas à escolha da técnica anestésica, podendo, assim, o bloqueio regional ser uma alternativa plausível para essa situação.

É preciso avaliar muito bem cada paciente e cada caso especificamente e, desse modo, optar pela melhor opção de técnica anestésica de modo individualizado.

COMPLICAÇÕES

Hemorragia

Decorre da punção inadvertida de um vaso sanguíneo dentro da orbita. Está relacionada à vascularização no local da punção, ao tamanho da agulha utilizada, pacientes portadores de coagulopatias ou em uso de anticoagulantes ou antiagregantes plaquetários. A punção acidental de uma veia pode levar a um hematoma. A leve compressão local com gaze sobre o olho fechado interrompe o sangramento e evite a elevação da PIO, permitindo a realização da cirurgia. Já a punção arterial exige mais cuidado porque, além de obrigar o adiamento da cirurgia, pode levar a um hematoma compressivo e interromper o fluxo sanguíneo retiniano (hematoma retrobulbar). É, sem dúvida, uma complicação grave e que pode levar à perda da visão por causa do estiramento do nervo óptico. Nessa situação, é necessário diminuir a PIO realizando-se uma paracentese ou a cantotomia na borda inferolateral da órbita, para aliviar a pressão e reestabelecer o fluxo retiniano.

Reações tóxicas ao anestésico local

A injeção intravenosa acidental pode produzir reações tóxicas. No entanto, é uma complicação rara, visto que a dose e o volume utilizado em um bloqueio são relativamente pequenos. O uso de adrenalina na solução pode levar a eventos adversos importantes em pacientes com doença coronariana.

Perfuração do globo ocular

É a complicação mais grave relacionada aos bloqueios, porém tem incidência muito baixa. São mais comuns em pacientes de alto míope, em que o diâmetro anteroposterior do olho é maior e, principalmente, nos pacientes que têm estafiloma equatorial (abaulamento na esclera). Dessa maneira, deve-

-se atentar ao grau de miopia de um paciente antes da realização do bloqueio. Pacientes com cirurgia prévia de descolamento de retina com introflexão da esclera por silicone, também apresentam aumento do diâmetro anteroposterior do olho, sendo necessário maior cuidado durante realização do bloqueio.

Os sinais e sintomas que sugerem uma perfuração ocular são: sensação tátil de ultrapassar resistência; dor à injeção; perda súbita da visão; hipotonia ocular; e hemorragia vítrea.

Fatores de risco para perfuração do globo ocular são: pacientes não cooperativos; inexperiência do profissional; injeções múltiplas; enoftalmia; miopia; presença de estafiloma; e introflexão escleral prévia.

■❱ Diplopia

Entre as causas mais comuns, é possível considerar a lesão muscular direta pela agulha, isquemia e necrose muscular decorrente da injeção do AL na bainha muscular e efeito miotóxico do anestésico local. A diplopia está bastante relacionada à lesão do músculo retoinferior, por isso a mudança do ponto de introdução da agulha para o ponto lateral (A) diminuiu o número de casos dessa complicação.

■❱ Dispersão central do anestésico local

Complicação decorrente da perfuração acidental da bainha do nervo óptico. Assim, a injeção do anestésico alcançaria o SNC levando a problemas como confusão mental, sonolência, tontura, convulsões, perda de consciência, apneia e parada cardíaca.

■❱ Amaurose contralateral transitória

Complicação rara decorrente da injeção do anestésico local na bainha do nervo óptico. Uma vez dentro da bainha, o anestésico local pode progredir até o quiasma óptico levando a um bloqueio do nervo óptico contralateral com consequente amaurose transitória.

■❱ Lesão do nervo óptico

Pode ocorrer diretamente pela agulha durante a punção ou pela injeção do anestésico local dentro da bainha. Como consequência, ocorre compressão da vasa nervorum e isquemia do nervo óptico. Grandes pressões intraorbitárias podem também comprimir a vascularização local e levar à isquemia do nervo.

■❱ Reflexo oculocardíaco

Pode ser desencadeado pela palpação do globo, pelo estímulo mecânico da agulha ou pelo volume de anestésico injetado. Já descrito anteriormente.

■❱ Quemose

Decorre da dispersão anterógrada do anestésico local pelo espaço episcleral (subtetoniano). Nesse espaço, junto à entrada do nervo óptico, o anestésico acaba dissecando o plano subconjuntival e progride produzindo edema subconjuntival na superfície do globo ocular.

■■▶ Equimose

Sangramento conjuntival decorrente de lesão vascular superficial durante introdução da agulha. Normalmente, não traz problemas para a realização da cirurgia.

■■▶ Infecção

Complicação rara, mas se não for realizada técnica correta de limpeza do local de punção, pode ocorrer.

■■▶ Ptose palpebral

Acredita-se que a ptose seja consequência de uma deiscência ou desinserção da aponeurose do músculo elevador da pálpebra. As causas sugeridas para esse problema são a injeção de AL na pálpebra superior, miotoxicidade do AL; compressão ou massagem do globo; utilização de espéculo palpebral; e curativo ocular apertado por tempo prolongado. Importante atentar que essa complicação acontece também em cirurgias com anestesia tópica ou geral, podendo, assim, muitas vezes, não estar relacionada ao bloqueio.

A anestesia em oftalmologia é uma técnica refinada e que requer habilidade, cuidado e bom senso. Deve respeitar, sempre, individualizadas especificidades de cada paciente e não deve menosprezar o procedimento e as técnicas de bloqueio. Apesar de aparentemente simples e fácil, está rodeada de complicações graves e que podem alterar o modo de vida dos pacientes. Por isso, deve ser valorizada como todas as demais técnicas de anestesia.

■ REFERÊNCIAS BIBLIOGRÁFICAS

1. Carneiro HM. Bloqueio Intraconal em Cangiani LM et al. Atlas de técnicas de bloqueios regionais. Rio de Janeiro, Sociedade Brasileira de Anestesiologia,83-96, 2013.
2. Vanetti LF. Bloqueio extraconal em Cangiani LM et al. Atlas de técnicas de bloqueios regionais. Rio de Janeiro, Sociedade Brasileira de Anestesiologia,97-106, 2013.
3. Vanetti LF, Vanetti TK. Anestesia em oftalmologia bloqueios oculares, técnicas indicações e efeitos adversos, em Cangiani LM et al. Tratado de Anestesiologia SAESP, 8 ed., São Paulo: Atheneu, 2017. p. 3131-3148
4. Cangiani LM, et al. Tratado de anestesiologia. Sociedade Paulista de Anestesiologia, 8 ed., São Paulo: Atheneu, 2017.
5. Sobotta J. Atlas de anatomia humana. Rio de Janeiro: Guanabara Koogan, 23 ed., 2013.
6. Cangiani LM. Retrobulbar ou peribulbar: uma questão de nomenclatura? Revista Brasileira de Anestesiologia, 2005.
7. Alhassan MB, Kyari F, Ejere HOD, Peribulbar versus retrobulbar anaesthesia for cataract surgery. Cochrane Database of Systematic Reviews, 2015.

Capítulo 16

Anestesia para Otorrinolaringologia

Pedro Augusto Ramacioti Silva
Jorge Marcio Soranz
Thais Moura Artiolli
Eduardo Toshiyuki Moro
Maria Laura Viliotti Soranz

■ INTRODUÇÃO

Os procedimentos cirúrgicos que envolvem o ouvido, a garganta e o nariz estão entre os mais realizados no mundo. O conhecimento detalhado da anatomia da via aérea e das particularidades associadas a cada tipo de intervenção é fundamental para a condução adequada dos procedimentos, pois as áreas de trabalho do anestesiologista e do cirurgião, muitas vezes, se sobrepõem, exigindo dos profissionais envolvidos adequada integração das condutas. O posicionamento e a movimentação da cabeça, do pescoço e da cânula traqueal durante a cirurgia representam um risco constante de acidentes como a extubação, a desconexão de tubos e o desencadeamento de reflexos autonômicos. O edema das vias aéreas, o sangramento e o acúmulo de secreções aumentam ainda mais a possibilidade de eventos adversos perioperatórios. Outra importante consideração quando se discute esse tema é a elevada frequência de cirurgias realizadas na população infantil, como a adenoidectomia, a amigdalectomia e as cirurgias do ouvido.[1]

O presente capítulo trata dos principais aspectos que envolvem a realização da anestesia para procedimentos otorrinolaringológicos.

■ CIRURGIA DO NARIZ E SEIOS DA FACE

Entre as principais funções do nariz estão o aquecimento, a filtração e a umidificação do ar. Além da porção externa e da cavidade nasal, deve-se considerar a existência dos seios frontal, maxilar, esfenoidal e etmoidal. A presença dos cornetos (superior, médio e inferior) aumenta a superfície interna do nariz, otimizando a sua função. São estruturas altamente vascularizadas e sujeitas ao sangramento e ao edema de sua mucosa como consequência da manipulação durante a cirurgia (Figura 16.1). A inervação sensitiva ocorre basicamente pelo

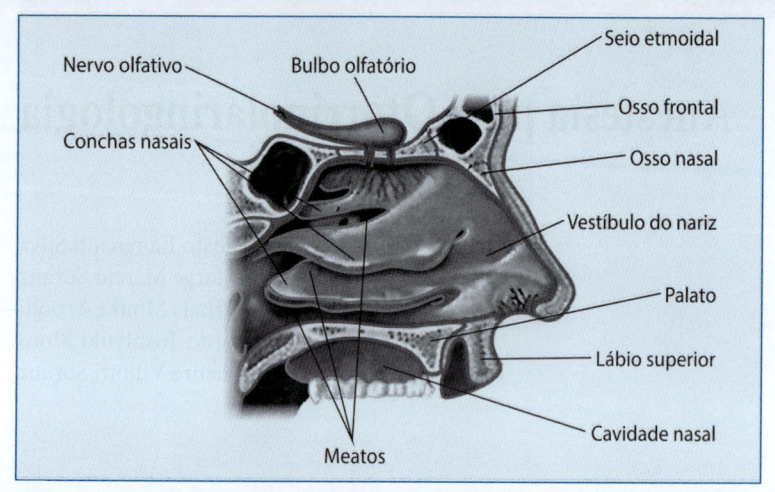

Figura 16.1 – *Corte sagital do nariz e seios da face. Baseado em: Atlas of Human Anatomy, Sixth Edition-Frank H. Netter.*

nervo trigêmeo (V par). A cirurgia nasal pode ser realizada para se obter melhoria estética ou funcional. Por se tratar de procedimentos restritos a pequenos espaços e cavidades, sobretudo em áreas revestidas por mucosa altamente vascularizada, torna-se imperativo o adequado controle do sangramento por meio da aplicação tópica ou infiltrativa de agentes vasoconstritores, pelo emprego de técnicas de hipotensão arterial induzida ou pela administração de antifibrinolíticos como o ácido tranexâmico. A presença do sangue no campo cirúrgico, mesmo que em quantidade muito reduzida, pode comprometer a visualização da área a ser operada com consequente redução da qualidade do resultado da cirurgia. Deve-se considerar que a dimensão do sangramento pode ser mascarada pela migração, via esôfago, para o estômago. A colocação de um tampão na faringe durante a cirurgia pode reduzir a quantidade de sangue acumulado na cavidade gástrica, reduzindo, assim, um dos estímulos para a ocorrência de náuseas e vômitos pós-operatórios. Embora os procedimentos cirúrgicos no nariz possam ser eventualmente realizados sob anestesia tópica, deve-se considerar o risco de aspiração do sangue, das secreções e de corpos estranhos provenientes do campo cirúrgico, especialmente nos pacientes sedados. Daí a necessidade da anestesia geral associada à intubação traqueal na maior parte dos casos em que se manipulam a cavidade nasal e os seios da face.

Adrenalina

Uma das formas mais utilizadas para reduzir o sangramento no campo cirúrgico durante a realização de cirurgias nasais é a infiltração da mucosa com adrenalina, associada ou não ao anestésico local. Em alguns casos, a absorção sistêmica é seguida por alterações hemodinâmicas que podem variar desde hipotensão arterial[2] até taquicardia, hipertensão arterial e arritmias, especialmente quando a concentração empregada ultrapassa 1:200.000.[3,4] Em pacientes susceptíveis, como os portadores de coronariopatia ou de outras arteriopatias, as consequências dessas oscilações hemodinâmicas podem ser graves e ameaçadoras. Em estudo recente, Bhatia et al.[5] observaram que a adrenalina na concentração de 1:400.000 associada à lidocaína 2% é capaz de produzir menor incidência de alterações hemodinâmicas quando comparada à mesma solução, mas com concentração maior (1:200.000). Segundo os autores, as condições cirúrgicas foram as mesmas entre os grupos. Uma alternativa à infiltração da mucosa é a aplicação tópica da adrenalina. A utilização de solução 1:1.000 é capaz de produzir efeito vascular acentuado na mucosa nasal, mas com efeitos hemodinâmicos reduzidos.[6]

■■❱ Hipotensão arterial induzida

Uma das técnicas cirúrgicas mais consagradas e difundidas é a FESS (*functional endoscopic sinus surgery*). Sua introdução ocorreu após o desenvolvimento de óticas e fibras que passaram a permitir a adequada iluminação e a ampliação da imagem associada à boa definição, o que possibilitou a dissecção cirúrgica em espaços antes considerados de difícil acesso. No entanto, os benefícios proporcionados pela técnica podem ser anulados pela perda da visibilidade decorrente do sangramento excessivo.[7,8] A utilização da hipotensão arterial induzida de forma intencional é capaz de reduzir a perda sanguínea a partir da mucosa, permitindo melhor visualização do campo cirúrgico. Trata-se de uma técnica utilizada há décadas em procedimentos em que se procura minimizar a perda sanguínea perioperatória. Pode ser definida como a redução de 30% da pressão arterial média (PAM) pré-operatória, a pressão arterial sistólica de 80 a 90 mmHg ou a PAM igual a 50 a 65 mmHg.[9] Diversas técnicas foram descritas para esse fim: administração do sulfato de magnésio;[10] do nitroprussiato de sódio;[11] da nitroglicerina;[12] de agentes antagonistas beta-adrenérgicos como o esmolol;[13] da dexmedetomidina[14,15] ou mesmo com o emprego de concentrações elevadas de anestésicos inalatórios.[16] Segundo metanálise recente, a utilização do propofol como objetivo de induzir a hipotensão arterial perioperatória parece melhorar a visualização do campo cirúrgico em pacientes submetidos ao FESS, mas o efeito é limitado. Além disso, esse hipnótico não foi capaz de reduzir o volume do sangramento durante a cirurgia.[17] É importante considerar que os órgãos nobres como o coração, o rim e o cérebro apresentam níveis críticos de pressão de perfusão abaixo dos quais há risco de isquemia e, que para alguns indivíduos, a tolerância para a redução da pressão arterial é menor. Portanto, nem todos os pacientes podem ser considerados candidatos a essa técnica.

■❱ Agentes antifibrinolíticos

Há evidências crescentes de que a administração de agentes antifibrinolíticos é capaz de reduzir o sangramento perioperatório e a necessidade de transfusão, sem causar maiores efeitos colaterais.[18] Entre os agentes comumente indicados, há maior evidência a favor da utilização do ácido tranexâmico em comparação ao ácido épsilon aminocaproico.[19] Quando se considera a realização de procedimentos endoscópicos como o FESS, a administração de 10 mg.kg^{-1} de ácido tranexâmico é capaz de melhorar a visualização do campo cirúrgico por reduzir significativamente o sangramento.[20,21] Com relação à dose empregada, Abbasi et al. compararam a utilização de ácido tranexâmico 5 mg.kg^{-1} ou 15 mg.kg^{-1} e observaram que, nos pacientes que receberam a maior dose, a qualidade visual do campo cirúrgico foi melhor, o nível de satisfação do cirurgião foi mais elevado e a duração da cirurgia menor.[22]

◼ CIRURGIA DO OUVIDO MÉDIO

O ouvido médio é um espaço preenchido por ar e conectado à nasofaringe pela trompa de Eustáquio. Situa-se bilateralmente próximo ao lobo temporal, cerebelo, bulbo jugular e o labirinto. No ouvido médio, há três ossículos (martelo, bigorna e estribo) que convertem as vibrações do tímpano em ondas de pressão transmitidas à janela oval que é capaz de ampliar as ondas sonoras antes de serem deslocadas para o ouvido interno (cóclea e aparato vestibular). Na cóclea, que se assemelha a uma concha preenchida por líquido, as ondas sonoras são transformadas em impulsos elétricos e enviadas ao cérebro. O sistema vestibular é um importante componente do ouvido interno e é responsável pelo equilíbrio. O nervo facial, responsável pela inervação motora dos músculos da face, atravessa o interior do ouvido médio antes de sair da cavidade craniana por meio do forâmen estilomastoideo (Figura 16.2).

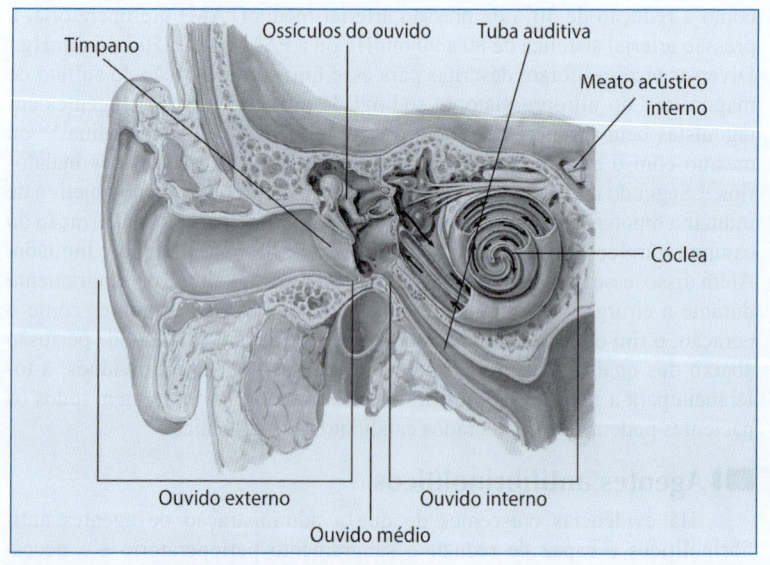

Figura 16.2 – *Anatomia do ouvido externo, médio e interno. Baseado em: Atlas of Human Anatomy, Sixth Edition- Frank H. Netter.*

As cirurgias do ouvido médio são realizadas para o tratamento de doenças que afetam pacientes de todas as faixas etárias. Incluem a timpanoplastia, a mastoidectomia, a estapedectomia, o implante de microtubo para ventilação e o implante coclear, entre outros procedimentos. Considerando o espaço restrito onde a cirurgia é realizada, qualquer sangramento pode comprometer a visualização do campo operatório, o que exige do anestesiologista, sempre que possível, o emprego de técnicas de hipotensão arterial induzida. Além disso, deve-se dedicar atenção especial à posição da cabeça para que não ocorra obstrução à drenagem venosa e congestão e, consequentemente, maior sangramento perioperatório. A rotação excessiva do pescoço associada à hiperextensão pode causar lesão do plexo braquial. A manipulação do pescoço durante o posicionamento da cabeça em pacientes portadores de ateroscleros-se da artéria carótida pode comprometer o fluxo sanguíneo cerebral e o deslocamento de uma placa de ateroma pode ter como consequência a isquemia cerebral perioperatória.[23] A possibilidade de lesão do nervo facial durante a realização de algumas cirurgias do ouvido médio exigem a monitorização eletroneuromiográfica desse nervo durante o período perioperatório. Nesses casos, evita-se a utilização do bloqueador neuromuscular e da anestesia inalatória. A anestesia venosa total com o propofol associado a algum opioide tem sido aceita como a melhor forma de garantir menor interferência à monitorização.[24] A anestesia profunda garantirá a ausência de qualquer movimento que poderia comprometer o resultado cirúrgico.[25] Os efeitos do óxido nitroso no ouvido médio ainda é motivo de controvérsias. O volume do ouvido médio pode variar de acordo com o tamanho da cavidade timpânica, da tuba auditiva e da mastoide, extensão posterior e aerada do ouvido médio. Durante a utilização do óxido nitroso, o volume desse gás que entra na cavidade timpânica é 30 vezes maior do que a quantidade de nitrogênio que sai, o que poderia elevar a pressão no interior do ouvido médio. A amplitude da variação pressórica varia de acordo com a capacidade de absorção da mucosa local e da permeabilidade da tuba auditiva. Supõe-se que, na vigência de inflamação da tuba ou do edema resultante da manipulação cirúrgica, o aumento da pressão no ouvido médio seja ainda maior. Interessante notar que a pressão antes aumentada durante a anestesia se torna negativa após a interrupção da exposição ao óxido nitroso, mas os efeitos dessa observação ainda não estão bem estabelecidos. Durante a realização da timpanoplastia, após a abertura do ouvido médio, ocorre o equilíbrio da pressão com a atmosfera, mas assim que o enxerto é posicionado, a elevação da pressão induzida pela exposição ao óxido nitroso pode deslocar o enxerto. Da mesma forma, após o final da cirurgia, a pressão negativa no ouvido médio criada pela rápida reabsorção do gás também pode causar o mesmo efeito, além de outras complicações como a otite média serosa, desarticulação da cadeia ossicular, hemotímpano, barotrauma, deslocamento de prótese de estapedotomia e lateralização do enxerto nas timpanoplastias.[23,26] Outro motivo para se evitar o emprego do óxido nitroso em cirurgias do ouvido médio é a ocorrência de náusea e do vômito pós-operatório (NVPO). Em pacientes submetidos a esse tipo de cirurgia e que não recebem antieméticos de forma profilática, a incidência de NVPO pode chegar a 80%. A etiologia dessa complicação parece ser multifatorial, incluindo fatores relacionados ao paciente (sexo feminino, ausência de exposição ao cigarro, NVPO em cirurgia prévia, história de cinetose), mas também fatores relacionados à anestesia como a utilização de opioides e a exposição aos anestésicos inalatórios, incluindo o óxido nitroso. Pacientes submetidos à cirurgia do ouvido médio sob anestesia venosa total (propofol e remifentanil) apresentam menor incidência de NVPO e melhores condições cirúrgica do que aqueles anestesiados com isoflurano.[27,28] Felizmente, esse risco pode ser praticamente anulado pela administração profilática de agentes antieméticos como a dexametasona e/ou ondasetrona.[29]

▬ AMIGDALECTOMIA

A amigdalectomia associada ou não à adenoidectomia é uma das cirurgias mais frequentemente realizadas em crianças. As amígdalas e a adenoide fazem parte do anel linfático de Waldeyer. Trata-se de um conjunto de aglomerados de tecido linfoide localizado na cavidade oral. Surgem após o 2º ano de vida e costumam atingir seu maior tamanho entre os 4 e os 7 anos de idade para depois regredir. Podem ser a origem de infecções recorrentes, otites e obstrução respiratória e causar alterações da capacidade auditiva. Em muitos desses casos, a extração cirúrgica está indicada. A elevada incidência de eventos perioperatórios relacionados a esse tipo de procedimento torna necessária uma discussão mais detalhada sobre o que o anestesiologista deve saber sobre o assunto. Recentemente, a Academia Americana de Otorrinolaringologia e Cirurgia da Cabeça e Pescoço elaborou um questionário para distribuir entre seus membros com o objetivo de buscar relatos de morte ou da ocorrência de encefalopatia hipóxica como decorrência da realização de amigdalectomia associada ou não à adenoidectomia. Foram descritas 51 mortes e 4 encefalopatias, sendo que 71% dos casos envolveram crianças. As causas mais citadas foram aquelas relacionadas à anestesia e à hemorragia perioperatória. Estimativas sobre a mortalidade pós-amigdalectomia nos Estados Unidos e na Inglaterra descrevem taxas que variam de 1:10.000 a 1:28.000.[30] Uma atenção especial deve ser dedicada para a possível presença da apneia obstrutiva do sono (AOS). Os sintomas mais comuns são o ronco, apneia noturna, sono agitado e sonolência durante o dia. As crianças portadoras de AOS apresentam maior incidência de complicações perioperatórias e algumas delas apresentam indicação de cuidados de terapia intensiva no período pós-operatório. A incidência de eventos respiratórios no período pós-operatório em pacientes pediátricos portadores de AOS varia de 16 a 27%, ao passo que, entre as crianças que não apresentam essa enfermidade, a taxa não ultrapassa 1%.[31] Há maior risco de ocorrência de hipoxemia, laringoespasmo e obstrução da via aérea durante a indução da anestesia nessa população.[32] Uma característica importante a ser considerada nas cirurgias realizadas na região da faringe é a sobreposição das áreas de trabalho do cirurgião e do anestesiologista. Nesses casos, é imperativa a proteção da via aérea da presença do sangue, secreções e material sólido proveniente da manipulação cirúrgica. A técnica utilizada não deve comprometer a visualização do campo cirúrgico. Atualmente, a ventilação dos pacientes submetidos à amigdalectomia, com ou sem adenoidectomia, é realizada por meio da intubação traqueal ou da máscara laringe (ML) de segunda geração. Ambas apresentam vantagens e desvantagens.[33] O emprego da ML dispensa a administração de bloqueadores neuromusculares, de elevadas doses de opioide e da laringoscopia. Por ser um instrumento supraglótico, envolve menor manipulação das cordas vocais, reduzindo a incidência de reflexos autonômicos, tosse, laringoespasmo, broncoespasmo, rouquidão, dor e episódios de hipoxemia. Entre as desvantagens, podem-se incluir a menor exposição visual do campo cirúrgico e a reduzida capacidade de proteção da via aérea quando comparada à intubação traqueal, a ocorrência de vazamentos de ar e a dificuldade ventilatória quando a ML não se encontra bem adaptada. Por outro lado, a intubação traqueal proporciona maior proteção da via aérea e permite boa visualização do campo cirúrgico.[1] Um dos temas mais controversos em anestesia pediátrica é a realização da anestesia em vigência de infecção das vias aéreas superiores (IVAS). Durante muitos anos, a conduta adota era suspender todas as cirurgias quando a criança apresentasse qualquer sinal de IVAS. A explicação seria a maior incidência de complicações respiratórias perioperatórias nessa população. Em um estudo que incluiu mais de 20 mil crianças, a incidência de complicações respiratórias perioperatórias foi 2 a 7 vezes maior no grupo de pacientes que apresentavam sintomas sugestivos de IVAS no momento da cirurgia e 11 vezes se a traqueia dessas crianças fosse intubada.[34] Tipicamente, na população pediátrica ocorrem 6 a 8 episódios de IVAS ao ano, sendo a maior parte deles causada por vírus. Considerando que a resolução do processo inflamatório das vias aéreas pode levar até 6 semanas, restariam poucos momentos para a realização da cirurgia.[35] Nos últimos anos, parece ter surgido um consenso de que a morbidade perioperatória não aumenta quando crianças que apresentam secreções nasais hialina, sem febre e com bom estado geral são anestesiadas. Entretanto, para as crianças que apresentam T °C > 38°, tosse produtiva, secreções mucopurulentas, letargia e sinais de envolvimento pulmonar, a cirurgia deve ser postergada por 4 semanas.[35] Outro ponto controverso diz respeito ao momento da extubação. Alguns acreditam que o melhor momento seria quando a criança estivesse acordada e com os reflexos protetores das vias aéreas preservados. Outros preferem a extubação com a criança ainda anestesiada e em ventilação espontânea, momento em que a possibilidade de eventos como o laringoespasmo e a agitação seria menor. Recentemente, um estudo comparou a incidência de complicações respiratórias em crianças submetidas à adenoamigdalectomia e extubadas em plano profundo ou acordadas. Os autores não observaram diferenças significativas entre as incidências apresentadas pelos dois grupos. A escolha, portanto, deve se basear na experiência de cada profissional com determinada técnica, nas características da criança e da cirurgia.[36] A analgesia pós-operatória deve ser realizada com a administração de agentes anti-inflamatórios não hormonais como a dipirona ou paracetamol associada a algum opioide como a morfina, o tramadol ou a nalbufina. A administração de 0,1 a 0,5 mg.kg⁻¹ de dexametasona reduz a necessária de doses maiores de opioides.[1] Náuseas e vômitos são eventos comuns em crianças submetidas à amigdalectomia e a prevenção é necessária. Deve-se evitar o emprego do óxido nitroso. A administração de ondansetrona (0,1 mg.kg⁻¹) associada à dexametasona é capaz de reduzir de forma significativa a incidência dessa complicação.[1]

APNEIA OBSTRUTIVA DO SONO

Acredita-se que a AOS acometa 24% dos homens e 9% das mulheres na população geral.[37] No entanto, a maior parte desses indivíduos ainda não foi diagnosticada.[38] A apneia do sono é definida como a ocorrência de períodos de apneia ou de redução significativa do fluxo de ar inspirado por mais de 10 segundos, o que resulta em redução da SpO_2 e despertar frequente. O resultado disso é o sono de má qualidade, redução da concentração, a fadiga e o sono excessivo durante o dia.[39] Pacientes portadores de AOS podem apresentar maior incidência de doenças coronarianas, hipertensão arterial e de acidentes vasculares encefálicos (AVE).[40] Estima-se que a estimativa de vida seja de 58 anos entre os portadores de AOS e de 78 anos para os que não apresentam essa afecção.[41] Nos pacientes com AOS, a probabilidade de dificuldade do manuseio da via aérea (ventilação com máscara facial e intubação traqueal) pode ser até oito vezes maior em comparação à observada entre os demais pacientes.[42,43] Embora não haja evidência consistente sobre a possibilidade de esses pacientes serem mais susceptíveis à hipoxemia induzida por agentes como os opioides e outros sedativos, deve-se empregá-los com cuidado e atenção nessa população.[44] Daí a importância do diagnóstico antes de submeter o paciente à anestesia. Infelizmente, como já descrito, a maior parte dos pacientes que apresentam essa enfermidade desconhece a doença. Recentemente, com o objetivo de predizer de forma relativamente segura a probabilidade de um indivíduo ser portador de AOS, Chung et al.[45] desenvolveram um questionário denominado *STOP-bang* (Tabela 16.1). Pacientes que apresentam três ou mais respostas afirmativas têm elevada probabilidade de apresentarem a AOS. O tratamento inicial costuma ser conservador (mudança de hábitos, emagrecimento, CPAP ou utilização de aparelhos intraorais), mas, para os casos mais severos e sem resposta favorável a esse tratamento, resta a opção cirúrgica como a realização da uvulopalatofaringoplastia (UPFP), da abordagem da maxila, da mandíbula ou do osso hioide e da ressecção da parte posterior da língua . A abordagem cirúrgica mais comum para o tratamento da AOS é a UPFP. Para esses casos, deve-se considerar a eventual dificuldade no manuseio da via aérea, o elevado potencial para a dor pós-operatória e a necessidade de vigilância contínua na sala de recuperação no que diz respeito à possível ocorrência de depressão respiratória. Para aqueles que já utilizavam a pressão positiva contínua nas vias aéreas (CPAP, do inglês *continuous positive airway pressure)* antes da cirurgia, pode ser necessário o seu emprego nas primeiras horas do pós-operatório.

Tabela 16.1
Score de *STOP-bang*

Perguntas	Perguntas	Resposta	Resposta
Roncos	Você ronca alto (mais alto do que quando fala ou alto o suficiente que pode ser ouvido através de portas fechadas?)	Sim	Não
Cansaço	Você costuma se sentir cansado, fatigado ou sonolento durante o dia?	Sim	Não
Observou	Alguém observou que você para de respirar enquanto está dormindo?	Sim	Não
Pressão sanguínea	Você tem ou está em tratamento para pressão alta?	Sim	Não
IMC	IMC maior do que 35 kg/m²?	Sim	Não
Idade	Idade maior que 50 anos?	Sim	Não
Circunferência do pescoço	Circunferência do pescoço maior que 40 cm?	Sim	Não
Sexo	Masculino?	Sim	Não

** Alto risco de apneia do sono se respondeu SIM para três ou mais perguntas; ** Menor risco de apneia do sono se respondeu SIM para menos de três perguntas; IMC: índice de massa corporal.

● CIRURGIA DA LARINGE

■ Laringoscopia direta

Os pacientes submetidos aos procedimentos cirúrgicos na laringe costumam fazer parte de duas categorias. A primeira constituída por pacientes com idade mais avançada e portadores de doenças crônicas respiratórias e cardiovasculares resultantes da exposição prolongada ao álcool e/ou ao cigarro. Esses pacientes costumam apresentar neoplasias e, muitas vezes, alterações da anatomia das vias aéreas induzidas pela radioterapia. A segundo categoria costuma ser formada por crianças que aspiraram algum corpo estranho. A presença do estridor representa estreitamento de, no mínimo, 60% do diâmetro da laringe. Para a realização da laringoscopia direta, é necessário promover adequadas condições para o posicionamento correto do laringoscópio, o que é fundamental para a boa visualização do campo cirúrgico. Isso envolve o bloqueio da resposta simpática, o relaxamento muscular e a paralisia das cordas vocais, geralmente obtida pela administração de opioides e de agentes bloqueadores neuromusculares. Considerando a ocorrência de sangramento, tosse, secreções e alterações funcionais da laringe, deve-se optar pelo emprego de fármacos de rápida metabolização e que permitam a rápida recuperação da consciência e da capacidade de manter a ventilação espontânea.

A ventilação pode ser mantida basicamente de duas formas:

- A mais tradicional é a ventilação com pressão positiva intermitente por meio da utilização de um tubo longo e de calibre reduzido, especialmente desenhado para esse fim. Dessa forma é possível garantir uma proteção adequada da via aérea contra a aspiração. No entanto, ainda que o diâmetro seja menor que o habitual, é comum que até um terço da glote fique encoberto pela presença do tubo, limitando a visualização do campo cirúrgico.

- A ventilação com jatos de Venturi dispensa a utilização do tubo traqueal, o que permite melhor visualização do campo cirúrgico, mas oferece menor proteção da via aérea. Nesse caso, a anestesia deve ser venosa total, pois não há garantia de manutenção de níveis adequados de anestésicos inalatórios. Os jatos de ar são dirigidos à laringe por cânulas estreitas conectadas ao laringoscópio e podem ser controlados manualmente na frequência de 10 a 20 resp/min por meio de um gatilho acoplado a uma fonte de oxigênio ou por equipamentos especializados capazes de enviar jatos de alta frequência (60 a 600 resp/min). Quando mal direcionado, o fluxo de ar sob alta pressão pode causar barotrauma ou insuflação gástrica. [46] Além disso, deve-se considerar que a ventilação por jato pode ser difícil ou mesmo impossível nos pacientes obesos ou com a complacência torácica ou pulmonar reduzida.

■▶ Cirurgia da laringe com o emprego do *laser*

Entre as inúmeras aplicações do *laser*, está a sua utilização na área médica para dissecar tecidos com maior precisão, permitir a coagulação de pequenos vasos e provocar menor resposta inflamatória. Respeitadas as normas de segurança para sua utilização, pode reduzir a morbidade pós-operatória em comparação com as técnicas operatórias convencionais, principalmente em cirurgias da laringe. O *laser*, por meio do uso da fibra óptica, possibilita a realização de microcirurgias precisas, concentrando em uma pequena e precisa área uma alta quantidade de energia. A transferência inadvertida de calor para áreas adjacentes pode ser considerada uma possível desvantagem do uso dessa técnica, daí a recomendação de utilizá-la de forma intermitente e em moderada potência. A mais temida complicação em pacientes submetidos a procedimentos com a utilização de laser sob anestesia geral é o incêndio do tubo traqueal.[47] Essa complicação pode ser evitada com o emprego de frações inspiradas de oxigênio abaixo de 40%, sem a utilização do óxido nitroso que pode sustentar a combustão quando é decomposto originando átomos de oxigênio. Embora o uso de tubos traqueais comuns, revestidos com fita aluminizada seja aceito como proteção contra a combustão no interior da via respiratória, deve-se dar preferência aos tubos traqueais especificamente desenvolvidos para esse fim. São confeccionados a partir de uma espiral de alumínio ou cobre, para evitar que se incendeiem, e, às vezes, são dotados de balonete de espuma autoinflável para evitar a ruptura. [48] Entre os tubos disponíveis, estão o Xomed Laser Shield (Figura 16.3-A), o Bivona Fome-Cuffed (Figura 16.3-B), o Norton (Figura 16.3-C) ou o Malinckrodt Laser Flex (Figura 16.3-D).

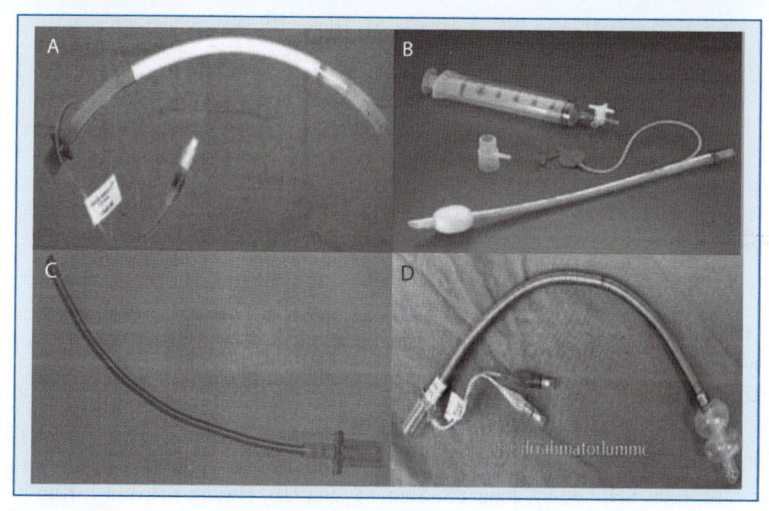

Figura 16.3 – *Opções de tubos para cirurgias a* laser. *a) Xomed Laser Shield; b) Bivona Fome-Cuffed; c) Norton; d) Malinckrodt Laser Flex.*

A combustão do tubo traqueal dentro das vias aéreas é grave e potencialmente fatal. Nesse caso, recomenda-se interromper imediatamente a utilização do *laser*, desconectar o tubo traqueal do circuito ventilatório e extubar o paciente, irrigar a região com solução fisiológica, manter a ventilação sob máscara facial com oxigênio a 100%. Assim que o incêndio for controlado, a traqueia deve ser novamente intubada para que seja realizada uma avaliação dos danos por meio da broncoscopia.[48]

● REFERÊNCIAS BIBLIOGRÁFICAS

1. Ravi R, Howell T. Anaesthesia for paediatric ear, nose, and throat surgery. Contin Educ Anaesth Crit Care Pain 2007. 7: 33-37.
2. Yang JJ, Wang QP, Wang TY, Sun J, Wang ZY, Zuo D, Xu JG. Marked hypotension induced by adrenaline contained in local anesthetic. Laryngoscope 2005. 115: 348-52
3. Cohen-Kerem R, Brown S, Villaseñor LV, Witterick I. Epinephrine/Lidocaine injection vs. Saline during endoscopic sinus surgery. Laryngoscope 2008. 118: 1275-81
4. Yang JJ, Cheng HL, Shang RJ, Shen JC, Shi JX, Wang HD, et al. Hemodynamic changes due to infiltration of the scalp with epinephrine-containing lidocaine solution: a hypotensive episode before craniotomy. J Neurosurg Anesthesiol 2007. 19: 31-7.
5. Bhatia N, Ghai B, Mangal K, Wig J, Mukherjee KK. Effect of intramucosal infiltration of different concentrations of adrenaline on hemodynamics during transsphenoidal surgery. J Anaesthesiol Clin Pharmacol 2014. 30: 520-5.

6. Korkmaz H, Yao WC, Korkmaz M, Bleier BS. Safety and efficacy of concentrated topical epinephrine use in endoscopic endonasal surgery. Int Forum Allergy Rhinol 2015. 5: 1118-23.

7. Tobias JD. Controlled hypotension in children: a critical review of available agents. Paediatric Drugs 2002. 4: 439-53.

8. Degoute CS, Ray MJ, Manchon M, Dubreuil C, Banssillon V. Remifentanil and controlled hypotension; comparison with nitroprusside or esmolol during tympanoplasty. Can J Anaesth. 2001. 48: 20-7.

9. Degoute CS. Controlled hypotension: Guide to drug choice. Drugs 2007; 67: 1053-76.

10. Elsharnouby NM, El Sharnouby MM. Magnesium sulphate as a technique of hypotensive anesthesia. Br J Anaesth. 2006. 96:727-31.

11. Degoute CS, Dubreuil C, Ray MJ, Guitton J, Manchon M, Banssillon V. Effect of posture, hypotension and locally applied vasoconstriction on the middle ear microcirculation in anaesthetized humans. Eur J Appl Physiol Occup Physiol 1994. 69: 414-20.

12. Choi SH, Lee SJ, Jung YS, Shin YS, Jun DB, Hwang KH, Liu J, Kim KJ. Nitroglycerin and nicardipine-induced hypotension does not affect cerebral oxygen saturation and postoperative cognitive function in patients undergoing orthognathic surgery. J Oral Maxillofac Surg 2008; 66: 2104-9.

13. Hanamoto H, Sugimura M, Morimoto Y, Kudo C, Boku A, Niwa H. Small bolus of esmolol effectively prevents sodium nitroprusside-induced reflex tachycardia without adversely affecting blood pressure. J Oral Maxillofac Surg 2012. 70: 1045-51.

14. Jamaliya RH, Chinnachamy R, Maliwad J, Deshmukh VP, Shah BJ, Chadha IA. The efficacy and hemodynamic response to Dexmedetomidine as a hypotensive agent in posterior fixation surgery following traumatic spine injury. J Anaesthesiol Clin Pharmacol 2014. 30: 203-7.

15. Richa F, Yazigi A, Sleilaty G, Yazbeck P. Comparison between dexmedetomidine and remifentanil for controlled hypotension during tympanoplasty. Eur J Anaesthesiol 2008. 25: 369-74.

16. Dal D, Celiker V, Ozer E, Başgül E, Salman MA, Aypar U. Induced hypotension for tympanoplasty: a comparison of desflurane, isoflurane and sevoflurane. Eur J Anaesthesiol 2004. 21: 902-6.

17. Boonmak P, Boonmak S, Laopaiboon M. Deliberate hypotension with propofol under anaesthesia for functional endoscopic sinus surgery (FESS). Cochrane Database Syst Rev 2016. 10:CD006623.

18. Hunt BJ. The current place of tranexamic acid in the management of bleeding. Anaesthesia. 2015 Jan. 70 Suppl 1:50-3

19. Henry DA, Carless PA, Moxey AJ, O'Connell D, Stokes BJ, McClelland B, Laupacis A, Fergusson D. Anti-fibrinolytic use for minimising perioperative allogeneic blood transfusion. Cochrane Database Syst Rev 2007. 17:CD001886.

20. Alimian M, Mohseni M. The effect of intravenous tranexamic acid on blood loss and surgical field quality during endoscopic sinus surgery: a placebo-controlled clinical trial. J Clin Anesth 2011. 23: 611-5

21. Pundir V, Pundir J, Georgalas C, Fokkens WJ. Role of tranexamic acid in endoscopic sinus surgery - a systematic review and meta-analysis. Rhinology 2013. 51: 291-7.

22. Abbasi H, Behdad S, Ayatollahi V, Nazemian N, Mirshamsi P. Comparison of two doses of tranexamic acid on bleeding and surgery site quality during sinus endoscopy surgery. Adv Clin Exp Med 2012. 21: 773-80.

23. Liang S, Irwin MG. Review of anesthesia for middle ear surgery. Anesthesiol Clin 2010. 28: 519-28.

24. Scheufler KM, Zentner J. Total intravenous anesthesia for intraoperative monitoring of the motor pathways: an integral view combining clinical and experimental data. J Neurosurg 2002. 96: 571-9.

25. Sloan TB, Heyer EJ. Anesthesia for intraoperative neurophysiologic monitoring of the spinal cord. J Clin Neurophysiol 2002. 19: 430-43.

26. Sun R, Jia WQ, Zhang P, Yang K, Tian JH, Ma B, Liu Y, Jia RH, Luo XF, Kuriyama A. Nitrous oxide-based techniques versus nitrous oxide-free techniques for general anaesthesia. Cochrane Database Syst Rev 2015. 6; (11):CD008984.

27. Jellish WS, Leonetti JP, Murdoch JR, et al. Propofol-based anesthesia as compared with standard anesthetic techniques for middle ear surgery. J Clin Anesth 1995. 7: 292-6.

28. Jellish WS, Leonetti JP, Fahey K, et al. Comparison of 3 different anesthetic techniques on 24-hour recovery after otologic surgical procedures. Otolaryngol Head Neck Surg 1999. 120: 406-11.

29. Myles PS, Chan MT, Kasza J, Paech MJ, Leslie K, Peyton PJ, Sessler DI, Haller G, Beattie WS, Osborne C, Sneyd JR, Forbes A. Severe Nausea and Vomiting in the Evaluation of Nitrous Oxide in the Gas Mixture for Anesthesia II Trial. Anesthesiology 2016. 124: 1032-40.

30. Goldman JL, Baugh RF, Davies L, Skinner ML, Stachler RJ, Brereton J, Eisenberg LD, Roberson DW, Brenner MJ. Mortality and major morbidity after tonsillectomy: etiologic factors and strategies for prevention. Laryngoscope 2013. 123: 2544-53.

31. Warwick JP, Mason DG. Obstructive sleep apnoea syndrome in children. Anaesthesia 1998; 53: 571-9.

32. Rosen GM, Muckle RP, Mahowald MW, Goding GS, Ullewig C. Postoperative respiratory compromise in children with obstructive sleep apnoea syndrome: can it be anticipated? Pediatrics 1994; 93: 784-8.

33. Sierpina DI, Chaudhary H, Walner DL, Villines D, Schneider K, Lowenthal M, Aronov Y. Laryngeal mask airway versus endotracheal tube in pediatric adenotonsillectomy. Laryngoscope 2012; 122: 429-35.

34. Cohen MM, Cameron CB. Should you cancel the operation when a child has an upper respiratory tract infection? Anesth Analg 1991; 72:282-8.

35. Tait AR, Malviya S. Anesthesia for the child with an upper respiratory tract infection: still a dilemma? Anesth Analg 2005; 100: 59-65.
36. Baijal RG, Bidani SA, Minard CG, Watcha MF. Perioperative respiratory complications following awake and deep extubation in children undergoing adenotonsillectomy. Paediatr Anaesth 2015; 25: 392-9.
37. Kryger MH. Diagnosis and management of sleep apnea syndrome. Clin Cornerstone 2000; 2:39-47.
38. Ancoli-Israel S, Kripke DF, Klauber MR, et al. Sleep-disordered breathing in community-dwelling elderly. Sleep 1991; 14:486-495.
39. Young T, Palta M, Dempsey J, et al. The occurrence of sleep-disordered breathing among middle-aged adults. N Engl J Med 1993; 328:1230-1235.
40. Dincer HE, O'Neill W. Deleterious effects of sleep-disordered breathing on the heart and vascular system. Respiration 2006; 73:124-130.
41. Young T, Finn L. Epidemiological insights into the public health burden of sleep disordered breathing: sex differences in survival among sleep clinic patients. Thorax 1998; 53:S16-S19.
42. Chung F, Elsaid H. Screening for obstructive sleep apnea before surgery: why is it important? Curr Opin Anaesthesiol 2009; 22: 405-11.
43. Kheterpal S, Han R, Tremper KK, Shanks A, Tait AR, O'Reilly M, Ludwig TA. Incidence and predictors of difficult and impossible mask ventilation. Anesthesiology. 2006 Nov;105(5):885-91.
44. Chung S, Yuan H, Chung F. A systemic review of obstructive sleep apnea and its implications for anesthesiologists. Anesth Analg 2008; 107:1543-1563.
45. Chung F, Yegneswaran B, Liao P, et al. STOP questionnaire: a tool to screen patients for obstructive sleep apnea. Anesthesiology 2008; 108:812-821.
46. English J, Norris A, Bedforth N. Anaesthesia for airway surgery. Contin Educ Anaesth Crit Care Pain 2006; 6: 28-31.
47. Yan Y, Olszewski AE, Hoffman MR, et al. Use of Lasers in Laryngeal Surgery. J Voice. 2010; 24: 102-109.
48. Paiva Filho O, Braz JRC. Cirurgia a laser e anestesia. Rev. Bras. Anestesiol 2004; 54: 99-107.

Capítulo 17

Anestesia no Trauma

Lucas Siqueira de Lucena
Olympio de Hollanda Chacon Neto
Rodrigo Viana Quintas Magarão
Maíra Soliani Del Negro
Roseny dos Reis Rodrigues

⬤ CUIDADOS INICIAIS

Em cenários críticos como o de trauma, o anestesiologista enfrenta a necessidade de administrar simultaneamente a via aérea, a ressuscitação, o sangramento ativo, a coagulopatia, a acidemia, a hipotermia e a consequência das lesões de diversos órgãos.

A convergência dessas condições em um único cenário torna morte ou desfecho desfavorável probabilidades reais. O sucesso nessa situação de estresse requer entendimento da fisiopatologia do paciente crítico, expertise em habilidades técnicas e otimização do atendimento. Por essa razão o treinamento da equipe e o preparo sistematizado da sala operatória (Tabela 17.1) são essenciais.

Tabela 17.1	
Preparo da sala cirúrgica no cenário de urgência/emergência	
Temperatura	• > 25 °C até a entrada do paciente; • Dispositivos de aquecimento (aquecedores de fluidos e mantas térmicas); • Aquecer cristaloides para infusão venosa.
Sala cirúrgica	• Sistema de aspiração a vácuo funcionante com cânula de aspiração conectada; • Manômetros de oxigênio e ar comprimido com no mínimo 4Kpa conectados ao aparelho de anestesia; • Fonte auxiliar de O_2 funcionante com bolsa/válvula/máscara acoplados.

Continua

Continuação

Tabela 17.1 Preparo da sala cirúrgica no cenário de urgência/emergência	
Aparelho de anestesia	• Checagem completa; • Válvula *pop-off* na posição aberta; • Vaporizadores desligados e preenchidos.
Material de via aérea	• Máscaras faciais, cânulas oro/nasofaríngeas e sondas orotraqueais de diversos tamanhos; • Dispositivos supraglóticos (se possível dois tipos diferentes); • Fio-guia de intubação, Bougie e sondas trocadoras; • Laringoscópio com lâminas sobressalentes e pinça de Magill.
Monitorização	• Equipamento multiparamétrico funcionante; • Capnógrafo já acoplado ao filtro; • Sistema para monitorização arterial invasiva pronto; • Aparelho de US com probe adequado já preparado.
Drogas	• Soluções de vasopressores, inotrópicos; • Drogas para a indução e manutenção anestésicas.
Banco de sangue	• Verificar se há disponibilidade: (seis concentrados de hemácias O negativo, seis unidades de plasma fresco e cinco-seis unidades de concentrado de plaquetas)

■❱ Mecanismo de trauma

O anestesiologista deve ser capaz de fazer uma imagem mental do acidente, uma maneira intuitiva para que se possa estimar a magnitude da lesão e para que se possa correlacionar com o máximo de complicações e lesões associadas que podem surgir durante o perioperatório.

Para isso, devem-se buscar informações a respeito do mecanismo do trauma com o máximo de detalhamento (garantir comunicação eficiente desde o atendimento pré-hospitalar).

■ MANEJO DAS VIAS AÉREAS NO CENÁRIO DE TRAUMA

A premissa básica é considerar todos os pacientes vítimas de lesão de coluna cervical (até que seja formalmente descartado) e estômago cheio.

• Avaliação: inspeção à procura de corpos estranhos (secreções, dentes, próteses dentárias), palpação em busca de fraturas de face e cervicais, enfisema subcutâneo (trauma de laringe/traqueia) e hematomas cervicais.

• Colar cervical: durante a indução e laringoscopia, até que a via aérea seja assegurada, a porção anterior do colar cervical pode ser removida para facilitar a manipulação. A manobra deve ser realizada por um assistente de modo a minimizar os movimentos da coluna cervical com imobilização contínua manual alinhada.

- A abordagem padrão para garantir uma via aérea definitiva de maneira segura no trauma é a indução em sequência rápida com imobilização manual da coluna cervical seguida de laringoscopia direta e intubação traqueal.

- A pré-oxigenação com O_2 a 100% durante 3 minutos é mandatória, pois aumenta o período seguro de apneia. Em casos extremos, é possível reduzir o período para 1 minuto com oito manobras de ventilação máxima.

- A manobra de Sellick é um tópico polêmico: ela pode ser realizada, no entanto, se houver piora da visibilização laríngea, deve-se abandonar a manobra imediatamente.

- Na eventualidade de falha de intubação, a maneira mais eficaz de resgate ventilatório é utilizar um dispositivo supraglótico (de preferência de segunda geração).

- A via aérea difícil não prevista pode ser manejada de acordo com a "abordagem Vórtex", um algoritmo mais intuitivo, em que são preconizadas apenas três tentativas otimizadas de cada técnica. No caso de falha, caminha-se ao centro do Vórtex, ou seja, à via aérea cirúrgica (cricotireoidostomia). Desta maneira o diagnóstico torna-se precoce, conforme ilustrado na Figura 17.1.

- Diante de um cenário de dificuldade ventilatória associada a hipoxemia e hipotensão, deve ser prontamente suspeita a possibilidade de pneumotórax hipertensivo.

- Se o paciente for admitido em sala operatória intubado previamente, devem ser verificadas a posição da sonda, a integridade do balonete, ausculta bilateral e capnografia, pois o deslocamento é comum no transporte de pacientes críticos.

- Se houver necessidade de troca de sonda orotraqueal, o uso da sonda trocadora é de grande valia, especialmente em casos em que são esperados edema e distorção de vias aéreas precoces (queimados, trauma faciais ou cervicais).

■ CHOQUE

Choque é o estado de falência circulatória que leva ao déficit de perfusão tecidual, ou seja, o desbalanço entre a disponibilidade de oxigênio (DO_2) e o consumo desse (VO_2) nos tecidos/órgãos. O choque possui marcadores clássicos (Tabela 17.2).

Pode ser classificado como:

- Hipodinâmico, em que há queda no débito cardíaco e do transporte de oxigênio (hipovolêmico, cardiogênico e obstrutivo); ou

- Hiperdinâmico, em que há aumento do consumo e extração de oxigênio (séptico, anafilático e neurogênico).

No trauma, o choque hipovolêmico de etiologia hemorrágica é o predominante. A partir da estimativa de sangramento, é possível classificar o choque hemorrágico (Tabela 17.3).

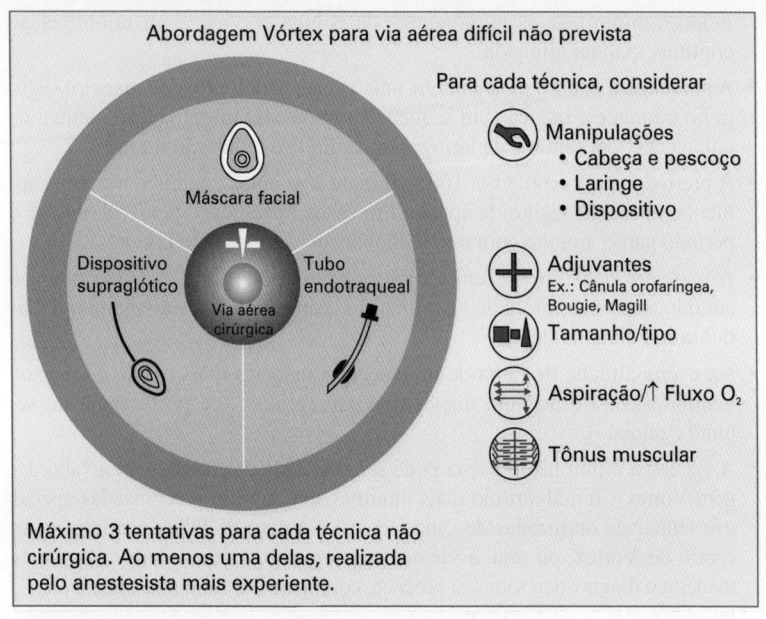

Figura 17.1 – *Abordagem Vórtex para via aérea difícil não prevista. Algoritmo de simples disposição em que são preconizadas apenas três tentativas otimizadas de cada técnica. Os cinco itens na lateral direita da figura representam estratégias para que durante cada tentativa a técnica seja otimizada. No caso de falha, caminha-se ao centro do funil, a via aérea cirúrgica, ou seja, a cricotireoidostomia.*

Tabela 17.2 – Marcadores clássicos do estado de choque	
Hipotensão arterial	• PAS < 90 mmHg ou PAM < 70 mmHg.
Sinais de hipoperfusão tecidual	• Pele: vasoconstricção cutânea, palidez; • Renal: diminuição de débito urinário ou (< 0,5 mL/kg/h); • Neurológico: desorientação e confusão. Obnubilação e coma em estágios mais avançados.
Marcadores de alteração metabólica	• Hiperlactatemia (>1,5 mMol/L) ou déficit de bases < -4 mMol/L.

■❙) Manejo do choque hemorrágico

O objetivo do tratamento é cessar o sangramento, restaurar o volume intravascular e normalizar a perfusão tissular. Quando um paciente está sob suspeita de choque, a evolução diagnóstica deve ocorrer ao mesmo tempo que a ressuscitação.

Tabela 17.3
Classificação de choque segundo o American College of Surgeons

	Classe I	Classe II	Classe III	Classe IV
Perda sanguínea (mL)	Até 750	750-1.500	1.500-2.000	>2.000
Perda sanguínea (% volume sanguíneo)	Até 15%	15-30%	30-40%	> 40%
Frequência de pulso (BPM)	< 100	100-120	120-140	> 140
Pressão arterial	Normal	Normal	Diminuída	Diminuída
Pressão de pulso (mmHg)	Normal ou aumentada	Diminuída	Diminuída	Diminuída
Frequência respiratória	14-20	20-30	30-40	> 35
Diurese (mL/h)	> 30	20-30	5-15	Desprezível
Estado mental - SNC	Levemente ansioso	Moderadamente ansioso	Ansioso, confuso	Confuso, letárgico
Reposição volêmica	Cristaloide	Cristaloide	Cristaloide e sangue	Cristaloide e sangue

• Monitorização: observe a Tabela 17.4.

Tabela 17.4
Monitorização do paciente em choque hemodinâmico

Cardioscopia	Informações de ritmo, FC, isquemia e possíveis distúrbios hidroeletrolíticos.
Oximetria de pulso	Saturação do paciente, FC, ritmo e informações indiretas da volemia.
Capnografia	Em todos os pacientes sob anestesia geral. Informações sobre ventilação, metabolismo e perfusão central dos tecidos (alvo entre 30-38 mmHg).
Sonda vesical	Objetivo entre 0,5-1 mL/kg/h (marcador tardio). Uma sonda de três vias permite monitorização da PIA nos pacientes com trauma abdominal associado (PIA > 12 considerada elevada).
Termômetro	Manutenção da normotermia: previne coagulopatia. Alvo: 34,5-37 °C.

Continua

Continuação

Tabela 17.4
Monitorização do paciente em choque hemodinâmico

Pressão arterial invasiva	Informação em tempo real da PA. Permite coleta de amostras para exames, além de monitorização de resposta volêmica VPP (variação de pressão de pulso/ VVS (variação de volume sistólico. Em pacientes de baixa gravidade, pode-se usar a não invasiva.
BIS	Informações sobre profundidade anestésica, além de indiretamente, hipofluxo cerebral. Alvo: 40-60.
Tromboelastografia (TEG)	Exame dinâmico sobre formação do trombo, servindo de guia para terapia transfusional.

- **Acessos vasculares:** punção de acessos periféricos calibrosos (14G ou 16G) em veias do antebraço ou antecubitais. O calibre 14G é o ideal (fluxo superior a 300 mL/min), porém pode ser difícil em um paciente hipovolêmico. O de 16G permite fluxo de 200 mL/min e já garante o dobro do fluxo do 18G (100 mL/min).
- Se houver impossibilidade, considerar dissecção de veia safena ou acesso venoso central – se disponível, passagem guiada por USG.
- **Terapia guiada por metas:** o manejo do paciente hemodinamicamente instável deve ser específico e guiado. A reposição volêmica deve ser feita de maneira monitorizada, pois tanto o excesso como a escassez de fluidos são muito prejudiciais.
- Por meio da monitorização da resposta volêmica e de marcadores laboratoriais (Tabela 17.5) objetiva-se restaurar a perfusão tecidual global e regional.
- Nos pacientes não responsivos apenas à reposição volêmica ou a hemocomponentes, torna-se necessária administração de drogas vasopressoras e inotrópicas para ajuste da resistência vascular e bomba cardíaca. O uso deve ser realizado de maneira titulada até que haja melhora hemodinâmica. (Tabela 17.6)
- **Choque refratário:** seja qual for a etiologia, múltiplos componentes fisiopatológicos podem culminar no choque refratário, situação em que há necessidade de infusões superiores a 0,5 mcg/kg/min de noradrenalina/adrenalina por > 1h ou doses superiores a 1 mcg/kg/min por qualquer período.
- Preconiza-se o uso de hidrocortisona 50 mg IV 6/6h por até 7 dias com desmame lento.
- Não se utiliza proteína C reativa para o tratamento.

▬ COAGULOPATIA NO TRAUMA

Cerca de um terço dos pacientes com hemorragia pós-traumática apresenta coagulopatia na admissão hospitalar.

Tabela 17.5 Parâmetros desejados no manejo do choque	
PAM	• Pacientes previamente hígidos e sem neurotrauma associado: hipotensão permissiva (PAM 55-60 mmHg) até controle de sangramentos. Nos demais, PAM >70 mmHg; • Variação da Pressão de Pulso (VPP) <13% ou Variação do Volume Sistólico (VVS) <13.
ETCO$_2$	• Manter em faixa normal (35-45 mmHg).
Gasometria arterial seriada	• pH 7,35-7,45; • pO$_2$/FiO$_2$ > 200; • Base Excess (BE) > -4 (BE< -6 marcador de piora da hipoperfusão tecidual); • Bicarbonato sérico entre 23-26 mEq/L (reposição apenas se pH < 7,2 ou bicarbonato sérico < 12 mEq/L). • Lactato arterial ou venoso central < 2 mMol/L* funciona como marcador de gravidade/mortalidade, e sua ↓ indica bom prognóstico.
Gasometria venosa	• SvO$_2$ > 70% (não interpretar isoladamente: hipotermia, sepse e alteração metabólica do trauma ↑ SvO$_2$); • GAPCO$_2$ arterial – venoso < 5 (GAPCO$_2$ > 5 é marcador precoce de hipoperfusão tecidual).
Hb/Ht	• Hemoglobina em 7 mg/dL na maioria, exceto no neurotrauma, com alvo entre 9-10 mg/dL.
pH urinário	• Evitar radomiólise com pH > 6,5. Se fator de risco para a mesma, alcalinizar a urina.

A presença dessa complicação está relacionada a elevado risco de disfunção orgânica e a maior mortalidade.

Hemorragia não controlada é responsável por 30% a 40% da mortalidade precoce no trauma e por mais de 80% da mortalidade na sala de cirurgia, figurando como a principal causa de óbito potencialmente evitável.

Tabela 17.6 Doses de infusão de drogas vasopressoras e inotrópicas no manejo do choque	
Noradrenalina	• Mínimo: 0,02 mcg/kg/min; • Máximo: a depender do contexto clínico (em geral 2 mcg/kg/min); • A partir de 0,5 mcg/kg/min, considerar associação a outra droga.
Dobutamina	• Mínimo: 5 mcg/kg/min; • Máximo: 20 mcg/kg/min.
Adrenalina	• Mínimo: 0,05 mcg/kg/min. • Máximo: -
Vasopressina	• Mínimo: 0,01 UI/min; • Máximo: 0,04 UI/min.

■ Fisiopatologia da coagulopatia no trauma

A coagulopatia do trauma é uma entidade clínica multifatorial. Diversos fatores são potencialmente tratáveis e devem receber atenção especial, entre eles:

- Diluição dos fatores de coagulação e plaquetas: resultado de reposição volêmica vigorosa com cristaloides ou com transfusão de concentrados de hemácias;
- Hipoperfusão tecidual: responsável pelo metabolismo anaeróbio local e desenvolvimento de acidose metabólica (interfere na atividade enzimática e aumenta a geração de proteína C reativa);
- Distúrbios da polimerização do fibrinogênio/fibrina e atividade plaquetária: desencadeada, entre outras causas, por redução nas concentrações de cálcio sérico ionizado;
- Hipocalcemia: o citrato, anticoagulante presente nos hemocomponentes, é um potente quelante do cálcio. Por isso é recomendada a reposição sistemática de cálcio quando houver transfusão sanguínea.
- Hipotermia: afeta a morfologia e a função plaquetárias, além de retardar a atividade enzimática (a função dos fatores de coagulação sofre um prejuízo de 10% a cada queda de 1 °C na temperatura corporal). A temperatura corporal abaixo de 35 °C leva a uma redução no metabolismo dos fatores de coagulação.
- Acidose: um dos fatores mais importantes no desenvolvimento da coagulopatia. Interfere na geração de trombina, fator essencial na ativação dos cofatores, plaquetas e enzimas;
- Coagulação intravascular disseminada: resultado da liberação aguda da tromboplastina tecidual ativada.

■ Manejo da coagulopatia

É essencial um conjunto de medidas para prevenção e tratamento da coagulopatia:

- Detecção precoce do distúrbio específico por meio de dados clínicos e exames que identifiquem em tempo real as alterações presentes (tromboelastometria e tromboelastografia);
- Os exames convencionais como tempo de coagulação (TC), tempo de protombina (TP) e tempo de tromboplastina parcial ativada (TTPA) são insuficientes para detecção e manejo dessa complicação.
- Abordagem cirúrgica para controle de danos;
- Hipotensão permissiva (PAM entre 55 e 60 mmHg) em casos em que não há lesão cerebral traumática até a abordagem cirúrgica como estratégia de redução de sangramento;
- Reanimação hemostática com uso precoce de hemoderivados nos casos de ativação de protocolo de transfusão maciça nos locais em que não haja tecnologia Point-of-Care prontamente disponível;

* Prevenção de hipotermia, acidose e hipocalcemia;
* Uso precoce do ácido tranexâmico (nas 3 primeiras horas).

■❱ Uso do ácido tranexâmico

* O ácido tranexâmico (TXA) é um antifibrinolítico, derivado sintético da lisina que previne a diluição do coágulo;
* Seu uso no trauma foi difundido após a publicação do CRASH-2, estudo clínico multicêntrico, randomizado e controlado incluindo mais de 20 mil pacientes;
* Deve ser usado rotineiramente no tratamento das vítimas de politrauma grave (ISS > 15), adultos, com hemorragias graves;
* O uso do TXA se mostrou efetivo quando iniciado dentro das 3 primeiras horas após o trauma;
* A dose sugerida é de 1 g em bolo em 10 minutos, seguida de 1 g em 8 horas (Grau de recomendação 1A);
* Importante ressaltar que o uso do TXA não aumenta o número de eventos aterotrombóticos segundo o CRASH 2.

■❱ Protocolo de transfusão maciça

* Transfusão maciça pode ser definida como troca de 100% da volemia em 24 horas ou transfusão de 10 concentrados de hemácia ou perda de 50% da volemia em 3 horas ou sangramentos superiores a 150 mL por minuto ou 1,5 mL/kg/min em até 20 minutos;
* O protocolo de transfusão maciça deve ser iniciado no caso de paciente exsanguinado (sangramento quantificado) ou na presença dos escores Shock Index e ABC Score positivos (Tabela 17.7);
* A relação de concentrado de hemácias, plasma fresco congelado e plaquetas pode ser de 1:1:1.

Tabela 17.7 Escores para avaliação da necessidade do uso do Protocolo de Transfusão Maciça (PTM)	
Shock Index	**ABC Score**
Relação FC/PAS **Normal: 0,5-0,7** **Baixo risco: 0,7-0,9** **Alto risco: 0,9-1,3**	• PAS < 90 mmHg: 1 ponto • FC > 120 bpm: 1 ponto • FAST+: 1 ponto • Trauma penetrante: 1 ponto Soma maior ou igual a 3 configura 75% de chance de PTM

Se o ABC Score for maior ou igual a 3 e o Shock Index > 1,2, sugere-se iniciar o protocolo de transfusão maciça PAS (pressão arterial sistólica), FC (frequência cardíaca). Protocolo estabelecido no Hospital das Clínicas da Faculdade de Medicina da Universidade de São Paulo (HCFMUSP).

- Caso o paciente apresente os dois critérios positivos, recomendamos solicitar:
  - quatro concentrados de hemácias, quatro plasmas frescos congelados, seis unidades de plaqueta (ou uma aférese ou uma unidade a cada 10 kg) e seis unidades de crioprecipitado (ou uma unidade a cada 10 kg).
- Caso o paciente não apresente os escores positivos, mas apresente sangramento importante, recomendamos:
  - Considerar a reposição empírica de concentrado de fibrinogênio (dose de 30 a 60 mg/kg) ou Crioprecipitado (uma unidade a cada 10 kg) se tromboelastometria não estiver disponível para monitorização.

■❱ Avaliação da coagulação *point-of-care* (POC)

- A avaliação POC permite, por meio de testes viscoelásticos, analisar a representação gráfica de todas as etapas da coagulação: iniciação, ampliação, estabilização e lise do coágulo, conforme Tabela 17.8 e Figura 17.2.
- Pode ser feita por meio da tromboelastometria clássica (TEG) ou da tromboelastografia rotacional;

Tabela 17.8 Avaliação *point-of-care* da coagulação			
	TEG	*ROTEM*	*Evento*
Tempo de coagulação	R (tempo de reação)	CT (tempo de coagulação).	Formação inicial da fibrina. Período para 2 mm de amplitude.
Cinética do coágulo	K (valor K)	CFT (tempo de formação do coágulo).	Medida da velocidade para alcançar um nível específico de firmeza do coágulo. Em geral, de 2 a 20 mm de amplitude.
	A (ângulo alfa) Inclinação entre R e K	Ângulo alfa; Ângulo na tangente de 2 mm de amplitude.	Medida da taxa de formação do coágulo, reflete a formação e a ligação da fibrina.
Força do coágulo	MA (amplitude máxima)	MCF (firmeza máxima do coágulo).	Representa a força do coágulo (plaquetas e fibrina). Propriedade dinâmica da agregação plaqueta/fibrina via receptores de GPIIb/IIIa.
Estabilidade do coágulo	Ly30 (lise em 30 minutos)	CLI (índice de lise do coágulo).	Medida da razão de redução da amplitude partindo da amplitude máxima. Representação da fibrinólise.

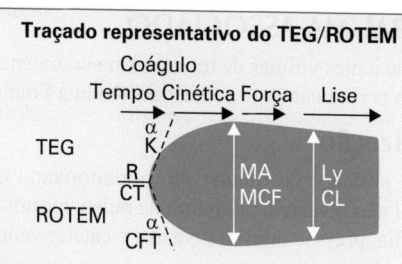

Condições patológicas

R ou CT ↑: Deficiência de fatores da coagulação ou uso de inibidores;
R ou CT curto: Estado de hipercoagulabilidade plasmática;
K ou CFT ↑: Deficiência de fatores, hipo/disfibrinogenemia trombocitopenia ou disfunção plaquetária;
Ângulo alfa ↓: Deficiência de fatores, hipo ou disfibrinogenemia, trombocitopenia ou disfunção plaquetária;
MA ou MCF ↓: Deficiência de fator XIII, hipo ou disfibrinogenemia, trombocitopenia ou disfunção plaquetária;
CL ou LY ↑: Hiperfibrinólise.

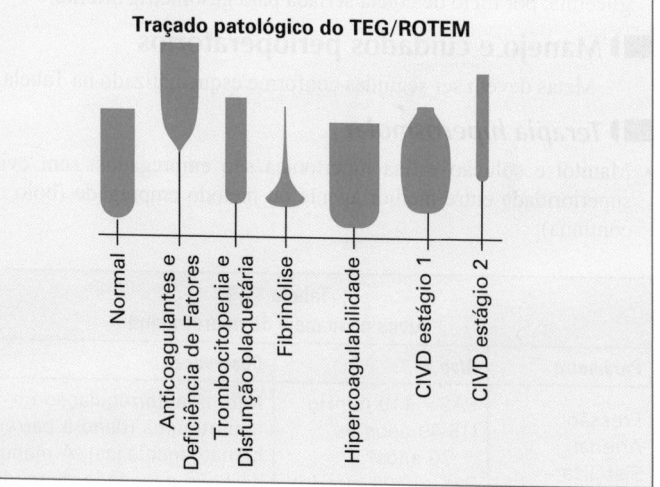

Figura 17.2 – *Traçados representativos TEG/RO1TEM (esquerda) Traçados patológicos (direita).*

- Na presença de dois escores positivos para PTM (Tabela 17.7), transfundir qautro concentrados de hemácias e fazer o restante dos fatores de coagulação (caso necessário), guiados por tromboelastometria;
- Na presença de sangramento considerável, porém escores negativos (Tabela 17.7), transfundir dois-quatro concentrados de hemácias e guiar a reposição do restante por tromboelastometria.

▄ NEUROTRAUMA ASSOCIADO

- O manejo de pacientes vítimas de traumatismo cranioencefálico é guiado por metas lançadas periodicamente pela Brain Trauma Foundation (BTF).

▄▌ Monitorização

- Todo paciente portador de trauma será monitorizado com ECG contínuo, pressão arterial não invasiva, oximetria de pulso, termômetro esofágico, diurese, capnografia, pressão arterial invasiva e cateter venoso central;

- Especificamente a PIC deve ser monitorizada: TC de crânio anormal (hematoma, contusões, edema, herniação e compressão de cisternas basais) associada a TCE grave (Glasgow 3-8 após ressuscitação);

- Se TC de crânio normal, monitorizar se há dois ou mais fatores presentes na admissão: idade > 40 anos, alteração de postura motora uni ou bilateral ou PAS < 90 mmHg;

- Ainda pode ser monitorizada a pressão de perfusão cerebral (PPC), que é o gradiente pressórico do leito vascular cerebral;

- Dados laboratoriais fundamentais a serem seguidos são o sódio sérico e a glicemia, por meio de coleta seriada para gasometria arterial.

▄▌ Manejo e cuidados perioperatórios

Metas devem ser seguidas conforme esquematizado na Tabela 17.9.

▄▌ *Terapia hiperosmolar*

- Manitol e solução salina hipertônica são empregados, sem evidência de superioridade entre melhor agente ou método empregado (bolo ou infusão contínua);

Tabela 17.9 Alvos no manejo do neurotrauma		
Parâmetro	*Alvo*	*Observação*
Pressão Arterial Sistólica – PAS	PAS> 110 mmHg: (15-49 anos ou > 70 anos) PAS > 100 mmHg: (50-69 anos)	Não há autorregulação no neurotrauma (dano à barreira hematoencefálica). A manutenção do fluxo adequado depende da PAS.
Capnografia – $EtCO_2$: fração expirada de CO_2 $PaCO_2$: CO_2 gasometria arterial	$EtCO_2$ 30-35 mmHg $PaCO_2$ 35-40 mmHg	$PaCO_2 = \downarrow FSC$, podendo levar a isquemia. $\uparrow PaCO_2$ leva ao $\uparrow$ PIC. A regulação se dá pela alteração do volume-minuto (VC × FR). Hiperventilação transitória ($EtCO_2$ 25-30) máx. 2-6 horas em eventos críticos.

Continua

Continuação

Tabela 17.9 Alvos no manejo do neurotrauma		
Temperatura	Não ultrapassar 37 °C	> 37 °C ↑ edema cerebral e ↑ consumo de O_2. Medidas para redução da temperatura se hipertermia são mandatórias.
PIC	11-20 mmHg	Recomendado tratamento se PIC > 22 mmHg. Combinação entre valores de PIC e achados de TC deve ser utilizada para a tomada de decisões.
Pressão de Perfusão Cerebral (PPC) = PAM – PIC	PPC 60-70 mmHg	Pode variar devido ao estado autorregulatório de cada paciente. Evitar > 70 mmHg (associado a falência respiratória).
Sódio Sérico	145-153 mg/dL	Se Na < 142 mg/dL → hiponatremia deve ser corrigida agressivamente com NaCl 20%.
Glicemia	140-180 mg/dL	Se > 180, insulina em bolo ou em infusão contínua.

- Salina hipertônica (NaCl 20%) diminui a viscosidade sanguínea, melhora o fluxo microcirculatório de componentes sanguíneos e, consequentemente, a vasoconstrição arteriolar, diminuindo o volume sanguíneo cerebral e a PIC;

- Manitol promove aumento de diurese, portanto hipotensão se a reposição intravascular não for adequada. Deve ser utilizado em casos de herniação e PIC refratária acima de 22 mmHg. Diminui a PIC pela desidratação causada. Dose de 0,25-1 g/kg.

■❯ Anestésicos, analgésicos e sedativos

- Barbitúricos e propofol podem ser empregados no controle da PIC. A queda do metabolismo e do consumo de oxigênio caracteriza a neuroproteção.

- O uso de anestésicos e sedativos deve ser acompanhado de controle por eletroencefalograma (EEG).

- Efeitos colaterais esperados: hipotensão, queda do débito cardíaco, além de aumento do *shunt* pulmonar, levando a hipóxia.

- O uso profilático de barbitúricos para evitar aumento da PIC não é recomendado. São reservados para controle da PIC refratária à terapêutica medicamentosa e cirúrgica otimizadas.

■❱ Procedimentos específicos

■❚❱ Craniectomia descompressiva

- A remoção de parte óssea, a fim de diminuir a PIC, é conhecida como craniectomia descompressiva;

- Craniectomia descompressiva frontoparietal estendida é recomendada para reduzir a mortalidade e melhorar resultados neurológicos, porém sob altas taxas de complicação.

■❚❱ Drenagem ventricular externa (DVE)

- O dispositivo de DVE pode funcionar tanto como um monitor de PIC (se fechado) quanto como um dreno (se aberto). O sistema deve ser "zerado" ao nível do mesencéfalo: a drenagem contínua é mais efetiva para diminuir a PIC se comparada à intermitente;

- Considera-se DVE em paciente inicialmente com GCS< 6 nas primeiras 12 horas após TCE.

■❱ Profilaxias específicas

■❚❱ Profilaxia de infecções

- Pacientes de neurotrauma são expostos a infecções relacionadas a ventilação mecânica (40%), a cateteres venosos e à manipulação de monitores de PIC/DVE;

- Traqueostomia precoce auxilia na redução do tempo de ventilação mecânica, mas não altera a mortalidade;

- Higiene oral com PVPI não é recomendada, pois não reduz taxas de pneumonia, além de aumentar as chances de SARA;

- Não há recomendação de antibioticoterapia profilática.

■❚❱ Profilaxia de trombose venosa profunda (TVP)

- A incidência de TVP em neurotrauma chega a 54% nos que não recebem profilaxia e a 25% nos que recebem apenas profilaxia mecânica;

- Idade, hemorragia subaracnóidea, ISS >15 e lesões de extremidade são preditores de TVP. O risco de ocorrer tromboembolia venosa aumenta de acordo com a severidade do TCE;

- Não há evidência de qual o melhor agente farmacológico. Heparina de baixo peso molecular e heparina não fracionada podem ser utilizadas associadas a profilaxia mecânica, porém aumentam o risco de sangramento e de expansão da hemorragia intracraniana;

- Profilaxia farmacológica pode ser considerada se a lesão neurológica for estável e se o benefício for maior do que o risco de piora da lesão.

■❙❱ *Profilaxia de convulsões precoces (que ocorrem até 7 dias após o trauma)*

- Fenitoína é recomendada para diminuir a incidência de convulsões pós-traumáticas precoces, porém estas não são associadas a desfechos piores. Dose de ataque 15 mg/kg;
- Adotar a profilaxia em pacientes na presença dos fatores de risco a seguir: GCS ≥10, convulsão imediata, amnésia pós-traumática com duração maior que 30 minutos, fratura linear ou depressão óssea craniana, lesão penetrante em cabeça, hematomas subdural, epidural ou intraparenquimatoso, contusão cortical, idade ≤ 65 anos e/ou alcoolismo crônico.

■❱ Nutrição

- Retorno nutricional nos primeiros 5 dias reduz a mortalidade (auxilia no controle das respostas inflamatória e hormonal);
- A via transgástrica jejunal é recomendada, pois reduz a incidência de pneumonia associada à ventilação.

■❱ Corticosteroides

- Não há evidências de benefício no neurotrauma.

● REFERÊNCIAS BIBLIOGRÁFICAS

1. ATLS. Advanced Trauma Life Suport, 9a ed.. http://www.medlearn.com
2. Brain Trauma Foundation – Guidelines for the Management of Severe Traumatic Brain Injury. 4th ed. Disponível em: https://braintrauma. org/uploads/13/06/Guidelines_for_Management_of_Severe_TBI_4th_ Edition.pdf.
3. Convertino,V.A, Schiller,A.M. Measuring the compensatory reserve to identify shock. Journal of Trauma and Acute Care Surgery March 2017;82.
4. Felice CD, Susin CF, Costabeber AM, Rodrigues AT, Beck MO, Hertz E. Choque: diagnóstico e tratamento na emergência. Revista da AMRIGS Porto Alegre abr-jun. 2011;55(2),179-196.
5. Practice guidelines for management of the difficult airway. Anesthesiology 2013;118.
6. Rodrigues RR, Carmona. MJC, Auler Junior, JOC. Bleeding and damage control surgery. Current Opinion in Anaesthesiology 2016;77(2);229-33.
7. Rodrigues RR. Monitorização. In: Carmona MJ, Rasslan S, Auler Junior JOC. Condutas em Anestesia: Trauma. São Paulo: Atheneu, 2015. pp. 35-9.
8. Rodrigues, R R. Manejo do neurotrauma (traumatismo cranioencefálico). In: Carmona MJ, Rasslan S, Auler Junior JOC. Condutas em Anestesia: Trauma. São Paulo: Atheneu, 2015. pp. 79-81.

9. Stein P, Kaserer A, Spahn GH, Spahn DR. Point-of-care coagulation monitoring in trauma patients. Semin Thromb Hemost 2017. Epub ahead of print.

10. Tobin, JM A checklist for trauma and emergency anesthesia. Anesth Analg 2013 Nov;117(5):1178-84. doi: 10.1213/ANE.0b013e3182a44d3e vortexapproach.org.

Capítulo 18

Anestesia em Queimados

João Abrão
Renato Lucas Passos de Souza
Renato Francisco Moya
Débora Philippi Bressane
Cássio de Pádua Mestieri
Isabela Borges de Melo

▬ INTRODUÇÃO

As lesões por queimaduras são um importante problema de saúde pública. Ocupam a quarta colocação dentre todos os tipos de trauma em âmbito global e são devastadoras tanto física como emocionalmente para o indivíduo. Cerca de 90% dos casos ocorrem em países em desenvolvimento ou subdesenvolvidos, sabidamente incapazes de prover o nível de assistência desejado às vítimas, que apresentam altos índices de mortalidade e morbidade como dor, desconforto, depressão, infecção e sequelas graves.

O anestesiologista desempenha papel determinante na abordagem do paciente queimado, principalmente naqueles com uma superfície corporal afetada maior que 10% a 15 %, pois atuará em todo o processo perioperatório inicial, nas reabordagens cirúrgicas e no controle da dor. No entanto, vale ressaltar a importância de uma equipe multidisciplinar, que será responsável pelo cuidado integral do paciente, tanto físico como psicológico, e na reabilitação do mesmo.

▬ RISCO E GRAVIDADE DA QUEIMADURA: QUAL O PACIENTE DE RISCO?

O manejo e o risco anestésico do paciente queimado são únicos. Em grandes centros especializados, a mortalidade global do paciente queimado é de aproximadamente 4%.

Os principais fatores que carregam estreita relação com a mortalidade desses pacientes são:

- Faixa etária: maiores riscos abaixo dos 30 e acima dos 60 anos;
- Inalação de fumaça e produtos tóxicos;

- Extensão da superfície corpórea atingida pela queimadura pelo diagrama de Lund-Browder (Figura 18.1) e regra dos nove de Wallace (Figura 18.2);
- Profundidade da queimadura: divididas em 1º, 2º, 3º e 4º graus, podendo coexistir;
- Sexo do paciente: na faixa etária entre 30 e 59 anos, as mulheres apresentam taxas de mortalidade equivalentes ao dobro das verificadas nos homens.

As principais causas de morte são falência de múltiplos órgãos e sepse, sendo que as de morte precoce (< 48 horas) são queimaduras elétricas e lesões por inalação. Ressalta-se ainda que, embora de modo geral a morta-

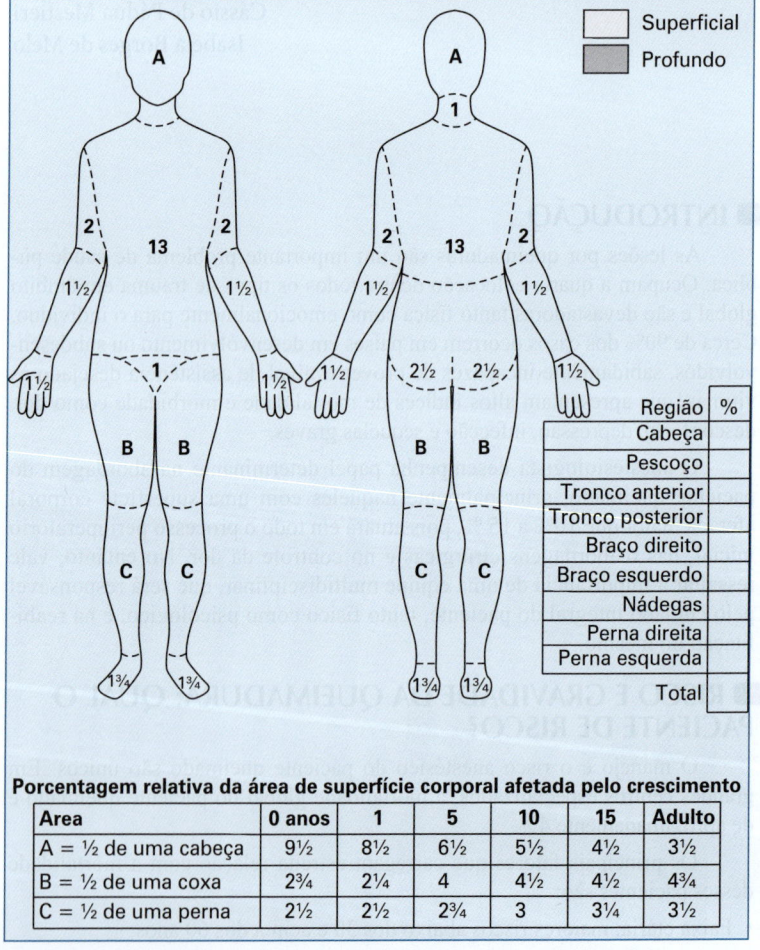

Região	%
Cabeça	
Pescoço	
Tronco anterior	
Tronco posterior	
Braço direito	
Braço esquerdo	
Nádegas	
Perna direita	
Perna esquerda	
Total	

Porcentagem relativa da área de superfície corporal afetada pelo crescimento

Area	0 anos	1	5	10	15	Adulto
A = ½ de uma cabeça	9½	8½	6½	5½	4½	3½
B = ½ de uma coxa	2¾	2¼	4	4½	4½	4¾
C = ½ de uma perna	2½	2½	2¾	3	3¼	3½

Figura 18.1 – *Diagrama de Lund-Browder.*

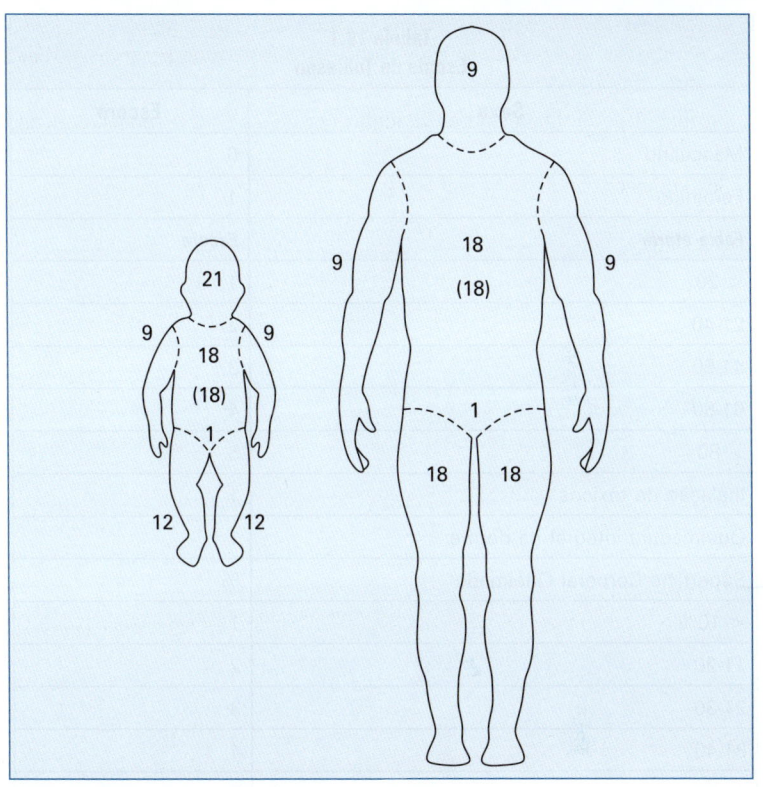

Figura 18.2 – *Regra dos nove de Wallace.*

lidade relacionada a lesões por queimaduras tenha decaído, em pacientes com mais de 75 anos a expectativa de vida ainda é semelhante à de décadas passadas.

Há tabelas que oferecem à equipe estimativas de sobrevida dos pacientes queimados, sendo a mais empregada no nosso meio a Escala de Tobiasen (Tabela 18.1).

Desse modo, é importante que o anestesiologista e o cirurgião trabalhem em conjunto no manejo perioperatório do paciente, uma vez que o controle e o tratamento da perda de fluidos, sangue e tecidos são fundamentais para um resultado bem-sucedido.

CUIDADOS DURANTE O ATO ANESTÉSICO

Via aérea

O atendimento inicial ao paciente queimado deve seguir os princípios do ATLS (*Advanced Trauma Life Support*), já que entre 3 e 7% desses indivíduos

Tabela 18.1 Escala de Tobiasen	
Sexo	**Escore**
Masculino	0
Feminino	1
Faixa etária	*Escore*
< 20	1
21-40	2
41-60	3
61-80	4
> 80	5
Inalação de tóxicos	1
Queimadura integral da derme	1
Superfície Corporal Queimada	%
< 10%	1
11-20	2
21-30	3
31-40	4
41-50	5
51-60	6
61-70	7
71-80	8
81-90	9
> 90	10
Escore total de queimado	*sobrevida*
2-3	99%
4-5	98%
6-7	80-90%
8-9	50-70%
10-11	20-40%
12-13	< 10%

apresentam outras lesões traumáticas importantes, de atendimento emergencial. Especial atenção deve ser dedicada às vias aéreas, uma vez que qualquer paciente com queimaduras em face, pescoço e tórax superior deve ser encarado como portador de via aérea difícil. Queimaduras circunferenciais sobre o tórax podem causar restrição à ventilação, devendo ser avaliada a necessidade de via aérea definitiva e escarotomia precoce, sobretudo diante de reduções nos volumes pulmonares.

Edema de língua, distorções anatômicas orofaciais, dificuldades para mobilização cervical e para abertura bucal tornam a abordagem da via aérea um desafio. Tendo em mente que o fluxo do ar traqueal é laminar e proporcional à quarta potência do raio, mesmo pequenas alterações no diâmetro da traqueia decorrentes do edema podem ter efeitos significativos, principalmente na população pediátrica. O anestesiologista deve atentar para essa possibilidade, e a instalação de uma via aérea definitiva precoce deve sempre ser considerada.

A inalação de fumaça é uma das principais causas de morbimortalidade e sempre deve ser suspeitada quando o paciente advém de local fechado, apresenta escarro carbonáceo e/ou queimadura de pelos faciais e possui níveis de carboxi-hemoglobina superiores a 10%. Através da lesão direta e da própria exacerbação da resposta inflamatória ela aumenta as chances de complicações pulmonares agudas como broncoespasmo e edema pulmonar decorrente do maior fluxo de extravasamento vascular associado a ressuscitação volêmica significativa. Ocorre também uma disfunção ciliar que favorece o espessamento das secreções na via aérea, contribuindo para o aparecimento de atelectasias.

Tais alterações levam a hipoventilação, a perda da capacidade de vasoconstrição pulmonar hipóxica e a aumento do *shunt* pulmonar. É importante lembrar que os oxímetros convencionais são incapazes de diferenciar a oxi-hemoglobina da carboxi-hemoglobina, podendo gerar valores de saturação falsamente elevados.

■▶ Controle térmico

A perda de calor para o ambiente é muito pronunciada no indivíduo queimado, podendo diminuir 1 °C a cada 15 minutos em temperatura ambiente, sobretudo em áreas desprovidas de derme e epiderme. No paciente grande queimado há uma alteração na temperatura central controle para 38,5 °C, o que significa que um paciente com temperatura central de 37 °C está relativamente hipotérmico. Devido a esse aumento do *set-point* hipotalâmico, a taxa metabólica estará elevada a fim de manter esse novo ponto de referência. A queda, mesmo que pequena, da temperatura central acarretará aumento do consumo de oxigênio e do catabolismo proteico, os quais são altamente deletérios ao paciente.

Todas as formas de perda de calor estão pronunciadas na vítima de queimadura, principalmente na criança, uma vez que esta apresenta maior área de superfície corpórea para determinado volume.

O anestesiologista deve intervir no controle térmico recorrendo a uma sala aquecida (entre 28 e 32 °C), ventiladores com sistema de aquecimento de gases, cobertores, superfícies aquecidas e a infusão de fluidos aquecidos.

A monitorização pode ser feita através da temperatura central, por exemplo, termômetros esofágicos, e da periférica, de modo concomitante, para uma melhor avaliação.

■▶ Manejo de fluidos

Há diversas fórmulas para o cálculo da reposição hídrica do paciente queimado, porém a maioria delas superestima as reais necessidades do indivíduo. Vale ressaltar que a reposição excessiva de fluidos poderá acarretar uma série de efeitos deletérios, como hemodiluição, distúrbios de coagulação, piora da inflamação sistêmica, congestão pulmonar, comprometimento da circulação das extremidades, edema de alças intestinais, redução da peristalse, translocação bacteriana, imunossupressão e síndrome compartimental abdominal. De modo geral, recomenda-se a reposição de fluidos objetivando débito urinário entre 0,5 e 1 mL/kg/h.

Os níveis de hemoglobina devem ser constantemente checados, tomando-se o cuidado para elevações artificiais de seus níveis, as quais poderão decorrer simplesmente da perda hídrica.

Deve-se lembrar que há uma tendência a maiores perdas de volume em procedimentos envolvendo pacientes queimados; portanto, mais importante do que seguir fórmulas e tabelas para reposição de fluidos é a monitorização da pressão arterial invasiva, da pressão venosa central e da variação da pressão de pulso, do pH sérico e do lactato, uma vez que estes podem fornecer dados mais acurados sobre a microcirculação e a eficácia da ressuscitação volêmica.

Dentre os fluidos a serem escolhidos para a expansão inicial, o Ringer lactato ainda é o cristaloide mais utilizado, em razão do preço e sobretudo devido à acidose hiperclorêmica associada ao soro fisiológico, a qual pode ser nociva em pacientes que comumente já se apresentam em franca acidose. O Plasma Lyte, apesar do alto custo, já é utilizado em grandes centros, com a vantagem de ser um cristaloide alcalinizante, possuir pH e osmolaridade fisiológicos (7,4 e 294 mOsmol/L) e conter água e eletrólitos como sódio, potássio, magnésio, cloro e fósforo. Na literatura não existe consenso para a utilização de coloides, porém em grandes centros ela ocorre apenas após 24 horas da lesão inicial, e antes desse período pode ser utilizada em situações de exceção: não responsivos a cristaloides e população pediátrica.

O uso de drogas vasoativas também é polêmico, uma vez que não há trabalhos que comprovem que com elas haja aumento da sobrevida. No entanto, em pacientes refratários elas podem ser usadas como recurso para a manutenção hemodinâmica.

Alguns centros especializados defendem a manutenção da dieta enteral ou parenteral mesmo durante o ato anestésico, a qual pode melhorar os índices de cicatrização, reduzir a translocação intestinal bacteriana e fúngica, melhorar a resposta aos insultos sépticos e ainda diminuir a necessidade de suplementação de albumina. O hipermetabolismo acarreta catabolismo extremamente elevado nesses pacientes, maior do que em qualquer outro tipo de trauma, cujos efeitos podem ser detectados até 36 meses após a data da injúria inicial. Caso o anestesiologista decida pela interrupção das dietas, sobretudo a parenteral, deve estar atento ao risco de hipoglicemia acentuada.

■■) Uso de medicamentos

De modo geral, nos grandes queimados há alterações tanto na farmacocinética como na farmacodinâmica de uma série de medicações, principalmente por: alterações em receptores específicos, variações nas quantidades de proteínas de ligação, alterações cardiovasculares e redução do fluxo renal, hepático e encefálico. Um foco especial deve ser dado às medicações que se ligam à albumina, já que seu extravasamento vascular contribui para o aumento do volume de distribuição e da fração livre de drogas dependentes dela, como os benzodiazepínicos e opioides. De maneira oposta, a segunda proteína de ligação mais encontrada no plasma, a alfa-1-glicoproteína-ácida, que também se comporta como reagente de fase aguda, tem seu nível elevado em até duas vezes o basal. Dessa maneira, as medicações que se ligam a ela, como a lidocaína e os relaxantes musculares não despolarizantes, deverão ter suas doses aumentadas devido à redução de suas frações livres e ao aumento da sua eliminação hepática pelo maior transporte aos hepatócitos.

Em virtude do menor fluxo sanguíneo hepático e renal encontrado nesses pacientes associado a disfunções proteico-hepáticas, algumas medicações apresentarão acúmulo tanto dos seus metabólitos como das suas formas ativas nas primeiras 48 horas após a lesão. Depois desse período inicial, há uma tendência ao aumento do fluxo nesses órgãos, levando à diminuição do tempo de meia-vida dessas drogas e à necessidade de novo ajuste das doses.

A manutenção da anestesia, assim como sua indução, deverá levar em consideração peculiaridades do paciente, e, de acordo com a literatura, não há consenso na escolha de agentes para indução ou manutenção.

O uso de succinilcolina deverá ser evitado a partir de 24 horas da queimadura até 1 ano após, uma vez que durante todo esse período há expressão de receptores extrajuncionais para acetilcolina, que poderão promover uma intensa despolarização, com liberação maciça de potássio e consequentemente uma possível parada cardiorrespiratória. Seguindo o mesmo raciocínio, o uso de bloqueadores neuromusculares não despolarizantes deve ter sua dose aumentada em até cinco vezes a habitual a partir do terceiro dia da lesão, quando a proliferação dos receptores se torna mais evidente, atingindo seu pico na sexta semana. Esse fenômeno é mais notório quando a superfície corporal total afetada é maior do que 30%, tornando o indivíduo resistente a tais medicações.

A utilização de agentes hipnóticos como propofol também deverá ser feita com parcimônia, uma vez que o paciente vítima de queimadura costuma apresentar redução do volume intravascular associada a uma depressão miocárdica, o que poderá ser agravado pelo uso dessa droga. Embora o etomidato sabidamente apresente menores efeitos cardiovasculares, ele pode promover a inibição da glândula adrenal, mesmo com doses utilizadas para a indução, implicando dificuldades para a estabilização hemodinâmica e a cicatrização. A cetamina, cujos receptores do tipo NMDA se apresentam em *up-regulation* após o trauma térmico, é capaz de aumentar a frequência cardíaca e os níveis pressóricos ao promover a liberação direta de catecolamina e estimular o sistema nervoso central, exibindo perfil farmacodinâmico atrativo nesses pacientes. Entretanto, como a liberação catecolaminérgica depende das reservas do paciente, as quais poderão estar exauridas, o efeito depressor miocárdico pode não ser adequadamente contrabalançado pela estimulação adrenérgica da cetamina, causando a síndrome de baixo débito, como as demais drogas.

É válido ter em mente que o sevoflurano pode formar o composto A quando usado em circuitos nos quais a absorção de gás carbônico é feita com a participação de bases fortes (KOH ou NAOH) e que esse composto se mostrou nefrotóxico em modelos animais. Portanto, é aconselhável o uso racional desse gás nos pacientes que apresentam risco aumentado para lesão renal, embora não existam em humanos casos que corroborem tais achados. O isoflurano também pode ser utilizado, com a ressalva de provocar efeitos cardiovasculares leves, sobretudo na redução da pós-carga (Figuras 18.3 e 18.4).

◼ MANEJO DA DOR

A dor em pacientes queimados decorre principalmente da estimulação de nociceptores presentes na epiderme, que são conduzidos até o corno dorsal da medula por fibras do tipo A delta e C. Os principais determinantes da intensidade do estímulo são a magnitude do mesmo e a inibição das vias descendentes encefálicas. Deve-se lembrar que as fibras do tipo A possuem diâmetro grande ou médio, são mielinizadas e consequentemente conduzem impulsos nervosos com velocidades tão altas quanto 120 m/s, sendo consideradas fibras rápidas. As fibras tipo C, por outro lado, são mais delgadas, amielínicas, e consequentemente conduzem impulsos nervosos a cerca de 0,5 m/s, sendo consideradas lentas.

Após a queimadura, a intensa inflamação local leva ao acúmulo de mediadores que passam a estimular os nociceptores locais e adjacentes, promovendo intensa sensibilidade, muitas vezes associada a hiperalgesia. Quando a quantidade de produtos inflamatórios se reduz e começa a regeneração desordenada de tecido nervoso danificado, há uma tendência à mudança na qualidade da dor, a qual se torna crônica em cerca de 53% dos pacientes.

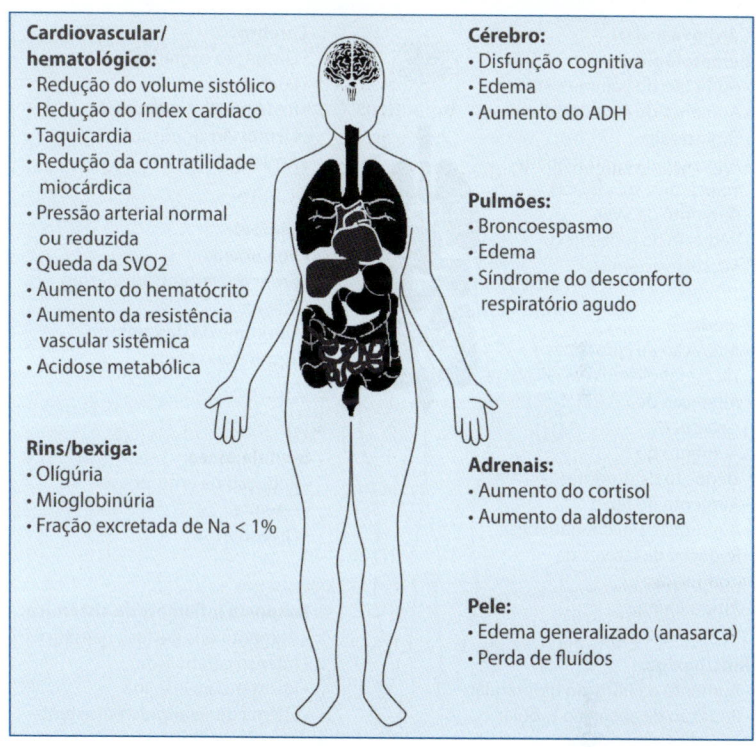

Cardiovascular/hematológico:
- Redução do volume sistólico
- Redução do índex cardíaco
- Taquicardia
- Redução da contratilidade miocárdica
- Pressão arterial normal ou reduzida
- Queda da SVO2
- Aumento do hematócrito
- Aumento da resistência vascular sistêmica
- Acidose metabólica

Rins/bexiga:
- Olígúria
- Mioglobinúria
- Fração excretada de Na < 1%

Cérebro:
- Disfunção cognitiva
- Edema
- Aumento do ADH

Pulmões:
- Broncoespasmo
- Edema
- Síndrome do desconforto respiratório agudo

Adrenais:
- Aumento do cortisol
- Aumento da aldosterona

Pele:
- Edema generalizado (anasarca)
- Perda de fluídos

Figura 18.3 – *Alterações sistêmicas presentes durante a* ebb phase, *ou seja, a fase hipometabólica inicial do paciente queimado.*

De maneira didática, os principais tipos de dor presentes no paciente queimado são: a decorrente de procedimentos, a esporádica, a episódica, a inesperada (*breakthrough pain*) e a presente de maneira constante, embora com piora à movimentação (*background pain*).

O principal recurso para o controle da dor ainda consiste no uso de fármacos, os quais muitas vezes são manejados de maneira ineficaz e pouco agressiva pelo cirurgião ou o anestesiologista. É de suma importância recordar que as alterações metabólicas presentes em grandes queimaduras acarretam distribuição lentificada dos fármacos aos órgãos-alvo na primeira fase da evolução, e no decorrer da segunda fase levam ao aumento da taxa metabólica de todos eles.

Dentro do arsenal de medicamentos disponíveis, os opioides são fármacos de primeira linha e extensamente utilizados no tratamento do paciente queimado, comumente por longos períodos. Em virtude de seus efeitos adversos, principalmente a depressão ventilatória, a tolerância e a hiperalgesia, o uso da terapia multimodal é indicado, assim como a rotação de opioides

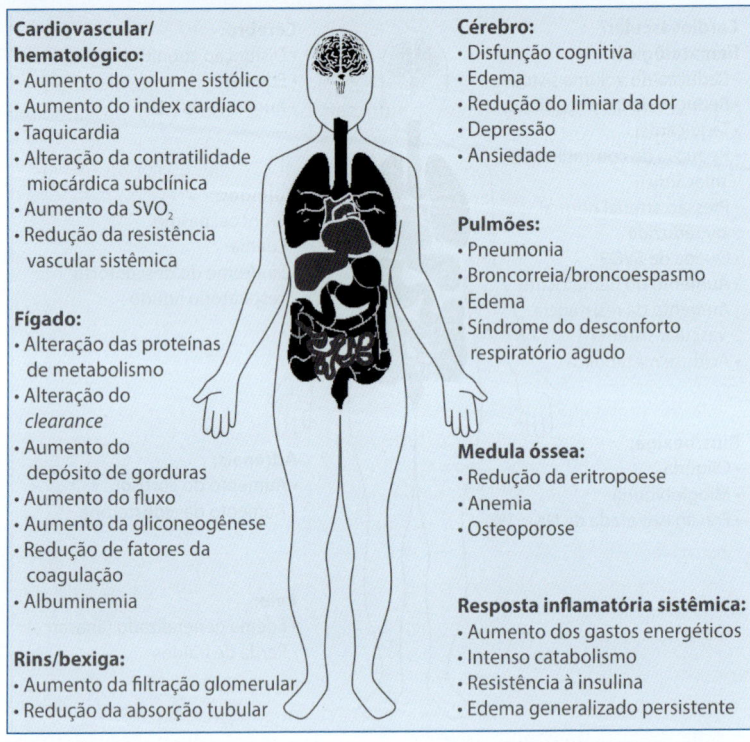

Cardiovascular/hematológico:
- Aumento do volume sistólico
- Aumento do index cardíaco
- Taquicardia
- Alteração da contratilidade miocárdica subclínica
- Aumento da SVO_2
- Redução da resistência vascular sistêmica

Fígado:
- Alteração das proteínas de metabolismo
- Alteração do *clearance*
- Aumento do depósito de gorduras
- Aumento do fluxo
- Aumento da gliconeogênese
- Redução de fatores da coagulação
- Albuminemia

Rins/bexiga:
- Aumento da filtração glomerular
- Redução da absorção tubular

Cérebro:
- Disfunção cognitiva
- Edema
- Redução do limiar da dor
- Depressão
- Ansiedade

Pulmões:
- Pneumonia
- Broncorreia/broncoespasmo
- Edema
- Síndrome do desconforto respiratório agudo

Medula óssea:
- Redução da eritropoese
- Anemia
- Osteoporose

Resposta inflamatória sistêmica:
- Aumento dos gastos energéticos
- Intenso catabolismo
- Resistência à insulina
- Edema generalizado persistente

Figura 18.4 – *Alterações sistêmicas presentes durante a* Flow phase, *ou seja, a fase hipermetabólica que segue a fase hipometabólica inicial do paciente queimado.*

protocolada para cada serviço de acordo com as disponibilidades locais. Embora na literatura não existam evidências claras da superioridade de um opioide em relação a outro, o uso daqueles com meia-vida prolongada, como a morfina, a metadona, o fentanil na forma de adesivos e a oxicodona de liberação lenta, é de grande valia na abordagem da dor constante (*background pain)* comumente encontrada nesses pacientes. Por outro lado, o fentanil endovenoso, o sufentanil e o alfentanil estão bem indicados durante a realização de procedimentos cirúrgicos, uma vez que possuem potências elevadas e efeitos residuais. Há dados na literatura sugerindo a ação sinérgica de alguns opioides no tratamento da dor neuropática; a metadona, por exemplo, é um opioide sintético que, além de ser agonista do receptor opioide mu (como a morfina, a oxicodona, o fentanil e outros), é também antagonista dos receptores NMDA. Essa característica pode justificar sua maior eficácia no alívio da dor neuropática e o menor desenvolvimento de tolerância quando comparado ao da morfina.

A dor neuropática tem origem primariamente na regeneração desordenada do tecido nervoso em locais de queimadura, apresentando boa resposta também ao uso de anticonvulsivantes, principalmente a gabapentina e a pregabalina. Estas, ao atuarem indiretamente na inibição dos receptores glutamatérgicos N-metil-D-aspartato (NMDA) e diretamente na ligação de canais de cálcio pré-sinápticos, auxiliam na redução das doses de opioides, promovem redução da dor durante os procedimentos e conferem maior conforto ao paciente.

A cetamina, que também atua sobre os receptores do tipo NMDA, porém de maneira antagonista não competitiva, promove excelente analgesia, com as vantagens de manter os reflexos de vias aéreas presentes e os níveis pressóricos e a frequência cardíaca estáveis ou aumentados por meio da liberação de catecolaminas, além de reduzir o consumo de opioides em até 30%. Ela também pode ser utilizada como medicação de resgate nas trocas de curativo no leito e nos casos de terapia pouco responsiva a outras medicações, sobretudo na *breakthrough pain* de intensidade elevada. E, como citado anteriormente, o fato de o seu receptor principal apresentar-se em *up-regulation* torna o indivíduo vítima de queimaduras especialmente sujeito aos efeitos dessa medicação, cujas doses muitas vezes terão que ser aumentadas. É válido ressaltar que, devido ao risco de alucinações após o uso da cetamina, deve-se avaliar previamente a esse uso o emprego de propofol e/ou de benzodiazepínicos.

Os antidepressivos, principalmente os tricíclicos, ao atuarem sobre as vias inibitórias descendentes da medula, apresentam ação na redução da dor neuropática, mesmo com doses reduzidas. Diferentemente dos demais fármacos utilizados na terapia dos pacientes queimados, sua ação levará semanas para ter início. E naqueles pacientes intolerantes aos efeitos adversos dos tricíclicos, o uso dos inibidores seletivos da recaptação de serotonina deve ser avaliado como uma alternativa.

Os alfa-2-agonistas representam uma alternativa interessante por ativarem as vias inibitórias descendentes da dor e também apresentarem efeitos sedativo e anti-hipertensivo. Os principais exemplos dessa classe, a dexmedetomidina e a clonidina, apresentam boa segurança para uso em crianças ao permitirem a manutenção das vias aéreas pérvias, embora não apresentem níveis de controle álgico satisfatórios em monoterapia. Portanto, seu uso seria mais como um adjuvante no controle da dor e da sedação.

Apesar de apresentar ação na redução dos níveis de dor neuropática, a lidocaína não se mostrou eficaz em reduzir o consumo de opioides na abordagem das vítimas de queimaduras.

Os analgésicos não esteroidais, salvo contraindicações, devem fazer parte da prescrição desses pacientes, uma vez que apresentam perfil farmacocinético favorável para o controle da *background pain* e auxiliam na redução de uso de outras medicações com efeitos adversos mais significativos.

PAPEL DA ANALGESIA CONTROLADA PELO PACIENTE (ACP)

A ACP é um conceito de analgesia que utiliza tradicionalmente doses de opioides venosos ou anestésicos locais e opioides no neuroeixo ou perineural, de maneira intermitente, contínua ou ambas, em intervalos de tempo limitados pelo médico, permitindo que o paciente controle a administração do fármaco por meio de um disparador e de uma bomba de infusão microprocessada. Nos pacientes vítimas de graves queimaduras essa forma de analgesia se torna bastante atrativa, em razão do melhor controle dos diferentes tipos de dor presentes nos pacientes queimados, como já citado: a decorrente de procedimentos, a esporádica, a episódica, a *breakthrough pain* e a *background pain*. O fato de o paciente poder antecipar o alívio da dor ou até preveni-la ao acionar a infusão de bolo pelo dispositivo da bomba quando julgar necessário confere diminuição da angústia, ansiedade e morbidade e facilita a mobilização e o trabalho fisioterápico e da equipe de enfermagem, com alto grau de satisfação e qualidade no controle álgico.

PAPEL DA ANESTESIA REGIONAL

A utilização de anestesia regional apresenta-se como uma ótima alternativa para o controle localizado da dor secundária a queimaduras, além de ocasionar poucos efeitos adversos generalizados ao paciente.

Com variadas possibilidades, essa técnica permite um melhor manejo intraoperatório ao estímulo álgico e metabólico, e, quando usada de maneira combinada, possibilita reduzir o uso sistêmico de opioides. Além disso, apresenta índices satisfatórios para controle de dor pós-operatória, pois promove reabilitação precoce ao otimizar a fisioterapia e as trocas de curativos por meio da infusão contínua de medicamentos pelo cateter e da técnica de analgesia controlada pelo paciente (ACP), como citado anteriormente.

Os bloqueios dos nervos periféricos promovem analgesia intensa e localizada e estão associados a baixa incidência de efeitos colaterais quando comparados às demais modalidades de analgesia pós-operatória. A infusão contínua de anestésicos locais através de cateteres prolonga ainda mais esses benefícios. Essas vantagens facilitam a recuperação e a alta hospitalar, além de reduzir os custos hospitalares perioperatórios.

A especificidade de analgesia em uma área delimitada combinada a um menor índice de complicações, incluindo hematoma subdural (muitos pacientes utilizam anticoagulação profilática), retenção urinária e alterações hemodinâmicas, torna atrativa a escolha por essa técnica, em vez de bloqueios no sistema nervoso central (SNC).

As técnicas de inserção de cateteres próximo aos plexos nervosos ou à emergência dos nervos periféricos vêm sendo continuamente desenvolvidas e aprimoradas, com a utilização da ultrassonografia e *kits* de agulhas e cateteres neuroestimuladores.

A infusão de anestésicos locais pelo método contínuo e/ou em bolo (ACP) promove analgesia eficaz no período pós-operatório, podendo o efeito analgésico persistir por até 48 horas após a remoção do cateter.

Para a escolha da técnica a ser utilizada (bloqueio simples ou contínuo por meio da implantação de cateteres no neuroeixo ou perineural), deve-se ter sempre em mente o volume e as doses tóxicas do anestésico local a ser infundido. Áreas de queimaduras extensas que necessitam de limpeza, de desbridamentos constantes e de sítios de doação de tecido são responsáveis por intenso estímulo doloroso e devem ser priorizadas pelo anestesiologista, uma vez que são de primordial importância para a recuperação do indivíduo.

Há também constante preocupação com riscos de infecção associada aos cateteres, o que pode ser melhorado com a higiene local. Estudos recentes apontam que o tempo de permanência de um cateter não está diretamente relacionado a risco de infecções, porém quanto mais próximo de locais de queimadura, maiores os riscos, dada a dificuldade em realizar a higiene do local.

Dessa maneira, a anestesia regional deve ser empregada sempre que não houver contraindicações ao seu uso, como: coagulopatia, sepse, recusa do paciente ou de seu responsável legal, hipovolemia, instabilidade hemodinâmica e infecção no local de punção. Vale ressaltar que nos casos de anestesia perineural coagulopatia, sepse e hipovolemia são contraindicações relativas, devendo ser individualizadas em cada caso.

◼ CONCLUSÃO

Os pacientes com queimadura apresentam inúmeros desafios para o anestesiologista. É importante compreender as múltiplas perturbações fisiológicas que se seguem a uma queimadura, bem como a farmacocinética e a farmacodinâmica dos anestésicos comumente utilizados. Importância deve ser dada à via aérea na abordagem inicial, ressuscitação volêmica durante a cirurgia, assim como ao controle da microcirculação, temperatura e sepse. Não menos importante, atenção à dor deve ser pauta em todas as fases do cuidado do paciente, haja vista que é preocupação constante.

O manejo adequado da vítima de queimadura(s), portador de profundas alterações fisiológicas, farmacológicas, anatômicas e psicológicas, é um imenso desafio também à equipe multiprofissional. O anestesiologista tem papel fundamental ao proporcionar conforto, estabilidade, antecipação de eventos deletérios e segurança tanto à vítima quanto à equipe, permitindo o manejo e a articulação harmoniosa de todas as suas peças para as efetivas abordagens e intervenções que permitirão a recuperação plena, física, social e emocional, desses indivíduos.

■ REFERÊNCIAS BIBLIOGRÁFICAS

1. Bittner EA, Shank E, Woodson L, Marty JA. Acute and perioperative care of the burn-injured patient. Anesthesiology 2015; 122:448.

2. Dauber A, Osgood PF, Breslau AJ, Vernon HL, Carr DB. Chronic persistent pain after severe burns: a survey of 358 burn survivors. Pain Med, 2002;3:6-17.

3. Forjuoh SN. Burns in low- and middle-income countries: a review of available literature on descriptive epidemiology, risk factors, treatment, and prevention. Burns 2006; 32:529-37.

4. Fuzaylov G, Fidkowski CW. Anesthetic considerations for major burn injury in pediatric patients. Paediatr Anaesth 2009;19(3):202-11.

5. Girtler R, Gustorff B. Pain management in burn injuries. Anaesthesist 2011;60(3):243-50.

6. Greenhald DG. Burn ressuscitation: The results of ISBI/ABA Survey. Burns 2010, 36:176-82.

7. Lyons B, Casey W, Doherty P, McHugh M, Moore KP. Pain relief with low-dose intravenous clonidine in a child with severe burns. Intens Care Med 1996;22:249-51.

8. Mahar PD, Wasiak J, O'Loughlin CJ, Christelis N, Arnold CA, Spinks AB et al. Frequency and use of pain assessment tools implemented in randomized controlled trials in the adult burns population: a systematic review. Burn 2012;38:147-54.

9. Richardson P, Mustard L. The management of pain in the burns unit. Burns 2009;35(7):921-36.

10. Sanchez B, Waxman K, Tatevossian R, Gamberdella M, Read B. Local anesthetic infusion pumps improve postoperative pain after inguinal hernia repair: a randomized trial. Am Surg 2004; 70(11): 1002-6.

11. Sophie B, Simon M. Anaesthesia and intensive care for major burns. BJA Education June 2012; 12(3):118-22.

12. Tobiasen J, Hiebert JH, Eclich RF. Precision of burn mortality. Surg Gynecol Obstet 1982; 154:711-4.

13. Wiechman SA, Sharar SR, Patterson DR. Burnpain. In: Waldman SD. Pain Management. 2nd ed. Philadelphia: Elsevier Saunders, 2011. pp. 228-42.

14. Woodson LC, Sherwood ER, Kinsky M, Morvant E, Talon M. In: Herndon DN, ed. Anesthesia for Burned Patients, Total Burn Care. 4th ed. Edinburgh: Elsevier, 2012. pp. 173–98 .

Capítulo 19

Recuperação Pós-Anestésica

Fernanda Marques Ferraz de Sá
Lucas Siqueira de Lucena
Olympio de Hollanda Chacon Neto
Maíra Soliani Del Nigro
Rodrigo Viana Quintas Magarão

■ DEFINIÇÕES

A recuperação pós-anestésica compreende o período entre a interrupção da administração de anestésicos até o retorno das condições basais do paciente. O paciente passará da sala cirúrgica à sala de recuperação pós-anestésica (SRPA) ou ao centro de terapia intensiva (CTI) até ser encaminhado ao leito de enfermaria e, finalmente, obter a alta hospitalar.

Na SRPA, cada paciente apresentará uma condição de saúde que requer uma abordagem individualizada orientada para o seu problema.

Esses cuidados exigem uma equipe de enfermagem e multidisciplinar bem treinada, monitorização contínua, registros periódicos e documentação clara (antecedentes de saúde, dados intraoperatórios, avaliação da admissão e recomendações pós-operatórias). Essa equipe deve ainda ser capaz de identificar as urgências/emergências e auxiliar no tratamento.

Em 1977, a Portaria nº 400 do Ministério da Saúde tornou obrigatória a existência das Salas de Recuperação Pós-Anestésicas nos centros cirúrgicos.

Em 2006, o Art. 4º da Resolução nº 1802 do Conselho Federal de Medicina determinou que o médico anestesiologista deve assistir o paciente após o ato anestésico em sala operatória e durante o transporte à SRPA/CTI.

Na SRPA, o paciente deve permanecer monitorizado (PA, FC, cardioscopia e oximetria de pulso, estado de consciência e intensidade de dor : quinto sinal vital).

A alta da SRPA é responsabilidade exclusiva do anestesiologista.

Os anexos da Resolução nº 1802 se referem às documentações, aos equipamentos, aos instrumentos e materiais e aos fármacos.

Finalmente, o cumprimento das resoluções e normas vigentes é condição obrigatória para que os processos de acreditação hospitalar por certificadoras de qualidade nacionais e internacionais seja bem-sucedidos.

ESTÁGIOS DA RECUPERAÇÃO ANESTÉSICA

A recuperação pós-anestésica é um processo dinâmico que depende de variáveis do paciente, do tipo e duração da cirurgia, da estratégia anestésica e reversores utilizados e da programação pós-operatória (alta ambulatorial, unidade de internação ou UTI) (Tabela 19.1).

AVALIAÇÃO E MONITORIZAÇÃO

Função respiratória

- Avaliar periodicamente a frequência respiratória, a saturação periférica de oxigênio, a patência das vias aéreas e o padrão ventilatório;

Tabela 19.1
Estágios da recuperação pós-anestésica

I – Despertar (Sala Cirúrgica)	II – Precoce (SRPA)	III – Alta Anestésica (Leito de Internação)	IV – Tardia (Residência)
Retorno da consciência	Alerta e acordado	Preenche critérios de alta hospitalar	Retorno da memória e das funções cognitivas
Responde a comandos simples	Sinais vitais estáveis	Levanta e anda sem auxílio	Retorno da concentração, discriminação e razão
Vias aéreas patentes	Reflexos de proteção (tosse e deglutição)	Diurese espontânea	Retorno das funções psicomotoras
Sat O_2 > 94% com ou sem suporte de O_2	Índice de Aldrete Kroulik Mod > 9	Reversão da parestesia perineal em casos de bloqueios de neuroeixo	Volta às atividades diárias
Ausência de complicações	Ausência de complicações, efeitos colaterais e queixas mínimos.	Ausência de complicações, efeitos colaterais e queixas toleráveis	Abstenção de atividades arriscadas por 24 horas

- Os principais fatores de risco para hipóxia são: idade avançada e ASA (estado físico);
- Fatores relacionados a complicações respiratórias na RPA:
  - Perda do tônus da musculatura faríngea:
    - Principal fator relacionado a dessaturação em pacientes sob efeito residual de medicações anestésicas;
    - Os opioides diminuem a frequência respiratória e deprimem a resposta a hipóxia e hipercarbia.
  - Atelectasia:
    - Colapso alveolar em parte de pulmão não ventilado levando a taquidispneia, baixa saturação de oxigênio arterial e PaO_2, mesmo em pacientes despertos.
    - Pode complicar com infecção pulmonar.
    - Bloqueio neuromuscular:
    - Considerado em todo paciente com fraqueza muscular, agitação psicomotora ou dessaturação.
    - A avaliação do CO_2 expirado e do volume corrente é insuficiente para garantir proteção das vias aéreas superiores e a capacidade de eliminar secreções.
    - A avaliação rotineira com TOF em todos os pacientes na RPA é inviável, devendo ser direcionada;
    - Nos pacientes despertos, a avaliação clínica da reversão do bloqueio neuromuscular é preferível. Inclui: apertar a mão, protruir a língua, cruzar as pernas e, mais específico, sustentar a cabeça por 5 s;
  - Laringoespasmo:
    - Consiste no espasmo súbito das cordas vocais e oclusão da abertura da laringe; ocorre com maior frequência ainda na sala de cirurgia.
  - Edema ou hematoma:
    - Estridor reflete a presença de uma obstrução respiratória alta. Observar as cirurgias de pescoço: artrodese cervical, tireoidectomia e drenagem de abscessos.
  - SAHOS:
    - A grande maioria dos pacientes não tem diagnostico até o momento da cirurgia e não é obesa;
    - Na SRPA, apresentam colapso das vias aéreas superiores com sinais de hipopneia, dessaturação e piora da hipercapnia;
    - Pacientes extremamente sensíveis a sedativos, principalmente opioides, mesmo em doses habituais.

■❱ Função cardiovascular

- A frequência cardíaca e a pressão arterial devem ser monitoradas rotineiramente;

- Eletrocardiograma (ECG) de 12 derivações deve estar prontamente disponível, e não está indicada realização para todos os pacientes;

- Alterações do segmento ST e onda T em pacientes de alto risco indicam a necessidade de se realizar coleta seriada de marcadores de necrose miocárdica e ECG de 12 derivações;

- No pós-operatório imediato a isquemia miocárdica raramente é acompanhada de dor torácica, portanto outros parâmetros, como: arritmias, instabilidade hemodinâmica, sudorese excessiva, devem ser buscados para detecção precoce;

- A combinação da monitoração das derivações DII e V5 reflete 80% dos eventos detectados no ECG de 12 derivações;

- Os casos de hipertensão pós-operatórias são mais prevalentes em paciente com antecedentes pessoais.

- Checar sempre a maneira como a medida pressórica é obtida.

- Cirurgias como endarterectomia de carótida e procedimentos intracranianos estão mais associados a hipertensão arterial.

- Normalmente a hipertensão é assintomática, mas pode cursar com cefaleia, distúrbios visuais, dispneia, inquietação e dor torácica.

■▶ Hidratação e débito urinário

- A hidratação do paciente cirúrgico é um tema bastante controverso;

- A principal causa de oligúria no pós-operatório é a depleção do volume intravascular;

- É importante observar a presença de causas reversíveis de oligúria (débito urinário inferior a 0,5 mL/kg), como deslocamento ou obstrução do cateter vesical, e comunicar à equipe cirúrgica a possibilidade de ocorrência de complicações anatômicas;

- Retenção urinária é a presença de pelo menos 600 mL de líquido intravesical em conjunção com a incapacidade de eliminar em 30 minutos; pode ser avaliada por ultrassonografia do volume vesical.

■▶ Reversão dos bloqueios espinhais

- Devem ser avaliados os bloqueios motores residual e autonômico (Tabela 19.2).

Tabela 19.2 Escala modificada de Bromage	
0	Ausência de bloqueio motor
1	Paciente flexiona o joelho e move o pé, mas não consegue levantar a perna
2	Movimento apenas dos pés
3	Ausência de movimento dos pés ou joelho

■❱ Consciência

* Avaliar o estado de alerta e orientação ou retorno ao *status* mental basal;
* *Delirium* é a alteração aguda do nível de consciência, de atenção e um distúrbio de cognição:
    * Cerca de 10% dos pacientes acima de 50 anos submetidos a procedimentos cirúrgicos eletivos apresentam algum grau de *delirium* nos primeiros 5 dias da internação hospitalar;
    * Relacionado a maior morbimortalidade, tempo de internação e custos;
    * A avaliação clínica abrange distúrbios metabólicos, encefalopatia hepática ou renal, fatores iatrogênicos, desidratação, medicações, hipoxemia, hipercapnia, dor e sepse;
    * Fatores de risco: > 75 anos, ASA > II, internação prévia, cirurgias de emergência, hipotensão, hipotermia, sangramento ou perioperatórios, doença renal ou cardiovascular prévia, uso de benzodiazepínicos, depressão, déficits visuais e auditivos e tempo cirúrgico prolongado;
    * O diagnóstico pode ser retardado na RPA. Períodos breves de lucidez e agitação do despertar anestésico são fatores de confusão.
* Agitação no despertar:
    * Até 30% dos pacientes submetidos a anestesia geral;
    * Mais comum em crianças/adolescentes, com pico de incidência de 2 a 4 anos de idade;
    * Resolução completa em poucos minutos, sem complicações tardias;
    * Atribuída ao rápido despertar associado ao uso de anestésicos inalatórios, especialmente sevoflurano e desflurano. Algumas medicações têm associação protetora: midazolam, clonidina, dexmedetomidina, fentanil, cetorolaco e fisiostigmina;
    * Acredita-se que a redução da ansiedade pré-operatória é o fator mais importante para diminuir a ocorrência dessa complicação.
* Despertar prolongado:
    * A causa mais frequente é o efeito residual das medicações anestésicas;
    * É importante, entretanto, afastar complicações por meio de avaliação neurológica e exame físico;
    * A utilização de medicações antagonistas pode ser necessária.

■❱ Dor

* Cerca de 78,2% dos pacientes referem dor nas primeiras 24 horas de pós-operatório, e 27,1% destes a caracterizam como dor intensa;
* A presença desse sinal vital prolonga a permanência na SRPA, além de alterações fisiológicas com desfechos indesejáveis para o paciente;

- A prevenção e o tratamento adequado da dor aguda evitam o processo de sensibilização para dor crônica;
- Em SRPA, a dor cirúrgica deve ser avaliada quanto a intensidade, tipo, localização e fatores associados;
- Alguns fatores de risco para o desenvolvimento de dor no pós-operatório são: presença de dor pré-operatória, dor crônica, idade, expectativa do paciente e do cirurgião sobre a dor pós-operatória, medo do paciente, ansiedade e depressão;
- A avaliação da dor pode ser obtida por uma escala visual-analógica (EVA) ou uma escala verbo-numérica, em que se quantifica a dor de 0 (ausente) a 10 (insuportável) (Figura 19.1).

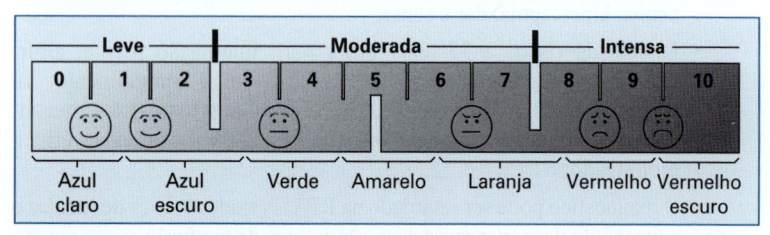

Figura 19.1 – *Escala visual-analógica de dor.*

■❯ Temperatura

- A monitorização da temperatura na RPA é recomendada;
- A hipotermia na SRPA é consequência da associação entre as alterações do mecanismo de termorregulação induzidas pela anestesia e um ambiente frio;
- A hipotermia está associada a graves complicações pós-anestésicas, incluindo: infarto do miocárdio, insuficiência cardíaca congestiva, recurarização, AVC e sangramentos;
- A incidência de tremores pós-operatórios pode chegar a 65% após anestesia geral e 33% após anestesia peridural, normalmente associados a hipotermia. Os principais fatores de risco são sexo masculino e uso de propofol como indutor anestésico;
- Os tremores aumentam o consumo de oxigênio, a produção de gás carbônico, o débito e a frequência cardíaca, a pressão arterial e a pressão intraocular.

■❯ Náusea/vômitos

- A incidência no pós-operatório é de 30% para vômitos e de 50% para náusea, podendo chegar a 80% em grupos de risco;
- NVPO aumenta o desconforto do paciente, o tempo até a alta da RPA e de permanência hospitalar, o risco de broncoaspiração e os custos;
- Na perspectiva do paciente, a ocorrência de NVPO é mais desagradável que a presença de dor;

- Medidas profiláticas incluem: modificação da técnica anestésica e intervenção farmacológica;
- Alguns pacientes necessitam de tratamento a despeito de profilaxia adequada;
- Fatores de risco para náuseas e vômitos pós-operatórios: sexo feminino, história prévia positiva de náuseas e vômitos pós-operatórios, cinetose, não fumantes, jovens, anestesia geral quando comparada à regional, uso de anestésicos voláteis ou óxido nitroso, uso de opioides no pós-operatório, duração da anestesia e tipo de cirurgia (colecistectomia, laparoscópica e ginecológica);
- Adequada hidratação bem como utilização do propofol para indução e manutenção da anestesia foram vistas como estratégias para reduzir a incidência dessas complicações.

■❙ Drenos e cateter

- A identificação de complicações precoces, por meio da medicação do débito dos drenos e presença de sangramentos (correlacionadas ou não aos dados hemodinâmicos do paciente), deve ser comunicada à equipe cirúrgica.

■ PROFILAXIAS E TRATAMENTOS

■❙ Hipoxemia

- Oxigênio deve ser administrado para os pacientes com risco de hipoxemia (idosos, obesos, SAHOS) durante o transporte da sala de cirurgia até a recuperação anestésica;
- A oxigenoterapia rotineira para todos os pacientes na SRPA é controversa; aumenta os custos sem reduzir a incidência de complicações;
- As manobras de elevação do queixo (*chin lift*) e de tração da mandíbula (*jaw thrust*) podem ser usadas inicialmente para tornar a via aérea pérvia, associadas ou não a ventilação com pressão positiva e ao uso de dispositivos naso/orofaríngeos e naso/orolaríngeos;
- A perda do tônus faríngeo em paciente sonolento ou de difícil despertar pode significar efeito residual de anestésicos, e, em casos de hipoxemia resistente à suplementação de oxigênio, deve ter seus efeitos revertidos.
- Observe a Tabela 19.3.

Tabela 19.3 Antídotos disponíveis para as drogas usadas na anestesia		
Classe de medicamento	*Antídoto*	*Dose*
Benzodiazepínico	Flumazenil	0,2-1 mg EV
Opioide	Naloxone	0,3-0,5 mcg/kg EV
Bloqueador neuromuscular	Neostigmina	40-70 mcg/kg EV
Rocurônio	Sugamadex	2-16 mg/kg EV

- A avaliação rotineira com o aparelho de TOF (*train-of-for*) é pouco acurada para refletir o retorno do tônus faríngeo e inviável;
- Em casos de urgência/emergência de rebaixamento agudo com hipoxemia grave, deve-se considerar reintubação traqueal;
- Os laringoespasmos são tratados com manobras de posicionamento, pressão positiva em vias aéreas e, caso necessário, succinilcolina (1 mg/kg IV ou 4 mg/kg IM);
- Nas atelectasias deve-se elevar a cabeceira do paciente, solicitar fisioterapia respiratória com pressão positiva e exercícios de espirometria. Casos persistentes necessitam de investigação diagnóstica, com exames de imagem e broncoscopia, após alta da SRPA;
- Pacientes com SAHOS devem fazer uso de oxigênio suplementar contínuo até que consigam manter a SpO_2 basal e ar ambiente. Se possível, CPAP após a extubação;
- Pacientes obesos no pós-operatório de cirurgia bariátrica também se beneficiam da aplicação de CPAP com 10 cm de H_2O imediatamente após a extubação.

■❙ Instabilidade cardiovascular

- Instabilidade hemodinâmica na SRPA impacta negativamente nos desfechos a longo prazo;
- A hipertensão e a taquicardia estão associadas a maiores taxas de mortalidade e de internação não planejada em UTI do que a hipotensão e a bradicardia.

■❙ Hipertensão

- Orientar o uso de anti-hipertensivos no pré-operatório e retomar no pós-operatório o mais rápido possível;
- Checar se a mensuração está sendo feita de maneira correta e atentar para fatores que possam contribuir: dor, distensão vesical, sobrecarga volêmica, hipoxemia, hipotermia, hipercarbia, aumento da pressão intracraniana ou uso de vasoconstritores intraoperatórios;
- As pressões sistólica ou diastólica acima de 20% do basal associadas a sinais e sintomas de complicações devem ser tratadas;
- O uso de diferentes classes de anti-hipertensivos deve ser selecionado buscando a melhor estratégia para o paciente.

■❙ Hipotensão

- Avaliar a presença de choque: hipovolêmico, obstrutivo, distributivo e cardiogênico;
- A hipovolemia permanece como causa mais comum de hipotensão na SRPA, devendo-se investigar sangramentos, jejum prolongado e reposição volêmica

intraoperatória inadequada. Considerar a realização de prova volêmica para avaliar responsividade;

- A presença de instabilidade hemodinâmica pode indicar que há choque obstrutivo, portanto pneumotórax, hemotórax, tamponamento cardíaco e tromboembolismo devem ser investigados;

- Os choques distributivos devem ser tratados com hidratação e vasopressores;

- Nos casos de sepse/translocação bacteriana/bacteremia, além da reposição volêmica guiada e de vasopressores, a coleta de culturas e a antibioticoterapia adequada devem ser precoces;

- O choque cardiogênico pode decorrer de processo isquêmico, arritmias ou de cardiodepressão secundária a agentes anestésicos em pacientes com antecedentes.

◼▶ Náusea e vômitos

- Várias intervenções podem ser utilizadas para profilaxia de NVPO, sejam elas farmacológicas (antagonistas dos receptores NK-1, antagonistas dos receptores 5-HT3, corticosteroides, butirofenonas, anti-histamínicos, anticolinérgicos e fenotiazinas) ou não farmacológicas (acupuntura);

- Utiliza-se uma intervenção quando há dois fatores de risco, e mais de duas intervenções quando há três ou mais fatores de risco;

- Em caso de falha do tratamento; repetir uma medicação da mesma classe ou aumentar a dose não apresentam benefício;

- O antagonista de substância P (aprepitanto) pode ser efetivo em pacientes de alto risco e nos casos refratários.

Observe a Tabela 19.4.

Tabela 19.4 Medidas farmacológicas para náuseas e vômitos no pré e perioperatório		
Quando	*Droga*	*Dose*
No pré-operatório	Aprepitanto	40 mg VO 1-3h antes da cirurgia
Na indução anestésica	Palonosentrona	0,075 mg EV
	Dexametasona	4 mg EV
	Droperidol	0,625 mg EV
No intraoperatório	Escopolamina	0,3-0,65 mg EV
	Prometazina	12,5 mg EV
	Metoclopramida	10 mg EV
	Difenidramina	12,5 mg
No final da cirurgia	Ondansetrona	4 mg EV

■❚ Hipotermia e tremores

* Tratamento com cobertores aquecidos ou sistemas de ar quente são suficientes para resolver a hipotermia;

* O tratamento farmacológico IV deve ser realizado com drogas de diferentes mecanismos de ação: clonidina (50-150 mcg), tramadol (25-220 g), cetamina (0,2 mg/kg) e meperidina (12,5-25 mg ou 0,35 mg/kg).

■❚ Dor aguda

* Uma boa estratégia de prevenção e controle de dor intraoperatória é de fundamental importância para um bom resultado pós-operatório;

* Na SRPA, os dados do intraoperatório devem ser considerados para complemento da estratégia de tratamento da dor;

* Analgesia multimodal inclui a administração de dois ou mais analgésicos que atuem por diferentes mecanismos, podendo ser administrados pela mesma via ou não, promovendo melhor efeito final e utilização de menor dose de cada medicação;

* Dor leve (EVN 1-3) comumente é controlada por analgésicos comuns (dipirona – como primeira escolha –, acetaminofeno e AINEs);

* Dor moderada (EVN 4-6) recebe associações entre analgésicos comuns e opioides fracos (tramadol ou codeína);

* Dor forte (EVN 7-10) requer, além das medicações anteriores, o uso de opioides fortes. É comum a titulação de morfina (2-3 mg, EV, a cada 5-10 min), fentanil (10-20 mcg, EV, a cada 4-10 min) e outros opioides fortes, como metadona e oxicodona;

* Cetamina em baixas doses (até 10 mg/h) pode ser usada em SRPA nos pacientes que apresentam tolerância a opioides e sensibilização central da dor;

* As técnicas de bloqueios regionais centrais (epidural ou raquidiana) ou periféricas, com ou sem cateteres de infusão contínua, promovem analgesia mais eficaz quando comparadas ao uso exclusivo de drogas venosas, com menor incidência de efeitos colaterais;

* A analgesia controlada pelo paciente (venosa ou peridural) provê melhores resultados em controle de dor pós-operatória, além de menor consumo de opioides quando comparada com a prescrição convencional, e maior autonomia do paciente no controle de sua dor.

■❚ Delirium

* O manejo do paciente com estado de *delirium* pós-operatório inclui suporte clínico, prevenção de acidentes, orientação tempo-espacial, acompanhamento de familiar e reinício de medicações de uso prévio, caso possível;

* Para o controle de agitação, podem-se utilizar: haloperidol 0,5-2 mg, 12/12h; risperidona 0,25-2 mg, 12/12h ou 1 ×/dia; ou quetiapina 12,5-200 mg, 12/12h ou 1 ×/dia.

CRITÉRIOS DE ALTA DA RECUPERAÇÃO PÓS-ANESTÉSICA

- Para obterem alta os pacientes devem se manter despertos, sem complicações cirúrgicas, e ser excluídos riscos de depressão cardiorrespiratória;
- O controle da dor e da temperatura deve ser ajustado;
- Obter uma pontuação mínima de 9 no Escore de Aldrete-Kroulik Modificado (Tabela 19.5).

Tabela 19.5
Escala de Aldrete-Kroulik Modificada: demonstração de critérios de alta da recuperação anestésica. Reavaliação do paciente a cada 15 minutos, com tempo mínimo de 60 minutos para alta, além de obtenção de escore mínimo de 9

Critério	Especificações	Pontuação
Oxigenação	SpO_2 > 92% em ar ambiente	2
	SpO_2 >90% com uso de oxigênio	1
	SpO_2 <90% com uso de oxigênio	0
Respiração	Respira profundamente e tosse presente	2
	Dispneico, dificuldade para respirar	1
	Apneia	0
Circulação	Pressão arterial em 20% do pré-anestésico	2
	Pressão arterial em 20-49% do pré-anestésico	1
	Pressão arterial em 50% ou mais do pré-anestésico	0
Consciência	Desperto	2
	Sonolento, responde ao chamado	1
	Não responsivo	0
Atividade	Movimenta os quatro membros	2
	Movimenta dois membros	1
	Ausência de movimento	0

REFERÊNCIAS BIBLIOGRÁFICAS

1. Apfelbaum JL, Silverstein JH, Chung FF, et al. Practice guidelines for postanesthetic care: an update report by the American Society of Anesthesiologists Task Force on Postanesthetic Care. Anesthesiology 2013; 118(2): 291-307.
2. ASA Task Force on Acute Pain Management. Practice guidelines for acute pain management in the perioperative setting: an updated report

by the American Society of Anesthesiologists Task Force on Acute Pain Management. Anesthesiology 2012;116(2):248-73.

3. Falcao LF, Amaral JL. Recuperação pós-anestésica. Tratado de Anestesiologia da Sociedade de Anestesiologia do Estado de São Paulo, 8a ed. São Paulo:Editora Atheneu, 2017. pp. 2187-220.

4. Gan TJ, Diemunsch P, Habib AS, Kovac A, Kranke P, Meyer TA, Watcha M, et al. Consensus guidelines for the management of postoperative nausea and vomiting. Anesth Analg 2014;118;85-113.

5. Lorentz MN, Mesquita RF. Delírio pós-operatório. Revista Médica de Minas Gerais. Minas Gerais 2012; 22 (4): S12-S19.

6. Neufeld KJ, Leoutsakos JMS, Sieber FE, Wanamaker BL, Chambers JJG, Rao V, Schretlen DJ, Needham DM. Outcomes of early delirium diagnosis after general anesthesia in the elderly. Anesthesia and Analgesia EUA 2013; 117 (2): 471-8.

7. Nicholau TK. The Postanesthesia Care Unit. In: RD Miller et al., eds. Miller's Anesthesia. 8th ed. Philadelphia: Churchill Livingstone. pp. 2924-46.

8. Veiga D, Luis C, Parente D, Fernandes V, Botelho M, Santos P, Abelha F. Delirium pós-operatório em pacientes críticos: fatores de risco e resultados. Rev Bras Anestesiologia Rio de Janeiro 2012; 62 (4): 469-83.

Capítulo 20

Dor

José Luiz de Campos
Gabriel José Redondano Oliveira
Larissa de Castro e Sá Oliveira

A dor foi definida como "experiência sensorial e emocional desagradável associada a dano tecidual real ou potencial" pela Associação Internacional para o Estudo da Dor (IASP), que se tornou a organização matriz de várias sociedades internacionais de dor. Essa definição surgiu porque a dor é uma experiência individual com característica multimodal.

São várias as classificações quanto aos tipos de dor existentes, mas sob o ponto de vista fisiopatológico listamos os seguintes: dor nociceptiva, dor neuropática e dor com participação autonômica.

FISIOPATOLOGIA DA DOR

A fisiopatologia da dor é bem definida, apresentando vias nervosas complexas como a sensibilidade periférica pela nocicepção, até a percepção que ocorre no córtex cerebral e finalizando a via moduladora que visa amenizar a manifestação da dor.

A nocicepção é a modalidade sensorial pela qual os estímulos nocivos são detectados perifericamente e transmitidos centralmente ao sistema nervoso central (SNC). A via pela qual a nocicepção é mediada apresenta, em sua formação, a existência de nociceptores, fibras aferentes, gânglio da raiz dorsal, sinapse primária, corno posterior da medula espinhal, interneurônio (sinapse secundária), vias ascendentes (espinotalâmicas), tálamo e centros cerebrais superiores (Figura 20.1).

Os nociceptores são receptores aferentes primários para a dor. Geralmente são terminações nervosas especializadas em quase todos os tecidos do corpo. Os nociceptores podem ser unimodais, como os que respondem a ação mecânica ou a variação térmica de calor, e polimodais, que reagem a distorção mecânica, ao calor, ao frio ou a estímulos químicos, como os chamados mecanocalor (MH na sigla em inglês).

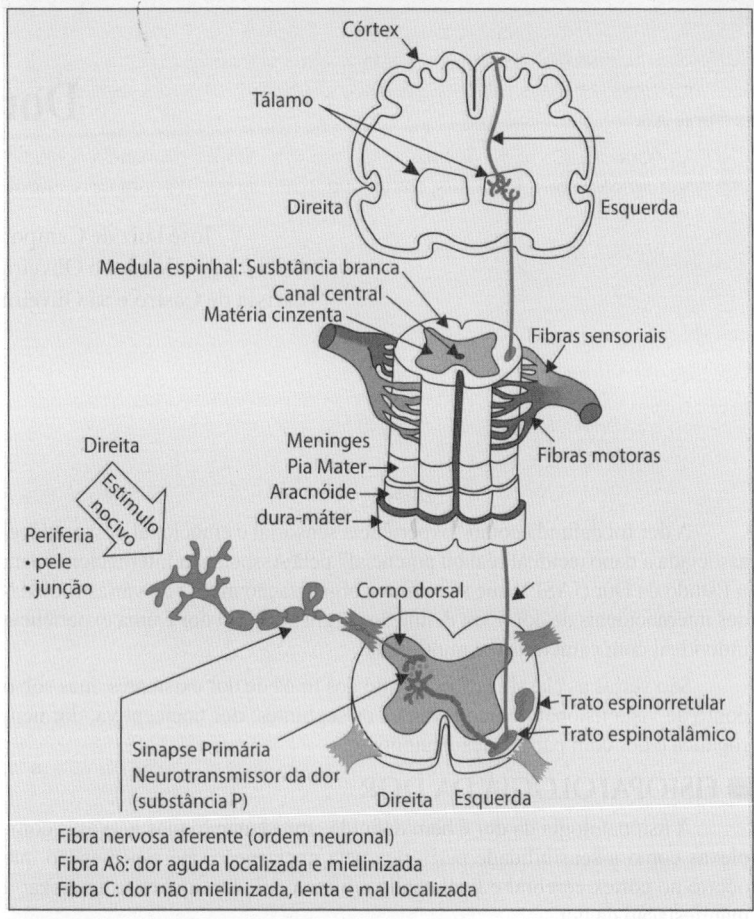

Figura 20.1 – *Via mediadora da nocicepção.*

Esses receptores são, em geral, específicos para íons de sódio, potássio, cálcio ou hidrogênio. Contudo, também existem canais iônicos não específicos (ASICs), bem como canais de potencial receptor transitório (TRP). Esses últimos podem ser ativados por mediadores inflamatórios liberados pelo tecido lesionado fazendo parte do quadro de hiperalgesia.

Na presença de lesão tecidual, mediadores químicos como os autacoides (prostaglandinas, cininas, serotonina e histamina), íons de hidrogênio, substância P, entre outros, são libertados no local e não só iniciam a nocicepção e a hiperalgesia, mas também dão início às reações inflamatórias através de aumentos no fluxo sanguíneo local e permeabilidade vascular, pela ativação e migração de células imunes (como leucócitos), liberação de fatores de crescimento celular e de necrose tecidual (TNF) e fatores neurotróficos (GDNF e NGF).

Na membrana celular, os nociceptores fazem a transdução dos estímulos físicos ou químicos nocivos para iniciar potenciais de ação e transmiti-los para dois tipos de fibras aferentes, ambas de velocidade baixa, as fibras C e as fibras Aδ.

As fibras C são não mielinizadas, com velocidades de condução mais lentas, geralmente entre 1-2,5 m/s, e transmitem dor de queimadura de resposta lenta e parestesias.

As fibras Aδ são mielinizadas, com velocidades de condução entre 15 e 55 m/s, e transmitem dores agudas de resposta rápida, como queimaduras breves, ardor e picada. Possuem dois tipos de nociceptores Aδ: os do tipo I com velocidades de condução mais elevadas (> 25 m/s), encontrados em peles com pelos ou não, como as palmas das mãos e solas dos pés; e os do tipo II, mais lentos, com velocidades de condução de aproximadamente 15 m/ s, distribuídos apenas na pele com pelos.

Os gânglios das raízes dorsais (DRG) correspondem ao conjunto dos corpos celulares das fibras aferentes. Os DRG estão localizados lateralmente ao forame neural na coluna vertebral e, através do ramo comunicante cinza e dos nervos sinovertebrais, está interligado à cadeia autonômica. Essa relação é responsável por muitos aspectos da dor crônica e torna-se fator determinante para a evolução do quadro álgico, por exemplo, na chamada síndrome dolorosa complexa regional (SDCR).

As fibras nociceptoras terminam no corno posterior da medula espinhal, que correspondem às lâminas de Rexed de I a VI (divisão da substância cinzenta medular com um total de 10 lâminas) (Figura 20.2). A maioria das fibras nociceptoras (Aδ e C) termina em duas áreas, que são as lâminas I/II (camada marginal e substância gelatinosa) e a lâmina V, fazendo assim a primeira sinapse. Também nessa região estão presentes os interneurônios, responsáveis pela continuidade da retransmissão ou inibição do estímulo, os neurônios de segunda ordem, que projetam as informações para o cérebro pelas vias ascendentes, e também os neurônios do sistema descendente de modulação. Assim, essa é uma região anatômica de grande importância na fisiopatologia da dor por participar ativamente de todos os mecanismos de controle da sensibilidade do sistema álgico. Seu principal neurotransmissor excitatório é o glutamato, e os inibitórios são a glicina e o ácido γ-aminobutírico (GABA). Nessa área também atuam outros importantes neuromoduladores, por exemplo, a calcitonina peptídica e a substância P como excitatórios e os opioides endógenos noradrenalina e serotonina, que agem como inibidores do estímulo álgico no corno posterior da medula espinhal.

Na primeira sinapse encontram-se receptores peptídicos pré e pós-sinápticos que atuam de modo inibitório ou excitatório do estímulo álgico. Alguns receptores são inotrópicos por associarem-se a canais iônicos, e outros desencadeiam mecanismos intracelulares de condução e de síntese proteica (metabotrópicos), como os receptores de N-metil-D-aspartato (NMDA) (pós-sináptico e excitatório pela entrada de Ca++), receptores opioides (δ, κ, μ) (pós e pré-

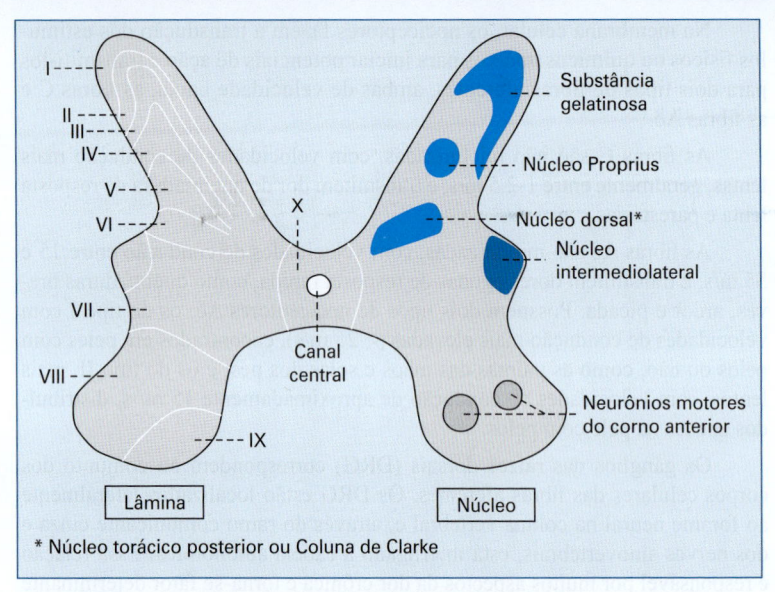

Figura 20.2 – *Organização funcional da medula espinhal.*

-sinápticos inibitórios), receptores GABA A e B (pós-sinápticos inibitórios), receptores serotoninérgicos (NH) (pós-sinápticos inibitórios), receptores ácido α-amino-3-hidroxi-5-metil-4-isoxazolepropiônico (AMPA) (pós-sinápticos excitatórios) e os receptores de tirosina-quinase (TRK) (excitatórios).

Os interneurônios constituem mais de 90% dos neurônios do corno posterior da medula espinhal, e são divididos em dois grupos: os excitatórios e os inibitórios. Os interneurônios excitatórios liberam glutamato como neurotransmissor na sinapse primária. Os interneurônios inibidores utilizam o ácido γ-aminobutírico (GABA) e a glicina como neurotransmissores, e podem ser estimulados por aferentes primários, pelo sistema modulador descendente ou por aferentes primários não nociceptivos tais como as fibras Aβ (teoria do portão de controle).

A inflamação periférica e as transmissões nociceptivas podem alterar a eficácia sináptica e induzir a sensibilização central nos neurônios do corno dorsal; fato que é considerado um mecanismo fundamental para a indução e para a manutenção da dor crônica.

Essa sensibilização central assume uma série de formas distintas.

Uma forma de sensibilização central é chamada *wind up,* em que a descarga repetitiva de impulsos aferentes primários promove a liberação de neuromoduladores, como a substância P e a calcitonina peptídica, sobre os neurorreceptores do corno posterior. A presença desses potenciais pós-sinápticos excitatórios lentos pode ativar o receptor de NMDA, removendo a supressão de Mg++ do canal e aumentando a excitabilidade dos neurônios do corno dorsal. Assim, na prática clínica, essa teoria explica a razão pela qual os estímulos aferentes repetitivos podem progressivamente exacerbar os sintomas álgicos.

Outra forma de sensibilização ocorre em curto prazo, desencadeada por uma plasticidade multissináptica, em que estímulos aferentes medeiam receptores NMDA não somente na sinapse primária, mas também em sinapses próximas que se interpõem aos sinais. Assim, pequenos estímulos não álgicos, como o tato leve ou moderado, podem desencadear os estímulos sinápticos primários e manifestar o quadro álgico, situação enquadrada como alodinia. Ainda pode haver uma sensibilização a longo prazo, em que após estímulos prolongados, especialmente nos casos de lesão do neurônio de primeira ordem, os axônios centrais das fibras Aδ mielinizadas brotam do local normal de terminação das lâminas de Rexed para lâminas mais profundas, contribuindo para a alodinia tátil presente nesses tipos de lesões neurais.

A via ascendente da dor leva o estímulo nociceptivo aferente ao cérebro, envolve o neurônio de segunda ordem, que se inicia a partir da sinapse primária e atravessa a substância cinzenta espinhal anterior e contralateralmente, seguindo então duas possíveis vias:

- A via discriminativa sensorial filogeneticamente mais recente, que é monossináptica com projeção cortical, possibilitando a localização somatossensorial do estímulo nocivo. É constituída pelo trato espinotalâmico lateral (STT), que termina no núcleo posterior ventral do tálamo (VPN). É uma via perceptiva de dor, identificando dor em picada, tato e temperatura. Na face e no pescoço, a informação aferente nociceptiva segue até o tálamo pelo trato trigeminotalâmico.

- A via afetiva, filogeneticamente mais primitiva, é polissináptica, projetando-se do trato espinorreticular para centros subcorticais e mediando as dimensões afetiva e autonômica da resposta da dor. Essa via integra sinais nociceptivos a núcleos viscerais, como o trato do núcleo solicitário , mediando respostas autonômicas da dor e as vias espino-hipotalâmicas com a região pré-frontal do córtex, onde o estímulo álgico interage com as funções neuroendócrinas por intermédio de alguns hormônios, por exemplo, o hormônio adenocorticotrófico (ACTH).

O tálamo tem como função a projeção dos estímulos somatossensoriais, vindos dos tratos espinotalâmico lateral (STT) e trigeminotalâmico para o córtex cerebral, onde haverá a localização e a mediação dos mesmos.

O córtex cerebral recebe o estímulo aferente nociceptivo pelo neurônio de terceira ordem. As áreas do córtex cerebral que podem ser ativadas são:

- Giro pós-central primário (S1);
- Giro pós-central secundário (S2);
- Córtex insulinar (IC);
- Cíngulo anterior do córtex (ACC).

As duas últimas regiões (IC e ACC) compõem parte do sistema límbico e demonstram a importância dos aspectos emotivos nos quadros álgicos, enquanto as áreas do giro pós-central (S1 e S2) são centros perceptivos de localização e duração da dor.

A via descendente ou moduladora é a via que busca controlar ou inibir os estímulos nociceptivos de origem primária.

Vários mecanismos participam dessa via inibitória. Entre eles está a teoria do portão de controle (*gate control*), em que estímulos em fibras não nociceptivas, como os transmitidos pelas fibras Aβ (mecanorreceptoras), em virtude da proximidade sináptica no corno posterior da medula espinhal, podem gerar sensações que inibem os estímulos nociceptivos aferentes na sinapse primária. Essa teoria explica muitos mecanismos de ação de algumas terapias álgicas, como a estimulação elétrica de nervos via transcutânea (TENS) e massagens.

Os neuromoduladores compreendem outro importante mecanismo participante da via descendente, e essas substâncias endógenas têm comportamentos específicos que podem diminuir ou intensificar a transmissão do estímulo nociceptivo. Eis alguns neuromoduladores:

- Excitatórios: colecistoquininas, prostaglandinas e dinorfinas;
- Inibitórios: endorfinas, acetilcolinas e canabinoides.

A modulação descendente da nocicepção é mediada por uma rede de caminhos. Ocorre principalmente em torno de um eixo entre a região cinza periaquedutal (PAG) do mesencéfalo e a medula ventromedial rostral (RVM). O PAG é o principal controle inibitório descendente sobre a nocicepção. Recebe insumos do hipotálamo, tálamo, sistema límbico e córtex e entrega suas principais projeções ao RVM. A RVM é uma região que exerce controle bidirecional sobre a transmissão nociceptiva no corno dorsal, promovendo estímulos excitatórios ou inibitórios.

▬ TIPOS ESPECÍFICOS DE DOR

A dor, quanto ao tempo de manifestação e à presença de lesão tecidual, pode ser classificada como aguda, geralmente associada a uma lesão tecidual, normalmente esperada que seja de curta duração, por exemplo a encontrada em traumas ou períodos pós-operatórios; crônica, que não tem relação direta com a presença de lesão tecidual, mas necessariamente já foi ultrapassado o tempo aceitável de manifestação álgica da patologia que a originou. A dor crônica é frequentemente associada a outros transtornos, como alterações comportamentais, sociais ou funcionais.

Seguem algumas formas comuns de dor crônica.

▬ Dor neuropática

A IASP define a dor neuropática como a dor iniciada ou causada por uma lesão primária ou disfunção do sistema nervoso. Não há necessariamente presença de lesão neuronal, mas quase sempre ocorre uma readequação funcional do sistema nervoso participante das neurofisiologias da dor. Essa alteração pode se apresentar com os diferentes sintomas previamente citados, como hiperalgesia e ou alodinia.

Os exemplos são extensos, como dor em presença de câncer por lesões actínicas após radioterapia e/ou quimioterapia, dor pós-operatória, trauma ou fraturas, as desaferentações, como amputações ou plexopatias, alguns casos de síndrome pós-laminectomia e neuralgia pós-herpética.

◼) Síndrome dolorosa complexa regional (SDCR)

A Associação Internacional para o Estudo da Dor (IASP) define a síndrome de dor regional complexa (CRPS) como: "variedade de condições dolorosas após lesão que aparece regionalmente com predominância distal de fidedignidades anormais, excedendo em magnitude e duração o curso clínico esperado do evento incitante, e frequentemente resultando em comprometimento significativo da função motora de progressão variável ao longo do tempo".

Apresenta características clínicas diferentes, incluindo dor espontânea, alodinia, hiperalgesia, edema, anormalidades autonômicas (sudorese, edema, alteração de temperatura da extremidade acometida), limitação de movimento ativo e passivo, alterações tróficas da pele e tecidos subcutâneos, tais como baixa perfusão tecidual periférica e pele ressecada ou às vezes úmida.

Dois tipos de CRPS são encontrados: o tipo I (distrofia simpática reflexa) e o tipo II (causalgia), pela presença de uma lesão nervosa identificável maior no CRPS II e ausência de uma lesão nervosa importante no CRPS I. Acomete mais mulheres que homens (3:1).

É notória a participação da cadeia autonômica, mas há também o envolvimento dos sistemas sensorial, motor, cortical e afetivo. Toda a sua fisiopatologia ainda não se encontra definida.

◼) Dor oncológica

Pode ser acompanhada por diversas síndromes dolorosas.

Quando visceral, tem a riqueza e a intensidade da dor autonômica, porém com localização mais imprecisa, convergente com a associação de alterações emocionais.

Em geral a maior causa de dor é pela presença de metástases ósseas. Em ordem de incidência, aparecem comumente na coluna vertebral, seguida da bacia e de ossos longos como o fêmur. As metástases na coluna vertebral podem causar fraturas com compressões neurais, articulares das interapofisárias ou da medula espinhal.

Nos cânceres viscerais pode ocorrer invasão dos plexos nervosos, especialmente lombar e sacral, como em tumores abdominais e/ou pélvicos. No tórax pode haver presença de neuralgia intercostal por invasão de tumor ou fraturas por metástases.

Também a radioterapia e a quimioterapia podem causar lesões actínicas diretamente em nervos ou órgãos, atingindo secundariamente a sua inervação.

O esquema proposto para terapêutica é um sistema de degraus, proposto pela Organização Mundial da Saúde (OMS) (Figura 20.3), que se inicia com analgésicos mais fracos e de acordo com a resposta terapêutica se vai aumentando a potência dos agentes farmacológicos. O primeiro degrau consta de analgésicos não opioides, no segundo degrau estão opioides fracos como o tramadol ou a codeína, e no terceiro degrau estão opioides fortes, como a morfina ou o fentanil.

Sempre se podem associar coadjuvantes, como antieméticos, protetores gástricos, laxantes, antidepressivos e anticonvulsivantes.

Quando não há controle do quadro de dor, a realização de procedimentos intervencionistas, como neurólise de cadeia autonômica (química ou térmica por radiofrequência), vertebroplastia, implante intratecal de cateter e reservatório de fármacos e implante de neuroestimulador medular, tem sido uma alternativa terapêutica com alto índice de sucesso em seus resultados.

▄ TIPOS DE TERAPIAS DA DOR

A terapia medicamentosa ideal deve ser multimodal, ou seja, combinando agentes farmacológicos que possuem diferentes mecanismos de ação, promovendo um sinergismo entre eles, diminuindo a dose ideal de cada fármaco e tendo menor ocorrência de efeitos colaterais.

Algumas das principais categorias de agentes farmacológicos são:

- Anti-inflamatórios, que agem na cascata inflamatória fazendo bloqueio das enzimas ciclo-oxigenases tipos 1 e 2 (COX), diminuindo a liberação de prostaglandinas, de leucotrienos e de substância P. Apresentam efeito "teto", em que o aumento da dose chega a um ponto no qual não ocorre aumento da ação analgésica. Podem aparecer alguns efeitos adversos pelo uso desses fármacos, como lesão de mucosa gástrica com sangramento por erosão, má adesividade plaquetária e, nos usos crônicos, alterações da função renal por ação na parede de glomérulos e túbulos, podendo evoluir para necrose tubular aguda, nefrite intersticial e síndrome nefrótica. Também o uso de inibidores da COX2 pode originar fenômenos tromboembólicos coronários.

- A dipirona é um analgésico não opioide de ação periférica e central. É o analgésico mais prescrito no Brasil, que é o país que tem maior experiência no uso desse agente. Estudos demonstram risco adicional de hipotensão ou aplasia medular com o uso de dose elevada. O risco de agranulocitose é de 1,1 caso por milhão.

- Os opioides são analgésicos de ação central e periférica que atuam em receptores específicos acoplados à proteína G. São eles: mu, delta e kappa. Atuam inibindo a a transmissão da dor na medula espinhal e ativando a via descendente moduladora inibitória associada a efeitos de alteração no humor e afetivos vinculados a dor. Podem ser administrados por diversas vias, por exemplo as vias oral, intravenosa, intramuscular, subcutânea, transmucosa, transdérmica, peridural e intratecal. Nestas duas últimas existe uma ação nos mesmos receptores específicos no corno dorsal da medula espinhal, especialmente nas fibras C.

• Os agentes hidrofílicos, como a morfina, têm ação medular mais intensa e uma analgesia mais prolongada, normalmente de 12 a 24 horas.

Os efeitos adversos possíveis dos opioides são: prurido, náusea ou vômito, retenção urinária, constipação e depressão respiratória. Também são agentes com índice importante de adição quando o paciente tem acesso fácil ao medicamento.

A Tabela 20.1 apresenta a comparação de dose equipotente entre os diferentes opioides:

A terapia medicamentosa deve seguir a Escada Analgésica da OMS, porém nos casos de dor aguda inicia-se no sentido decrescente de potência analgésica, partindo do uso de analgésicos mais fortes e com o passar do tempo reduzindo-se a potência dos agentes farmacológicos. O sentido contrário deve ser aplicado na terapia medicamentosa da dor crônica, iniciando com agentes mais fracos e de acordo com a resposta de cada paciente vão se adequando as doses e os agentes (Figura 20.3).

Segue abaixo uma divisão didática para a Terapia de Dor Aguda, comum nos pós-operatórios, e uma para a Terapia de Dor Crônica.

■■) Terapia da dor aguda

Existem hospitais que trabalham com protocolos de dor aguda, geralmente implantados pela equipe multidisciplinar para auxiliar no tratamento das mesmas. Basicamente, esses protocolos seguem dois caminhos distintos de terapias: um para os casos clínicos com prescrições, e outro para os casos pós-cirúrgicos. Nesses últimos, conta-se com a participação da equipe de anestesiologia, que utiliza sistemas de analgesia pós-operatória.

Tabela 20.1 Doses equipotentes
Codeína 1/10 Morfina
Tramadol 1/10 Morfina
Metadona = Morfina
Nalbufina = Morfina
Fentanil 100 a 300 vezes morfina
Alfentanil ¼ fentanil
Sulfentanil 1000 vezes morfina
Buprenorfina 25-30 vezes morfina

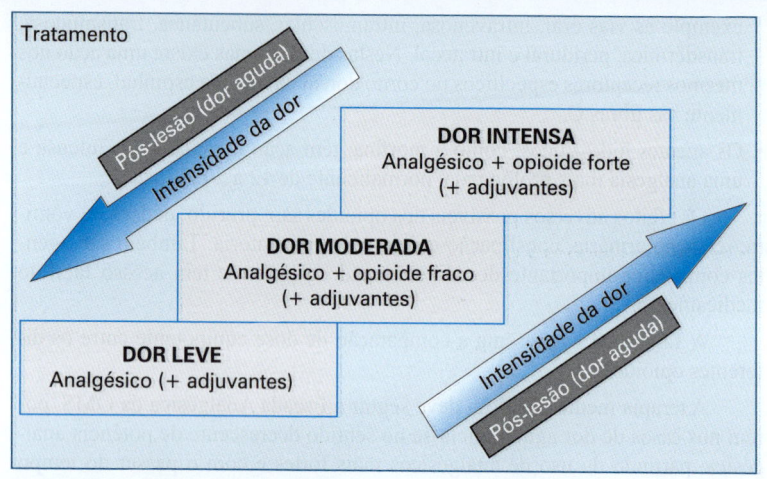

Figura 20.3 – *Escada Analgésica da OMS.*

Segue, na Figura 20.4, uma sugestão do fluxo do protocolo de dor em âmbito hospitalar em seus diversos setores (alas de internação, ambulatório, pronto-socorro e em pós-operatórios).

Nos casos de analgesia pós-operatória, seguem alguns exemplos para o paciente adulto:

▮▮ *PCA venoso (PCA: infusão contínua com alvo controlado pelo paciente)*

- Fentanil 10 mcg/mL
  - Diluição: solução fisiológica 200 mL + fentanil 2500 mcg (50 mL), volume total 250 mL, dose inicial 2 mL, ritmo 2 mL/hora. Bolo intervalo 10 minutos, volume de 20 mL em 4 horas.
- Morfina 0,5 mg/mL:
  - Diluição: solução fisiológica 237,5 mL + morfina 125 mg (12,5 mL = 12,5 ampolas de 1 mL com 10 mg/mL), total: 250 mL, dose inicial 2 mL, ritmo 2 mL/hora. Bolo intervalo 15 minutos, volume de 20 mL em 4 horas.

▮▮ *PCA epidural*

- Ropivacaína 2 mg/mL + fentanil 2 mcg/mL
  - Diluição: fentanil 500 mcg (10 mL) + ropivacaína 1% 500 mg (50 mL) + solução fisiológica 190 mL. Volume total: 250 mL.
  - Dose inicial: 4 mL. Ritmo: 4 a 6 mL/hora. Bolo: 3 mL. Intervalo de bloqueio: 20 minutos. Limite de 4 horas: 30 mL.

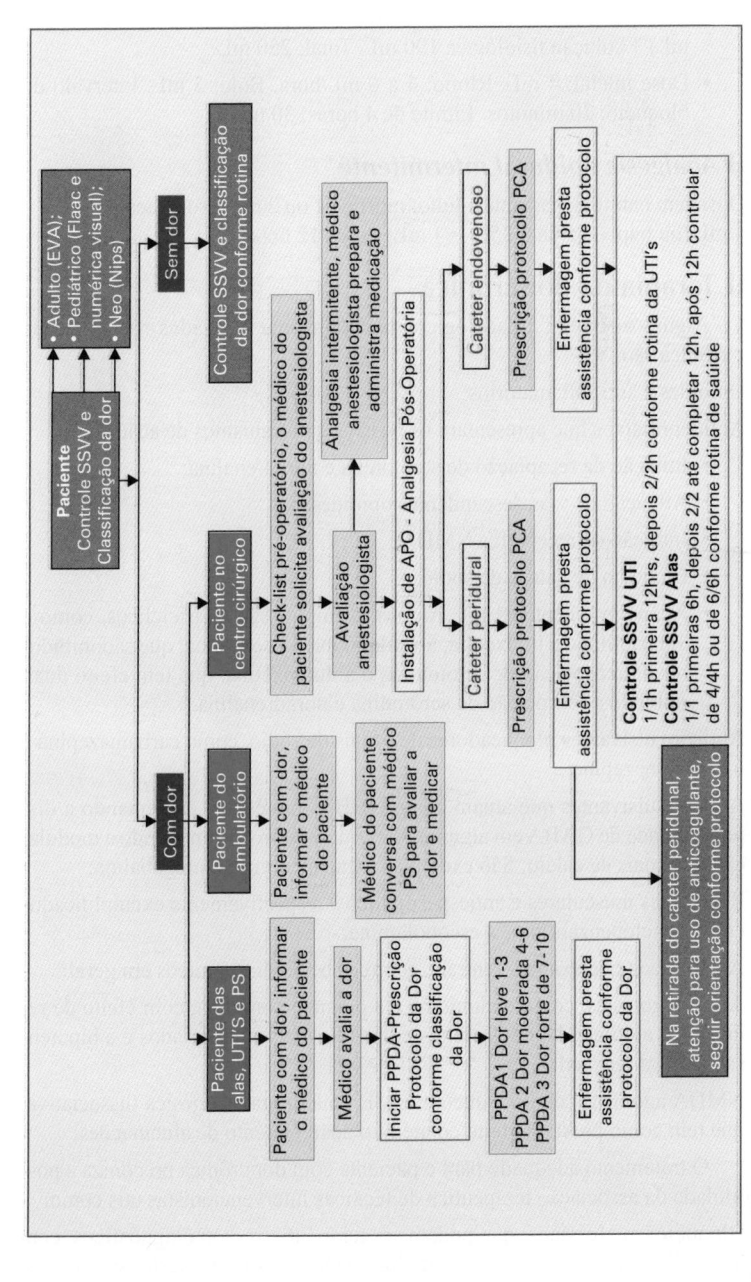

Figura 20.4 – *Sugestão de fluxo do protocolo de dor em âmbito hospitalar.*

- Bupivacaína 1 mg/mL + fentanil 2 mcg/mL
  - Diluição: fentanil 500 mcg (10 mL) + bupivacaína 0,5% 250 mg (50 mL) + solução fisiológica 190 mL. Total: 250 mL.
  - Dose inicial: 4 mL. Ritmo: 4 a 6 mL/hora. Bolo: 3 mL. Intervalo de bloqueio: 20 minutos. Limite de 4 horas: 30 mL.

■❙❙ *Analgesia epidural intermitente*

- Dosagem habitual, paciente adulto: morfina 1 ou 2 mg + ropivacaína 0,2% = 4 mL (ou bupivacaína 0,25% = 4 mL) de 12/12 horas ou 1 vez ao dia.

■❙ Terapia da dor crônica

Alguns agentes farmacológicos habitualmente utilizados na terapia da dor crônica são:

- Opioides e anti-inflamatórios;
- Antidepressivos que apresentam os possíveis mecanismos de ação:
  - Inibição da recaptação de serotonina e noradrenalina;
  - Ativação de vias descendentes opioides;
  - Inibição de receptores NMDA;
  - Bloqueio de canais de sódio;
  - Ação em receptores H1. Alguns exemplos são os tricíclicos, como a amitriptilina, a fluoxetina, a venlafaxina e a sertralina, que são inibidores da recaptação de serotonina, e a duloxetina, que tem efeito dual, inibindo a recaptação de serotonina e noradrenalina.
- Anticonvulsivantes bloqueadores de canais de sódio, como carbamazepina e oxicarbamazepina;
- Anticonvulsivantes que atuam como GABA-miméticos, aumentando a disponibilidade de GABA em algumas áreas do cérebro, promovendo a modulação de canais de cálcio. São exemplos a gabapentina e a pregabalina;
- Relaxantes musculares e antiespasmódicos, respectivamente exemplificados como a ciclobenzaprina e a escopolamina;
- Ansiolíticos e relaxantes centrais, como os benzodiazepínicos em geral;
- Alfa-2-agonistas, como a clonidina e a dexmedetomidina, com efeito de redução da alodinia. Um dos efeitos colaterais mais evidenciados é a hipotensão arterial residual;
- NMDA agonistas, como a quetamina. É uma droga analgésica dissociativa, que tem como possível efeito colateral o aparecimento de alucinações.

O tratamento adequado para o paciente com dor crônica preconiza a possibilidade da associação terapêutica de técnicas intervencionistas tais como:

- Bloqueios analgésicos, que podem ser terapêuticos e/ou diagnósticos, com a possibilidade de serem executados fazendo uso de anestésicos locais, agentes neurolíticos ou toxina botulínica. Podem ser realizados no neuroeixo, em articulações, músculos, tendões ou ligamentos, nervos centrais ou periféricos e cadeias ou gânglios autonômicos (simpáticos ou parassimpáticos). Os bloqueios analgésicos formam a base da terapia intervencionista da dor, pois por intermédio deles será possível indicar propostas de intervenções futuras;

- Radiofrequência convencional ablativa aplicada por via percutânea em nervos autonômicos e sensitivos pré-articulares. São exemplos do uso dessa técnica as simpatectomias percutâneas, as denervações pré-capsulares de articulações em joelhos, quadris, as articulações interapofisárias e sacroilíacas. Também se pode executar essa técnica em neurotomias no gânglio de Gasser nos quadros de trigeminalgias;

- Radiofrequência pulsátil para neuromodulação de nervos mistos, como na rizotomia para o tratamento de radiculites neurais;

- Implantes de eletrodos medulares e de neuroestimuladores no espaço peridural para tratamento de dores sindrômicas como a SDCR ou a síndrome pós-laminectomia;

- Implantes de cateter intratecal e de reservatórios de fármacos para tratamento de quadros álgicos localizados no tronco, tórax, abdome e pelve, como nos casos de dores cancerígenas residuais aos tratamentos.

A terapia da dor deve ser multimodal, tanto nas combinações de fármacos como na combinação de técnicas. No caso da dor crônica, fica evidente a necessidade do tratamento do paciente como um todo, associando-se terapias comportamentais a acompanhamento psicológico, fisioterápico e nutricional.

Devido a sua complexidade terapêutica, atualmente o gerenciamento da dor se tornou uma especialidade médica em crescente desenvolvimento.

◼ REFERÊNCIAS BIBLIOGRÁFICAS

1. Benzon HT, Rathmell JP, Wu CL, Turk DC, Argoff CE, Hurley CW. Practical Management of Pain. 5th ed. Philadelphia, 2014.
2. Flood P, Rathmell JP, Shafer S. Stoelting Pharmacology and Physiology in Anesthetic Practice. 5th ed. Chapter 6. Lippincott Williams & Wilkins, United States pf America, 2015.
3. Lin T, Smith T, Pinnock C. Fundamentals of Anesthesia. 4th ed. Chapter 19. Cambridge University Press, 2016.
4. Scott M, Fishman JC, Ballantyne JP. Rathmell, Bonica's Management of Pain. 4th ed. Chapters 3,4 and 5. Lippincott Williams & Wilkins, 2009.
5. Waldman SD. Waldman Atlas of Interventional Pain Management. 4th ed. Saunders, 2014.
6. Wilson PR, Watson PJ, Haythomthwaite JA, Jensen TS. Clinical Pain Management - Chronic Pain. 2nd ed. CRS Press, Taylor & Francis Group, 2008.

Complicações Anestésicas

Arthur Sevalho Gonçalves
Ricardo Zanlorenzi
Luiz Fernando dos Reis Falcão

⬛ INTRODUÇÃO

A anestesia feita nos dias de hoje é significativamente mais segura do que a realizada algumas décadas atrás. Estudos dos últimos anos revelam que a mortalidade relacionada diretamente à anestesia está em menos de 1:100.000 procedimentos.[1] Contudo, complicações decorrentes do ato anestésico, definidas como uma evolução desfavorável relacionada a anestesia no período perioperatório, podem ocorrer devido até mesmo a fatores que fogem do controle do anestesiologista. Iremos abordar neste capítulo as principais complicações relacionadas ao ato anestésico e algumas particularidades de cada intercorrência.

⬛ COMPLICAÇÕES PERIOPERATÓRIAS

As complicações perioperatórias dizem respeito a complicações que ocorrem tanto antes como durante e depois do ato anestésico.

⬛❙ Cardiovasculares

⬛❙ *Hipotensão arterial*

- Definida como uma pressão arterial média (PAM) 25% abaixo do valor de entrada do paciente;
- Pacientes hipertensos em uso de inibidores da enzima conversora de angiotensina e de antagonistas da angiotensina II estão mais propensos a desenvolver hipotensão no intraoperatório;[2]
- A hipotensão é previsível, e seu controle deve ser antecipado durante a indução da anestesia, principalmente naqueles pacientes com estenose valvar, desidratados e hipovolêmicos;

- A maioria dos agentes anestésicos como inalatórios, barbitúricos e benzodiazepínicos causa depressão cardíaca dose-dependente;

- Os sistemas de monitorização não invasivos tendem a ser pouco confiáveis em situações de hipotensão severa e na presença de algumas arritmias. Já a monitorização invasiva fornece uma medida adequada e contínua da pressão arterial. Outros tipos de monitorização podem auxiliar na conduta, principalmente aquelas que refletem o débito cardíaco, como fração expirada de gás carbônico;

- O tratamento da hipotensão é de acordo com a sua gravidade e consequências, com o objetivo de identificar a causa e restaurar a perfusão dos órgãos. Posição de Trendelenburg, hidratação, diminuição da concentração ou infusão de agentes anestésicos, assim como a infusão de inotrópicos e vasopressores, são alternativas para o tratamento da causa da hipotensão, dependendo da sua gravidade.[2]

■❙❙ Hipertensão arterial

- O aumento do tônus do sistema nervoso simpático pode ser secundário a vários fatores, como laringoscopia, intubação e extubação traqueais, plano anestésico inadequado, analgesia insuficiente, hipercapnia e hipóxia;

- A hipertensão pode aumentar o sangramento no campo cirúrgico e o risco de infarto agudo do miocárdio em pacientes propensos e com algum grau de comprometimento na perfusão cardíaca;

- Algumas drogas como vasopressores e inotrópicos, assim como a cetamina, aumentam a pressão arterial. Podemos citar como causas hipertermia maligna, feocromocitoma, tireotoxicose, entre outras;

- A partir do momento em que foi excluída e tratada a anestesia em plano inadequado, pode-se lançar mão de anti-hipertensivos como esmolol, hidralazina, nitroprussiato de sódio e nitroglicerina para o controle da pressão arterial.

■❙❙ Hemorragia

- Sangramento é uma consequência normal de um procedimento cirúrgico, mas deve ser considerado significativo quando mais de 15% do volume circulante foi perdido;

- O conceito de transfusão maciça é a perda de uma volemia em 24 horas ou uma perda de 50% do volume sanguíneo em 3 horas;

- A classificação da perda aguda de sangue é referente ao percentual do volume total de sangue perdido e ao grau de choque hipovolêmico produzido com seus sinais e sintomas associados: classe I, menos de 15%; classe II, de 15 a 30%; classe III, de 30 a 40%; classe IV, mais de 40% da volemia;[3]

- A hemorragia maciça pode ser evitada com o uso de técnicas minimamente invasivas, torniquetes pneumáticos, anestésicos locais com adrenalina, assim como manobras no manejo anestésico, como evitar hipotermia, hipercapnia, altas pressões intratorácicas e congestão venosa;

- Uma boa forma de estimar a perda sanguínea é por meio do volume de sangue em frascos de aspiração e peso de compressas;

- O volume intravascular pode ser mantido inicialmente com cristaloides, porém uma hemorragia contínua levará a perda de fatores de coagulação, além das hemácias. Em pacientes jovens sem comorbidades cardiovasculares utiliza-se, de maneira geral, o valor de 7 mg/dL como gatilho para a transfusão de hemoconcentrados. Para volumes ainda maiores de perda sanguínea, pode ser necessária a reposição de outros componentes sanguíneos como plasma fresco congelado, crioprecipitado e concentrado de plaquetas. O ideal seria a possibilidade de guiar a reposição tanto de fatores de coagulação como de fibrinogênio por exames como a tromboelastografia, porém esse exame ainda é caro e não tão disponível.[4]

■❙❙ Infarto agudo do miocárdio (IAM)

O pico de incidência de isquemia do miocárdio ocorre dentro de 3 dias do pós-operatório;

Pacientes com história de doença arterial coronariana são os mais propensos, contudo, anemia pós-operatória, dor e tremores também são fatores de risco para esse evento;

A indução e o despertar da anestesia são períodos mais suscetíveis a eventos isquêmicos, por alterações em frequência cardíaca e pressão arterial, e algumas vezes na saturação de oxigênio;

O diagnóstico de isquemia no intraoperatório requer atenção e um alto índice de suspeição. Hipotensão, arritmias ou alterações inespecíficas de eletrocardiograma podem ser as únicas manifestações apresentadas;[5]

O infradesnivelamento do segmento ST e a presença de ondas Q são mais comumente vistos em infartos perioperatórios;

As diretrizes mais atuais recomendam investigação adicional com ecocardiograma de estresse ou estudos de viabilidade miocárdica em pacientes de alto risco e alguns de risco intermediário.[6]

■❙❙ Arritmias cardíacas e parada cardiorrespiratória (PCR)

Arritmias são causas importantes de morbidade e mortalidade no perioperatório. Pacientes com doenças cardíacas preexistentes são especialmente mais suscetíveis a esse tipo de complicação. Citaremos as mais comuns no intraoperatório .

- Taquicardia sinusal deve ser corrigida com betabloqueadores apenas no caso de repercussão hemodinâmica;

- Bradicardia sinusal deve ser corrigida com atropina ou com implante de marca-passo transitório apenas se houver repercussão hemodinâmica;

- Extrassístoles ventriculares devem ser corrigidas com lidocaína ou amiodarona se houver repercussão hemodinâmica;

- Taquicardia supraventricular paroxística deve ser corrigida apenas com manobra vagal ou uso de adenosina caso a manobra não tenha sucesso se o paciente estiver estável hemodinamicamente, senão cardioversão elétrica;

- *Flutter* e fibrilação atrial podem ser controlados com betabloqueadores, revertidos quimicamente com amiodarona e eletricamente com cardioversão caso haja instabilidade hemodinâmica.

- PCR deve ser identificada e tratada o mais rápido possível de acordo com o ritmo, aplicando desfibrilação com carga máxima (200 J em desfibriladores bifásicos e 360 J em monofásicos) nos casos de taquicardia ventricular sem pulso e fibrilação ventricular o mais precocemente possível e administrando adrenalina 1 mg EV o mais rapidamente possível nos ritmos de assistolia ou atividade elétrica sem pulso;

- Independentemente do ritmo, massagem cardíaca numa frequência de 100-120 compressões por minuto numa profundidade de 5-6 cm na linha intermamilar deve ser realizada com revezamento dos ressuscitadores a cada 2 minutos.[7]

▪️▎▶ *Tromboembolismo venoso (TEV)*

- É uma das principais causas de morte em pacientes hospitalizados, englobando tanto a trombose assintomática até o tromboembolismo pulmonar (TEP);

- Fatores de risco para TEV relacionados ao paciente são idade superior a 60 anos, obesidade, presença de varizes de membros inferiores, desidratação, histórico familiar de TEV, gravidez e puerpério, terapia de reposição hormonal e contraceptivos à base de estrogênio. Outros fatores incluem tempo cirúrgico superior a 90 minutos, cirurgia pélvica, cirurgia intra-abdominal, imobilidade significativa, tratamento oncológico, trombofilias, doenças cardíaca e metabólica;

- A profilaxia desse evento compreende medidas farmacológicas e não farmacológicas. As farmacológicas incluem a utilização de heparina de baixo peso molecular, heparina não fracionada, fondaparinux sódico e inibidores diretos da trombina. Os métodos não farmacológicos se caracterizam por meias compressivas e dispositivos de compressão pneumática intermitente. Uma medida importante para reduzir o risco de TEV é encorajar a mobilização precoce;

- O TEP pode se apresentar com sinais inespecíficos, como dispneia progressiva, dor pleurítica, tosse, hemoptise e elevação da temperatura corporal. Um TEP maciço leva rapidamente a instabilidade hemodinâmica, e a angiotomografia de tórax é a modalidade diagnóstica ideal para o TEP. A anticoagulação deve ser iniciada o mais precocemente possível assim que um TEV for identificado. No caso de um TEP maciço, a trombólise é o tratamento de primeira linha, e suporte cardiovascular é necessário na maioria das vezes para esses pacientes.[8]

∎❙❱ *Embolia gasosa*

- Ocorre pela entrada de um gás a favor de um gradiente de pressão para o sistema vascular. Êmbolos de pequeno volume podem ser eliminados na artéria pulmonar; no entanto, volumes maiores podem ocasionar obstrução da via de saída do ventrículo direito, com queda importante do débito cardíaco;

- Em pacientes em posição de cefaloaclive, principalmente neurocirurgias de fossa posterior com grandes leitos venosos abertos, o risco é elevado. Cirurgias cardíacas e hepáticas e artroplastias de quadril também são fatores de risco.

- Os sinais dessa complicação são desde arritmias, taquicardia sinusal a fibrilação ventricular. Ocorrem diminuição da capnometria, distensão de veias jugulares e colapso do sistema cardiovascular no caso de volumes maiores.

- A ecocardiografia transesofágica é a maneira mais precisa de diagnosticar embolia gasosa. Os objetivos do tratamento são identificar a fonte de entrada, para evitar o agravamento da embolia, e fornecer suporte hemodinâmico. O local de entrada deve ser inundado de solução cristaloide. Caso ocorra colapso cardiovascular, ressuscitação cardiopulmonar pode ser necessária. Pode-se também, em último caso, tentar aspirar o gás do átrio direito através de um cateter venoso central.[9]

∎❱ Respiratórias

∎❙❱ *Aspiração pulmonar*

- A regurgitação de conteúdo gástrico, extremamente ácido e muitas vezes particulado, aspirado pelas vias aéreas pode levar a obstrução destas, assim como a pneumonite e síndrome do desconforto respiratório agudo;

- Fatores de risco são: estados comatosos, hérnia de hiato, gestação, obesidade, cirurgias de emergência, abdome agudo e disfunção autonômica. Pacientes considerados de estômago cheio antes da indução anestésica constituem a população de maior risco, além dos diabéticos e portadores de insuficiência renal crônica;

- A utilização da manobra de Sellick é controversa, mas é uma alternativa para tentar evitar a regurgitação de conteúdo gástrico;

- Não existem evidências que apoiem o uso rotineiro de procinéticos para reduzir o volume e a acidez do conteúdo gástrico desses pacientes.[10]

∎❙❱ *Laringoespasmo/broncoespasmo*

- Têm como causa uma estimulação direta da via aérea superior durante anestesia superficial;

- A conduta inicial é ventilação com pressão positiva, e em casos graves o uso de relaxantes musculares com reintubação para aliviar a adução completa das cordas vocais;

- O broncoespasmo pode surgir como uma das primeiras manifestações de uma reação anafilática, ou pode surgir em pacientes previamente saudáveis, embora seja mais prevalente em pacientes com doença reativa das vias aéreas;
- O diagnóstico é feito com base no aumento das pressões de vias aéreas, sibilos e dessaturação;
- O tratamento é feito com o uso de FiO_2 a 100%, aumento do tempo expiratório, remoção de qualquer agente desencadeante, broncodilatação inicialmente através do aumento da concentração do anestésico inalatório, uso de beta-2-agonistas, sulfato de magnésio, aminofilina e adrenalina. Ainda, atropina e cetamina podem ser utilizadas.[11]

▮❚❱ *Pneumotórax*

- É um evento relativamente raro, porém potencialmente fatal. Sua identificação é difícil, principalmente pelo acesso limitado do anestesiologista ao paciente durante a cirurgia;
- Ventilação com pressão positiva aumenta o risco de pneumotórax hipertensivo que leva a repercussões hemodinâmicas. As causas de pneumotórax durante a anestesia podem ser divididas em espontâneas, traumáticas e iatrogênicas;
- Os sinais clássicos são dificuldade na ventilação, queda na oximetria de pulso, desvios traqueais, distensão venosa jugular e colapso hemodinâmico;
- Caso haja suspeita de pneumotórax, deve-se aumentar a FiO_2 para 100%. Numa situação de instabilidade hemodinâmica, a punção no segundo espaço intercostal na linha hemiclavicular deve ser realizada para descompressão, com posterior drenagem torácica definitiva.[11]

▮❱ Neurológicas

▮❚❱ *Convulsões*

- As etiologias das convulsões no perioperatório são múltiplas, e em pacientes com distúrbios convulsivos existentes há condições que podem reduzir o limiar convulsivo, como distúrbios hidroeletrolíticos ou a omissão do uso do anticonvulsivante. Por outro lado, drogas anestésicas como os benzodiazepínicos são anticonvulsivantes, utilizados no tratamento dessa complicação;
- A atenção no manejo dessa complicação deve ser focada nas vias aéreas, ventilação e circulação, seguida então do tratamento da convulsão.

▮❚❱ *Acidente vascular cerebral (AVC)*

- É definido por um déficit neurológico focal de início súbito, de origem vascular, com duração superior a 24 horas. Um ataque isquêmico transitório dura menos que 24 horas;

- Os AVCs perioperatórios normalmente são isquêmicos ou embólicos e geralmente ocorrem no pós-operatório. Cirurgias vasculares e cardíacas estão entre as de maior risco para essa complicação;

- Para evitar essa complicação, a terapia anticoagulante deve ser mantida no perioperatório, pois o risco de sangramento é geralmente baixo. Se a medicação for descontinuada, deverá ser reinstituída precocemente no pós-operatório.[12]

■❚❚ *Outras complicações*

Reações alérgicas

- São eventos mediados por mecanismos imunes. A reação anafilática, ou reação do tipo I, é a forma mais grave de reação alérgica no perioperatório. Reações anafilactoides (tipos II, III e IV) são mais brandas e não incluem a mediação de IgE;

- As manifestações da anafilaxia incluem urticária, *rash* cutâneo, broncoespasmo, hipotensão, choque e edema pulmonar, sinais muitas vezes difíceis de reconhecer em um paciente anestesiado;

- O tratamento requer manutenção das vias aéreas, ressuscitação cardiopulmonar, remoção dos agentes causadores, expansão volêmica e adrenalina endovenosa. Antagonistas de histamina não inibem a reação anafilática, mas competem com a histamina pelo sítio no receptor. Corticosteroides como hidrocortisona ou metilprednisolona também podem ser utilizados.

■❚ Hipertermia maligna (HM)

- É uma miopatia farmacogenética rara que possui uma herança autossômica dominante. A exposição a um agente gatilho como succinilcolina e halogenados provoca a liberação descontrolada de cálcio do retículo sarcoplasmático, levando a uma contração muscular prolongada e sustentada.[6]

- Essa complicação deve ser suspeitada em qualquer paciente que desenvolve hipercapnia e taquicardia inexplicáveis. Além disso, pacientes que desenvolvam espasmos do masseter após a administração de succinilcolina devem ser considerados de risco para o desenvolvimento de HM;

- Assim que suspeitada, o tratamento deve ser iniciado imediatamente, com a retirada do agente gatilho, substituição do sistema de ventilação, administração de oxigênio a 100% em altos fluxos e de dantrolene sódico 2 a 3 mg/kg em bolo inicial e manutenção de acordo com a resposta;

- Medidas ativas de resfriamento, como lavagem gástrica, fluidos EV, lavagem peritoneal, devem ser aplicadas o mais rápido possível, sem ocasionar hipotermia. Todo paciente com suspeita de HM na família deve ser encaminhado a ambulatório específico para investigação.[6]

■ REFERÊNCIAS BIBLIOGRÁFICAS

1. Li G, Warner M, Lang BH et al. Epidemiology of anesthesia-related mortality in the United States, 1999–2005. Anesthesiology 2009;110:759-65.
2. Fleisher LA, Beckman JA, Brown KA et al. ACC/AHA 2007 guidelines on perioperative cardiovascular evaluation and care for noncardiac surgery: a report of the American College of Cardiology/American Heart Association Task Force on Practice Guidelines. Circulation 2007;116:e418-99.
3. Retter A, Wyncoll D, Pearse R et al. Guidelines on the management of anaemia and red cell transfusion in adult critically ill patients. Brit J Haematol 2013;160:445-64.
4. Ansari S, Szallasi A. Blood management by transfusion triggers: when less is more. Blood Transfus 2012;10:28-33.
5. Priebe HJ. Perioperative myocardial infarction: aetiology and prevention. Br J Anaesth 2005;95:3-19.
6. Freitas JCM, Savaris N. Complicações em anestesia. In: Manica J. Anestesiologia: princípios e técnicas. 3ª ed. Porto Alegre: Artmed, 2004. pp.1159-90.
7. Howell V, Arrowsmith JE. Cardiovascular complications. In: Valchanov K, Webb ST, Sturgess J. Anaesthetic and perioperative complications. Cambridge: Cambridge University Press, 2011. pp. 54-69.
8. Meyer G, Vieillard-Baron A, Planquette B. Recent advances in the management of pulmonary embolism: focus on the critically ill patients. Ann Intensive Care 2016:6:19.
9. Giraldo M, Lopera LM, Arango M. Embolismo aéreo venoso en neurocirugía. Rev Colomb Anestesiol 2015;43 (Supl 1):40-4.
10. Ng A, Smith G. Gastroesophageal reflux and aspiration of gastric contents in anesthetic practice. Anesth Analg 2001;93:494-513.
11. Lawrence VA, Cornell JE, Smetana GW et al. Strategies to reduce postoperative pulmonary complications after non cardiothoracic surgery: systematic review for the American College of Physicians. Ann Intern Med 2006;144:596-608.
12. Selim M. Perioperative stroke. N Engl J Med 2007;356:706-13.

Capítulo 22

Reposição Volêmica e Hemoterapia

Francisco Ricardo Marques Lobo
Gabriela Ramires Silveira
Higor Fernando de Lima Cardoso
Roseli de Almeida Campos Preto
Vivian Aguiar de Ré Rylko

A administração de fluidos é uma das práticas terapêuticas mais comuns na rotina dos anestesiologistas para cuidado de pacientes críticos. A administração intravenosa de fluidos é necessária, na maioria das vezes, para combater a instabilidade hemodinâmica durante cirurgias eletivas ou emergenciais. O objetivo principal da terapia com fluidos é restaurar a volemia e manter a adequada perfusão tecidual. Muitas vezes, fica difícil avaliar se esse objetivo foi alcançado ou não. Deve-se ter sempre em mente que a reposição da volemia exige cuidados e conhecimentos (indicações, contraindicações e efeitos adversos) seja qual for a solução empregada. Assim, se a administração de líquidos não foi suficiente para compensar o déficit volêmico, o paciente pode apresentar hipóxia tecidual com as respectivas consequências deletérias. Contudo, se a administração foi excessiva, acima do que o sistema cardiovascular pode suportar, surgem os sinais de congestão pulmonar, edema periférico, edema intestinal, hipertensão intra-abdominal e outros sinais da reposição excessiva de líquidos. Entretanto, o melhor tipo e a quantidade necessária são controvertidos. É necessário perguntar qual fluido devemos usar e qual a quantidade a administrar e por quanto tempo?

Os fluidos usados podem ser classificados em cristaloides ou coloides. Cristaloides são soluções contendo água, eletrólitos e/ou açúcar em diferentes proporções. Podem ser hipotônicos, isotônicos ou hipertônicos em relação ao plasma. A capacidade de expansão da volemia com o uso de cristaloides está relacionada à quantidade de sódio, principal fator para o gradiente osmótico entre compartimentos intra e extravascular. Coloides são soluções com partículas de alto peso molecular que, por isso, aumentam a pressão oncótica plasmática e, assim, retêm água no espaço intravascular. Produzem efeitos hemodinâmicos mais rápidos e persistentes que cristaloides. São utilizados em menor quantidade. Podem ser naturais (albumina) ou artificiais (gelatinas, amidos).[1]

PRINCÍPIOS DE REPOSIÇÃO VOLÊMICA

O objetivo principal da reposição volêmica é a manutenção adequada da oferta de oxigênio para as células. Para entendermos a fisiologia da reposição volêmica, devemos compreender os compartimentos do nosso corpo. A água corporal total de um indivíduo de 70 kg é de 42 litros (60%). Essa água está distribuída em alguns compartimentos, mas é capaz de se mover livremente através das células e paredes vasculares. O líquido intracelular (LIC) está contido na célula e correspondente a dois terços do total, isto é, 28 L. Os principais íons intracelulares são potássio e magnésio. O líquido extracelular (LEC) corresponde a um terço do total, isto é, 14 L, e é composto pelo líquido intersticial e intravascular. A distribuição do fluido extravascular entre os compartimentos vasculares e intersticiais é determinada, principalmente, pelo balanço entre as forças hidrostáticas e osmóticas nos capilares sanguíneos. Os principais íons extracelulares são sódio e cloreto. O líquido plasmático é composto por água com íons e moléculas complexas dissolvidos, tais como ureia, albumina e globulinas. Os fluidos "transcelulares" são extracelulares e correspondem ao líquido cerebrospinal (LCS), humor aquoso e líquidos sinovial, pericárdico, peritoneal e pleural.[2]

O movimento de água através das membranas depende da permeabilidade dessa membrana a várias moléculas. O endotélio capilar é totalmente permeável a água e íons pequenos como sódio e cloreto, mas, impermeável às moléculas maiores, como a albumina. O fluxo de fluidos através do endotélio capilar foi descrito pela primeira vez por Starling[3] em 1896. As variáveis que regem o equilíbrio de Starling são: pressão hidrostática; pressão coloidosmótica; e coeficientes de permeabilidade específicos (coeficientes de reflexões). A interação dessas variáveis pode ser descrita pela fórmula matemática: Fc = (PHc - PHi) - σ (Πc - Πi), onde:

- Fc = fluxo capilar;
- PHc = pressão hidrostática capilar;
- PHi = pressão hidrostática intersticial;
- Πc = pressão oncótica capilar;
- Πi = pressão oncótica intersticial;
- σ = coeficiente de reflexão.

A pressão intracapilar arterial (hidrostática + coloidosmótica) é maior que a pressão intersticial (hidrostática + coloidosmótica), resultando em um gradiente de pressão que produz um lento e contínuo fluxo de líquido do capilar para a luz intersticial. O fluido intersticial é drenado, via sistema linfático, para a circulação sistêmica. O coeficiente de reflexão (σ) é uma expressão matemática da permeabilidade da membrana capilar a uma determinada substância. Ele varia de 0 a 1, sendo que 0 é totalmente impermeável e 1 é totalmente permeável. O σ pode variar em função do tecido em que se encontra, por exemplo, o σ albumina no capilar hepático é de 0,1; no pulmão é 0,7; e no cérebro é de 0,9. Situações clínicas como sepse ou procedimentos cirúrgicos extensos caracterizam-se por uma redução no coeficiente de reflexão, causando um aumento do fluxo de fluídos transcapilar. Moléculas de coloides podem sair do intravascular, diminuindo, dessa forma, o efeito coloidosmótico produzido pelos coloides endógenos, como albumina, globulina ou mesmo, de coloides exógenos, como gelatinas ou amidos. Nessas situações clínicas, é comum o aparecimento de edema tecidual e, assim, a melhor indicação, seria a infusão de coloides com coeficientes de reflexão mais elevados, possibilitando a permanência do fluído no intravascular.

Perdas para terceiro espaço são os líquidos que se movem para os espaços com fluídos transcelulares. Esses espaços são, por exemplo, luz intestinal, luz peritoneal e cavidade pleural. Esses espaços, quase virtuais, normalmente, contêm volumes pequenos de fluídos, mas que, na presença de processo inflamatório pode acomodar grandes volumes de fluídos. Esse terceiro espaço pode ser reabsorvido em dias ou semanas e é equivalente à perda por hemorragia ou perda insensível. Essas perdas têm sido analisadas por bioimpedância elétrica e podem estar aumentadas após fluidoterapia endovenosa.[4]

■ TIPOS DE FLUIDOS

A escolha dos líquidos intravenosos pode ser dividida em cristaloides e coloides. Os dois tipos têm muitas diferenças físicas, químicas e fisiológicas. Essa escolha ainda gera controvérsias.[5-7]

Cristaloides são soluções de moléculas orgânicas pequenas dissolvidas em água. As soluções podem ser hipotônica, isotônica ou hipertônica em relação ao plasma. Solução glicosada é um exemplo de solução quase isotônica. Solução isotônica tem como exemplos a solução salina 0,9% e solução Ringer-lactato. As diferenças químicas entre estas últimas ficam por conta das composições individuais de sódio, potássio, cloreto, cálcio e lactato.

A pequena quantidade de glicose presente na solução a 5% é rapidamente metabolizada no plasma, permitindo, assim, que o solvente resultante, a água, se distribua por todos os compartimentos corporais. A solução hipotônica de glicose 5% deve ser utilizada apenas para tratar desidratação e reposição simples de água. Solução salina hipertônica é um cristaloide que contém sódio em concentração acima do nível fisiológico. Essa solução expande o espaço extracelular por meio do seu alto poder osmótico, mas tem sido utilizada, principalmente, em ressuscitação pós-traumática.[5]

Os cristaloides são distribuídos sobretudo para o espaço intersticial. Após infusão de 1.000 mL de solução salina 0,9%, o volume plasmático aumenta 180 mL, assim, somente 25% da solução permanece no intravascular e 75% extravasa para o compartimento intersticial. A infusão de cristaloide tem de ser repetida diversas vezes para manter o volume de enchimento por causa da pouca estabilidade intravascular.

O uso de grandes volumes de solução salina 0,9% está associado com o desenvolvimento de acidose metabólica hiperclorêmica clinicamente significante consequente à grande oferta de cloro. A hipercloremia produz uma progressiva vasoconstrição renal responsável pela diminuição da taxa de filtração glomerular.[6-8] Solução cristaloide com composição próxima ao plasma é chamada de "balanceada ou fisiológica". A solução de Ringer é considerada uma solução balanceada. Alguns estudos sugerem que a utilização de soluções balanceadas resultam em melhor hemostasia, melhora na perfusão gástrica e melhor preservação na função renal.[9]

- Coloide é uma substância homogênea não cristalina consistindo de grandes moléculas dispersas em um solvente. As partículas não podem ser filtradas por filtros comuns ou por ultracentrifugação. São usados na clínica para fluidoterapia e são divididos em naturais (albumina, frações de proteínas, plasma fresco congelado e soluções de imunoglobulinas) e semissintéticos (gelatinas, amidos).

A maioria dos coloides é apresentada como moléculas coloidais dissolvidas em solução salina isotônica, isotônicas balanceadas e soluções fisiológicas eletrolíticas. O tamanho molecular do coloide é muito variável na maioria das apresentações (polidispersas); entretanto, algumas têm tamanho molecular, praticamente invariável (monodispersas). Os coloides têm sido utilizados para reposição volêmica no restabelecimento da pressão oncótica sanguínea, a qual é, primordialmente, exercida pela albumina plasmática; e na manutenção da volemia. Lobo e et al.[10] demonstraram que o uso de coloides (amido) associado à cristaloide (Ringer-lactato) poderia trazer mais vantagens, como redução de edema intestinal, do que a associação de dois cristaloides diferentes (Ringer-lactato e solução salina 0,9%). Apesar dessa importância, ainda não há consenso sobre qual o melhor tipo de fluido e a melhor dose de reposição.

■ METAS DA REPOSIÇÃO VOLÊMICA

Evidências têm mostrado que o ganho de peso perioperatório superior a 2 a 3 kg pode elevar a mortalidade e o tempo de internação hospitalar.[11] Por isso, devemos escolher o melhor tipo para um determinado momento e a dose correta do fluido para evitarmos o aumento da morbidade relacionada a essa terapia.[12] Após muitos anos se debatendo a escolha da melhor solução para ressuscitação – coloide ou cristaloide –, o foco atual é sobre a quantidade de líquidos administrados – restritiva ou liberal. A prática da terapia de líquidos varia de grandes volumes (liberal) a pequenos volumes (restritiva). Enquanto alguns estudos[13-14] defendem que grandes quantidades de líquidos são indispensáveis para o período perioperatório, outros mostram a necessidade de administração de bólus antes da anestesia para corrigir:

a. hipovolemia do jejum em razão da perspiração insensível e do débito urinário;

b. aumento de perda insensível a partir do corte da pele e subsequente exposição tecidual; e

c. imprevisível desvio de fluidos para terceiro espaço.

Recentemente, alguns estudos demonstraram que a restrição à administração de fluidos, durante cirurgias de grande porte, tem diminuído o tempo de íleo paralítico e de complicações pós-operatórias.[15-16]

Os princípios da terapia de fluidos perioperatória iniciaram-se no início dos anos 1960. As primeiras recomendações para regime restritivo argumentaram que a resposta metabolicoendócrina ao trauma cirúrgico era a responsável pela retenção de sódio e água e, por isso, deveríamos restringir a oferta de líquidos. Por outro lado, Shires afirmou que, após uma cirurgia, havia uma diminuição do volume extracelular consequente a uma redistribuição de fluidos internamente, o chamado "terceiro espaço", e defendeu a reposição dessa "perda" mediante a infusão de líquidos. A hipótese de Shires teve apoio durante a Guerra da Coreia em que grandes quantidades de fluidos eram administradas aos pacientes traumatizados e com melhora na sobrevida.[17]

O conceito de ressuscitação supranormal durante o período perioperatório foi desenvolvido por Shoemaker[18] nos anos 1980 que defendeu a tese de que, em pacientes de alto risco cirúrgico, os índices fisiológicos observados nos pacientes sobreviventes de cirurgias de grande porte deveriam ser utilizados como metas terapêuticas, com fluídos e inotrópicos, para manter ofertas supranormais de transporte de oxigênio aos tecidos e impedir de maneira preemptiva a ocorrência de débito de oxigênio nos tecidos. A prática clínica atual foi bastante influenciada pelas recomendações de Shires e atualmente é bastante comum a administração de grandes volumes de líquidos, principalmente em cirurgias aórticas, abdominais e vasculares periféricas. Por outro lado, o regime restritivo tem mostrado algum benefício, sobretudo em cirurgias torácicas e hepáticas consequente à associação de fluídos administrados e ao desenvolvimento de edema pulmonar.

■ MONITORIZAÇÃO DA VOLEMIA

Muitas vezes, fluidos são administrados sem uma adequada monitorização do volume oferecido. Isso pode resultar em efeitos adversos relacionados; ou a em uma inadequada oferta, ou em um excesso de fluido administrado. Vários estudos têm demonstrado que a utilização de estratégias de administração dos fluídos por titulação da dosagem guiada por metas fisiológicas, relaciona-se à melhor evolução clínica. A administração de fluídos no perioperatório é variável e afeta a evolução clínica do paciente em cirurgias. A forma restritiva poderá causar um estado de hipovolemia com desvio de líquidos para cérebro e coração a partir do intestino, da pele e dos rins. A forma liberal de administração de fluídos poderá produzir nos pacientes um excesso de líquidos no compartimento intravascular. Até há algum tempo, utilizávamos uma fórmula para cada porte cirúrgico, independentemente dos dados pessoais. Essa fórmula tradicional ("receita de bolo"), para infusão de líquidos, ainda utilizada em alguns centros, é baseada no uso de fórmulas que pré-determinam uma taxa total de fluidos baseada em jejum, perdas insipientes e perdas locais no sítio da operação. Essa fórmula não leva em conta o estado de hidratação do paciente no pré-operatório, a ineficiência da avaliação de perdas visuais de líquidos ou sangue e variações perioperatórias da função miocárdica ou do tônus vascular.

Atualmente, não está claro se o paciente deve receber líquidos de forma liberal ou de forma restritiva. Shoemaker demonstrou que pacientes cirúrgicos de alto risco que foram "otimizados", isto é, tinham como meta terapêutica valores supranormais de oferta de oxigênio, tiveram melhor sobrevida. Isso levou a hipótese de que a terapêutica da oferta supranormal de oxigênio melhoraria a evolução de pacientes graves, o que foi confirmado por vários outros estudos.[19-21] Esses estudos de otimização hemodinâmica apresentam algumas características em comum: a) todos tentaram melhorar a perfusão e a oferta de oxigênio tecidual aumentando o volume sistólico ou o débito cardíaco; b) todos usaram fluidos endovenosamente como primeiro passo para alcançar esse objetivo; e c) a administração de fluidos foi guiada por metas hemodinâmicas ou fisiológicas definidas como débito cardíaco, volume sistólico e também por pressões de enchimento, saturação venosa de oxigênio, variação da pressão de pulso e índice de oferta de oxigênio.

A pressão sanguínea arterial é uma medida que não reflete exatamente o fluxo sanguíneo e que hipovolemia pode estar presente mesmo com pressões sistêmica e de enchimento normais.[22]

Medidas de pressão venosa central (PVC) e pressão de oclusão da artéria pulmonar (POAP) têm sido usadas como índices de volume intravascular. Essas pressões apresentam uma relação direta com os volumes diastólicos finais dos ventrículos direito e esquerdo, respectivamente. Entretanto, essa relação é muito complexa. Nos últimos anos, tem havido uma série de discussões dos riscos e benefícios da cateterização da artéria pulmonar. Há alguns estudos que mostram falta de relação entre o tamanho das câmaras cardíacas com a resposta à variação do volume. A PVC não é um bom método porque pode sofrer influência da complacência venosa, pressão pleural e pressão abdominal. A POAP também tem sido vista como método pouco sensível de eficácia da expansão intravascular com fluídos porque algumas situações clínicas como, complacência ventricular alterada, estenose ou regurgitação valvar podem produzir erros na interpretação dos valores.

A medida do débito cardíaco (DC) é importante para estimar a função cardíaca com base na hipótese de Starling. Podemos medir de forma intermitente utilizando o método da termodiluição; porém, esse é um método cuja aplicação demora certo tempo pode atrasar determinada intervenção terapêutica. Podemos também medir o DC por forma intermitente, como estimando o volume diastólico final do ventrículo direito, mas isso também carrega certas limitações.

Podemos avaliar o DC também por doppler esofágico contínuo, ecocardiografia transesofágica e por ação mínimamente invasiva mediante diluição do lítio (LIDCO).

Diversos estudos[22-23] têm mostrado que variação na pressão sistólica (VPS) variação na pressão de pulso (VPP), durante ventilação mecânica, são métodos úteis para predizer a resposta circulatória a uma oferta de líquidos. Essas técnicas utilizam o traço gráfico da pressão arterial com o ciclo respiratório e têm sido utilizadas como indicadores de hipovolemia. A melhor prática atual parece ser a combinação de reposição de cristaloides (reposição e manutenção de perdas) e uma terapia dirigida por metas (TDM). A GDP envolve fluidos e inotrópicos para otimizar a hemodinâmica e, dessa forma, tem mostrado vantagens como redução da taxa de complicações e permanência hospitalar.[12]

■ CONCLUSÃO

Assim, parece lógico concluir que a correção volêmica de forma empírica pode levar a um risco duplo. Poderá produzir uma sub ou uma supercompensação das perdas perioperatórias. Se o paciente continuar hipovolêmico, sofrerá com uma insuficiente oxigenação tecidual em áreas já hipoperfundidas. Se o paciente receber mais líquidos do que deveria, provavelmente exibirá congestão venosa e possível edema pulmonar. Portanto, a reposição de fluidos deve ser, na verdade, nem restritiva e nem liberal, e sim individualizada, de forma dinâmica, de acordo com a necessidade do indivíduo e do momento cirúrgico.

■ Recomendações

- A reposição volêmica é a primeira intervenção na ressuscitação de pacientes críticos.
- A administração de fluidos deve ser feita com a mesma cautela com que se faz a medicação intravenosa.
- Deve-se evitar o excesso de reposição volêmica para evitar disfunção orgânica.
- A melhor estratégia parece ser a terapia dirigida por metas (TDM) para evitar tanto a hipóxia celular como os efeitos deletérios da sobrecarga volêmica.

■ Transfusão

Transfusão sanguínea homóloga é um transplante de tecido-líquido com células responsáveis pelo sistema imunológico. A transfusão pode ser responsável por transmissão de doenças ao receptor. Por isso, devemos ser muito criteriosos na indicação de uma transfusão, avaliando o binômio risco-benefício. As indicações são: transporte de oxigênio; volume para manutenção da hemodinâmica; hemostasia; pressão oncótica; e equilíbrio hidreeletrolítico[25].

A transfusão sanguínea é um fator de risco independente para desfechos desfavoráveis[26]. O sistema de coleta é bem simples e de fácil acesso aos doadores, sendo necessário intervalo de 3 a 6 meses para nova doação. Aférese é um método de coleta mais complexo, retirando do paciente apenas a quantidade e tipo de células necessárias[27]. O anticoagulante corresponde a um volume de 60 a 65 mL e o mais usado é o citrato de sódio, disponibilizado sob duas formas: ácidocitratodextrose (ACD) e citratofosfatodextrose (CPD)) A adição de adenina ao CPD permite maior tempo de estocagem da bolsa do hemocomponente. Após a coleta, o sangue deverá ser estocado a 4 ± 2 °C. Em caso de autotransfusão, o sangue deverá ser armazenado na sala de cirurgia, em temperatura ambiente para uso imediato (4 a 6 horas). Para uso mais tardio, deverá ficar em caixas térmicas com gelo.

■) Hemocomponentes

Depois da coleta, o sangue sofre um processo de separação de seus componentes para uso de acordo com a indicação específica.

* Concentrado de hemácias(CH): um dos procedimentos mais usados em todo o mundo. As indicações são muito variáveis. O grupo com maior chance de receber transfusão de hemácias é o de pacientes com anemia pré-operatória[28]. O principal objetivo de transfundir concentrado de hemácias é restaurar o equilíbrio entre a oferta e o consumo de oxigênio tecidual.

Os *guidelines* atuais de transfusão de hemácias têm recomendado a estratégia de transfusão restritiva para a maioria dos pacientes cirúrgicos para evitar complicações pós-operatórias e aumento de mortalidade[29]. Em situações de urgência, com sangramento ativo ou choque hemorrágico, pode ser administrado de acordo com o volume perdido. Sendo provavelmente necessário quando se perde em torno de 30% da volemia e totalmente necessário quando se perde mais de 40% da volemia.

Poderão ocorrer reações transfusionais imediatas ou tardias; imunológicas ou não imunológicas. As mais comuns são as reações febris não hemolíticas, reações tipo urticária; TRALI (*transfusion-related acute lung injury*) é menos frequente.

* Concentrado de plaquetas (CP): suspensão de plaquetas em plasma (50 a 70 mL),a partir de dupla centrifugação de sangue total. Deve conter em torno de $5,5 \times 10^{10}$ plaquetas e armazenada a 20 a 24 °C, sempre sob agitação da bolsa. Há grande risco de contaminação do CP pela estocagem em temperatura ambiente. O risco de contaminação é menor quando o CP é obtido a partir de aférese. As plaquetas atuam para promover adesão e agregação junto ao endotélio para realizar a hemostasia primária da coagulação. Indicações: prevenir e controlar hemorragia em pacientes trombocitopênicos ou com disfunção plaquetária. Normalmente, faz-se a reposição de plaquetas preventivamente, quando a contagem está abaixo de 10.000/mm³. Em casos de risco de cirurgias, com risco de sangramento, faz-se reposição com CP quando a contagem estiver abaixo de 50.000/mm³. Para neurocirurgias e cirurgias oftálmicas, recomenda-se a transfusão quando a contagem de plaquetas estiver abaixo de 100.000/mm³. A dose recomendada é de 1 (uma) unidade de concentrado cada 10 kg do paciente[30].

* Plasma fresco congelado (PFC): constituído pelo plasma separado do sangue total por centrifugação e congelado até 8 (oito) horas após a coleta. Composto de água, 7% de proteínas e 2% de carboidratos. Armazenado em -20 a -40 °C. Tem validade de 24 meses quando estocado em mais de -30 °C e 12 meses quando armazenado entre -20 e -30 °C. Quando for solicitado para transfusão, deve ser descongelado a 37 °C. O consumo deve ser feito em

até 6 horas após descongelamento. O volume de uma unidade de PFC é de 200 a 250 mL e é indicado, principalmente, como terapêutica para reposição dos fatores de coagulação, reversão de varfarina, para correção de deficiência específica de determinado fator de coagulação, quando o concentrado do fator não estiver disponível[31]. Não deve ser usado para expansão da volemia em casos de hipotensão arterial e/ou desidratação e como fonte de proteínas em casos de hipoalbuminemia. A dose deve ser calculada para aumentar os fatores da coagulação até atingir o mínimo de 30% (10 a 15 mL/kg). Para reversão do anticoagulante varfarina, devemos usar de 5 a 8 mL/kg.

- Crioprecipitado: concentrado de proteínas plasmáticas de alto peso molecular que se precipitam no frio. É preparado no descongelamento do PFC ao atingir temperatura de 4 a 6 °C. Nesse momento, torna-se uma suspensão insolúvel em 10 a 15 mL de plasma. Quando pronto, deverá ser congelado novamente (-20 °C) em até 1 (uma) hora e sua validade é de 1 (um) ano. Contém: fator I (fibrinogênio); fator VIII; fator XIII; fator de von Willebrand (FvW) e fibrinopectina. O produto final deverá conter 80 UI de fator VIII e 150 mg/dL de fibrinogênio. A administração de 1 unidade de crioprecipitado eleva o nível de fibrinogênio em 30 mg/dL com meia-vida de 3 a 6 dias[32]. Indicado para protocolo de transfusão maciça[32]. Estudos recentes, indicam sua utilização para tratar coagulopatias perioperatórias, porque a hiperfibrinólise e as perdas sanguíneas abundantes, revelam diminuições importantes no nível plasmático desse componente[33,34]. Outras indicações: quando a concentração plasmática de fibrinogênio estiver abaixo de 200 mg/dL na presença de sangramento excessivo; em pacientes com doenças congênitas de fibrinogênio, e em pacientes com doença de von Willebrand tipos 2 e 3.

■ REFERÊNCIAS BIBLIOGRÁFICAS

1. Grocott MP, Mythen MG, Gan TJ. Perioperative fluid management and clinical outcomes in adults. Anesth Analg 2005;100(4):1093-106.
2. Svensen CH, Rodhe PM, Prough DS. Pharmacokinetic aspects of fluid terapy. Best Pract Res Clin Anaesthesiol 2009;23(2):213-24.
3. Starling EH. On the absorption of fluids from the connective tissue spaces. J Physiol 1896 May;19(4):312-26.
4. Guyton AC, Hall JE. Textbook of Medical Physiology, 12 ed. Elsevier Inc. Philadelphia 2010:291-306.
5. Kreimeier U. Pathophysiology of fluid imbalance. Crit Care 2000; Oct;4 suppl 2:S3.
6. Vincent JL. Issues in contemporary fluid management. Cri Care 2000 Oct; 4 suppl 2:S1-2.
7. Dawidson I. Fluid resuscitation of shock: current controversies. Crit Care Med 1989 Oct;17(10):1078-1080.
8. Baron JF. Crystalloids versus colloids in the treatment of hypovolemic shock. In: Vincent JL. Ed. Yearbook of Intensive Care and Emergency Medicine 1ed. Berlin Springer-Verlag, 2000:443:466.

9. Haljamae H, Lindgren S. Fluid therapy: present controversies. In: Vincent JL. Ed. Yearbook of Intensive Care and Emergency Medicine. Berlin Springer-Verlag, 2000:429-442.

10. Lobo SM, Orrico SR, Queiroz MM, Contrim LM, Cury PM. Comparison of the effects of lactated Ringer solution with and without hydroxyethyl starch fluid resuscitation on gut edema during severe splanchnic ischemia. Braz J Med Biol Res 2008 Jul;41(7):634-9.

11. Lobo DN, Bostock KA, Neal KR Perkins AC, Rowlands BJ, Allison SP. Effect of salt and water balance on recovery of gastrointestinal function after elective colonic resection: a randomised controlled Trial. Lancet. 2002 May;359(9320):1812-18.

12. Rodrigues RR. Reposição volêmica e hemotransfusão. In: Cuidados perioperatórios no paciente cirúrgico de alto risco. Eds: Assunção MSC, Silva Jr JM, Malbouisson LMS. Edição: vol 24, ano 21. São Paulo: Atheneu, 2016; pgs:359-368.

13. Campbell IT, Baxter JN, Tweedie IE, Taylor GT, Keens SJ. IV fluids during surgery. Br J Anaesth 1990 Nov;65(5):726-9.

14. Boldt J, Ducke M, Kumle B, Papsdorf M, Zurmeyer EL. Influence of different volume replacement strategies on endothelial activation in the elderly undergoing major abdominal surgery. Intensive Care Med 2004 Mar;30(3):416-22.

15. Dawidson IJ, Willms CD, Sandor ZF, Coorpender LL, Reisch JS, Fry WJ. Ringer's lactate with or without 3% dextran-60 as volume expanders during abdominal aortic surgery. Crit Care Med 1991, Jan;19(1):36-42.

16. Nisanevich V, Felsentein I, Almogy G, Weissman C, Einav S, Matot I. Effect of intraoperative fluid management on outcome after intraabdominal surgery. Anesthesiology 2005, Jul;103(1):25-32.

17. Shires T, Williams J, Brown F. Acute change in extracellular fluids associated with major surgical procedures. Ann Surg 1961 Nov;154:803-10.

18. Shoemaker WC, Appel P, Bland R. Use of physiologic monitoring to predict outcome and to assist in clinical decisions in critically ill postoperative patients. Am J Surg 1983, Jul;146(1):43–50.

19. Wilson J, Woods I, Fawcett J, Whall R, Dibb W, Morris C, Mc Manus E. Reducing the risk of major surgery: randomized controlled trial of preoptimization of oxygen delivery. BMJ 1999, Apr;318(7191):1099–1103.

20. Boyd O, Grounds M, Bennett D. A randomized clinical trial of the effect of deliberate perioperative increase of oxygen delivery on mortality in high-risk surgical patients. JAMA 1993, Dec;270(22):2699.

21. Lobo SM, Salgado PF, Castillo VGT, Borim AA, Polachini CA, Palchetti JC, Brienzi SL, de Oliveira GG. Effects of maximizing oxygen delivery on morbidity and mortality in high risk surgical patients. Crit Care Med 2000, Oct;28(10):3396-3404.

22. Garnett RL, MacIntyre A, Lindsay P, et al. Perioperative ischaemia in aortic surgery: combined epidural/general anaesthesia and epidural analgesia vs general anaesthesia and i.v. analgesia. Can J Anaesth 1996;43:769-77.

23. Michard F. Changes in arterial pressure during mechanical ventilation. Anesthesiology 2005;103:419-28.

24. Michard F, Boussat S, Chemla D, et al. Relation between respiratory changes in arterial pulse pressure and fluid responsiviness in septic patients with acute circulatory failure. Am J Respir Crit Care Med 2000;162:134-8.

25. Vane MF, Potério GMB, Braz LG et al. Sangue e soluções carreadoras de oxigênio. In: Cangiani LM, Carmona MJC, Torres MLA, et al. Tratado de Anestesiologia. 8 Ed. São Paulo: Atheneu; 2017. Ps1515-1535.

26. Busch MP, Kleinman SH, Nemo GJ. Current and Emerging Infections risks of blood transfusions. JAMA 2003;289:952-62.

27. Hogman CF, Bagge L, Thoren L. The use of blood components in surgical transfusion therapy. World J Surg 1987;11:2-13.

28. Mannucci PM, Levi M. Prevention and treatment of major blood loss. N Engl J Med 2007;356(22):1215-27.

29. Hajjar LA, Vincent JL, Galas FR, et al. Transfusion requirements after cardiac surgery: the TRACCS randomized controlled trial. JAMA 2010;304(14):1559-67.

30. Spahn DR, Rossaint R. Coagulopathy and blood component transfusion trauma. Br J Anaesth 2005;95:130-139.

31. American Society of Anesthesiology Task Force on Perioperative Blood Management. Practice guidelines for perioperative blood management: an update report by the American Society of Anesthesiologists. Anesthesiology 2015;122:241-75.

32. Pantanowitz L, Kruskall MS, Uhl L. Cryoprecipitate: patterns of use. Am J Clin Pathol 2003;119:874-81.

33. Hudson LD, Milberg JA, Anardi D, et al. Clinical risks for development of the acute respiratory distress syndrome. Am J Respir Crit Care Med 1995;15:293-301.

34. O'Shaughnessy DF, Atterbury C, Bolton MP, et al. British Committee for Standards in Haematology, blood transfusion task force: Guidelines for the use of fresh-frozen plasma, cryopecipitate and cryosupernatant. Br J Haematol 2004;126:11-28.

35. Rossaint R, Bouillon B, Cerny V,et al. Management of bleeding following major trauma: an updadte European Guideline. Crit Care Med 2010;14:r52.

Capítulo 23

Responsabilidade Civil do Anestesiologista

Sandra Cristina Amaya
José Hélio Zen Júnior
Elio Barbosa Belfiore
Idelberto do Val Ribeiro Júnior
Maria José Nascimento Brandão

◼ BREVE HISTÓRICO

Este capítulo objetiva pontuar sucintamente temas debatidos pela classe médica e fatos que, de modo recorrente, subsidiam trâmites jurídicos em processos ético-profissionais, cíveis e penais.

Cabe ressaltar que a discussão nesta publicação não é definitiva, muito menos finita e, a depender dos reais fatos e circunstâncias e dos profissionais de Direito envolvidos num possível processo judicial, podem levar a desfechos diversos e até mesmo dicotômicos.

◼ PRECEITOS BÁSICOS

Todos médicos anestesiologistas e outros profissionais que lidam diretamente com a saúde e com o direito à vida devem zelar pela adoção das melhores práticas de segurança e qualidade em qualquer ato seguindo os ditames para sua atividade constantes do Código de Ética Médica e das resoluções do Conselho Federal de Medicina (CFM) 2006, atualizada pela Resolução CFM Nº 2.174/2017 publicada em fevereiro de 2018.

A despeito de jurisprudências diversas, em geral a responsabilidade médica é, *a priori*, reconhecida como "de meio", e não de resultado, em virtude dos riscos inerentes a qualquer ato médico. Desse modo, não há como garantir um resultado específico e exato ao paciente; contudo. deve-se garantir a utilização das melhores práticas de segurança, confeccionar documentação adequada e prestar todas informações possíveis.

A noção de culpa nos questionamentos da prática profissional circunda sempre os pilares da negligência (omissão, falta de cuidado), imprudência (falta de reflexão, atitude afoita) e imperícia (falta de habilidade ou experiência).

As responsabilidades são apuradas e podem ser "punitivas" (penal, ético-profissional e administrativa) ou "reparatória" (civil), tendo esta última o objetivo de reparar eventual dano ao paciente ou à sua família.

Na execução da anestesiologia, é esperado que o médico especialista execute, ao menos, os seguintes itens:

- Avaliação pré-anestésica com antecedência adequada, registrado em prontuário.
- Obtenção de consentimento livre e esclarecido registrado em documento específico com assinatura do médico anestesiologista, do paciente e de testemunhas.
- Ato anestésico e registro segundo normatização vigente do CFM.
- Acompanhamento e registro de recuperação pós-anestésica até alta ou transporte à UTI.

● TERMO DE CONSENTIMENTO LIVRE E ESCLARECIDO

O registro pormenorizado de todos procedimentos executados em um paciente é preceito básico da atividade médica, regida por Código de Ética, sendo que a obtenção de consentimento livre e esclarecido constitui parte da avaliação pré anestésica bem como do Código de Ética Médica em seu artigo 22: "Deixar de obter consentimento do paciente ou de seu representante legal (...) salvo em caso de risco iminente de morte". Atualmente, tal consentimento é registrado em termo específico contendo a assinatura de todos os envolvidos e compondo parte do prontuário médico.

Cabe salientar que tal consentimento não se resume a um simples documento a ser assinado pelo paciente, pelo médico e por testemunhas, mas garante, sim, um momento de esclarecimento ao paciente sobre o procedimento, a técnica anestésica programada e as alterações diante de eventualidades, os riscos e complicações possíveis e a recuperação esperada.

● ANESTESIA EM TESTEMUNHA DE JEOVÁ

Trata-se de tema intensamente discutido e muitas vezes litigioso entre paciente e anestesiologista e também entre diversos outros especialistas como intensivistas, emergencistas e pediatras.

Em 2016, a Sociedade Brasileira de Anestesiologia publicou em sua *Revista Brasileira de Anestesiologia* sugestão de protocolo de atendimento ao paciente testemunha de Jeová: "Quando transfundir for necessário, o médico tem uma obrigação de agir, sobrepujar a vida sobre a liberdade".

◗ Protocolo de atendimento

- Identificar situação de emergência e de necessidade de transfusão (documentar fielmente quadro clínico, sinais vitais e exames complementares).

- Não tentar mudar vontade do paciente ou familiares (em um momento no qual a fé e a religião servem como apoio, confirmar o compromisso de não transfusão é muito importante para a testemunha de Jeová).
- Em caso de resistência física de parentes ou pacientes, deve-se chamar autoridade policial se necessário.
- Transfusão (compromisso prévio com o paciente assegurando que transfundir-se-ão hemoderivados durante cirurgia nem documento assinado por paciente ou responsável isentam o anestesiologista de sua responsabilidade).

A resolução do CFM nº 1.021/1980, o art. 135 do Código Penal (que criminaliza a omissão de socorro) e a decisão do STJ sobre o processo HC 268.459/SP que tramitou durante mais de 20 anos condenando o médico por não transfundir uma adolescente de 13 anos com doença falciforme, levando ao seu óbito (pela recusa dos pais de permitir a transfusão), impõem ao médico a obrigação de transfusão quando houver risco de morte. A concordância do paciente ou de seu responsável não é imprescindível, pois a manifestação das vontades do paciente é permitida para si e seus dependentes, mesmo em emergências.

ANESTESIAS SIMULTÂNEAS E OBSERVAÇÃO CONTÍNUA

O CFM é claro quando declara que o anestesiologista tem a obrigação de monitorar os sinais vitais durante a plenitude do ato cirúrgico, cumprindo seu dever de vigilância de todo tempo da cirurgia, não sendo, desse modo, possível a realização de anestesias simultâneas em pacientes distintos.

Do mesmo modo, o médico anestesiologista deve, ininterruptamente, fornecer cuidado e atenção ao paciente durante a anestesia, ou seja, é inadmissível a ausência do médico anestesiologista na sala cirúrgica durante o procedimento, permanecendo tal responsabilidade até a devida liberação da recuperação anestésica ou transporte do paciente aos cuidados do médico intensivista.

Saliente-se que havendo a necessidade da ausência de sala pelo anestesista responsável periódica ou em definitivo, este deverá transmitir as informações do caso e manejo a outro anestesista responsável que dará seguimento ao ato anestésico. Esse trâmite deve ser registrado no prontuário do paciente (ficha de anestesia), de forma clara, com as informações e nomes dos envolvidos.

RESPONSABILIDADE DO PRECEPTOR PELOS MÉDICOS RESIDENTES

Todo profissional médico em especialização na residência médica deve estar sob orientação de profissionais médicos de comprovada qualificação ética e profissional, segundo a Lei nº 6.932/1981. esses profissionais têm, sim, responsabilidade compartilhada perante os atos praticados pelo residente, haja vista a peculiaridade da tarefa de preceptoria, do mesmo modo que a responsabilidade pode ser atribuída e/ou compartilhada por todos integrantes da equipe médica envolvida no ato em questão.

Paralelamente a isso, a residência médica, que é segundo a Lei nº 6.932/1981, uma modalidade de ensino de pós-graduação destinada a médicos; e qualquer médico, em especialização ou não, deve utilizar seus conhecimentos básicos para zelar pela vida humana. Sendo assim, ao prestar atendimento ao paciente, assume responsabilidade direta pelos atos decorrentes, não podendo, em hipótese alguma, atribuir seus insucessos a terceiros, o que não permite isentar médicos residentes da responsabilidade jurídica por eventuais danos, uma vez caracterizado ato ilícito. Esse médico é submisso à Constituição Federal e ao Código de Ética Médica de modo similar ao médico preceptor, que compartilha o ato médico em questão, sendo corresponsável pelos atos sob sua tutela.

● REFERÊNCIAS BIBLIOGRÁFICAS

1. Conselho Federal de Medicina. Resolução nº 1.802/2006. Diário Oficial da União de 20 de dezembro de 2006, Seção I, pg. 160.

2. Gomes, GJ. Temas de responsabilidade médica na anestesiologia: casos práticos e repercussões nas responsabilidades civil, penal e ético-profissional. Brasília: Conselho Federal de Medicina / Sociedade Brasileira de Anestesiologia, 2016. ISBN 978-85-87077-46-2.

3. Conselho Federal de Medicina. Código de Ética Médica. 2010.

4. Conselho Federal de Medicina. Responsabilidade civil do médico plantonista e do médico residente. [acesso em 16/04/2017]. http://portal.cfm. org.br/index.php?option=com_content&view=article&id=20445:responsabilidade%C2%ADcivil%C2%AD.

5. Conselho Federal de Medicina. Exercício da anestesiologia em centro cirúrgico com a participação de residente. Parecer CFM no 23/15.

6. Conselho Federal de Medicina. Responsabilidade ética do médico residente por atos médicos realizados. Processo Consulta CFM no 0913/91.

7. Lei nº 6.932, de 7 de julho de 1981.

8. Ethical and legal duty of anesthesiologists regarding Jehovah's Witness patient: care protocol. Takaschima AK, Sakae TM, Takaschima AK, Takaschima RD, Lima BJ, Benedetti RH. - Braz J Anesthesiol. 2016 Nov - Dec; 66(6):637-641. Epub 2016 Sep 12.

Capítulo 24

Bases do Ensino de Anestesia

Thiago Chaves Amorim
Enéas Eduardo Sucharski
Raisa Melo Souza
Rafael Takamitsu Romero
Luiz Guilherme Villares da Costa

HISTÓRIA DO ENSINO DA ANESTESIOLOGIA

Mundo

A anestesia é uma das mais novas especialidades médicas. Considera-se que teve início no dia 16 de outubro de 1846, com a primeira demonstração pública de sucesso do uso do éter como anestésico por William Thomas Green Morton em Boston, Estados Unidos. Antes disso, as modalidades de anestesia relatadas se confundem com os relatos cirúrgicos e eram praticadas pelos próprios cirurgiões como compressões de nervos, sedação com bebidas alcóolicas, hipnose, etc. Assim, o ensino da anestesia, até o início do século XX, se confunde com o próprio ensino da Medicina, sendo passado de um tutor para seu aprendiz de forma teórica, mas principalmente de forma prática.[1]

Em 1908, a American Medical Association lançou recomendações sobre anestesia, sugerindo o uso de éter em vez do de clorofórmio e incentivando a prática da anestesia por profissionais experientes e seu ensino. A primeira sociedade de anestesia foi fundada em 1893 em Londres – The London Society of Anesthetists, seguida pela The Long Island Society of Anesthetists fundada em Nova York em 1905, e várias outras pelo mundo. Dessa forma, deu-se início aos grupos de estudo e discussão em anestesia e incentivou-se o desenvolvimento da especialidade. Assim, a especialidade foi ganhando espaço nos currículos médicos, passando a fazer parte da formação básica. O primeiro programa de residência médica em um centro acadêmico foi inaugurado pelo dr. Ralph Waters, na Universidade de Wisconsin, Estados Unidos, com duração de 3 anos, em que os primeiro e o terceiro anos eram de prática clínica e o segundo ano, dedicado à pesquisa laboratorial.[2]

Francis Hoffer McMechan, anestesista americano, fundou nos anos 1930 o International College of Anesthetists que começou a aceitar membros em 1935, constituindo-se este no primeiro passo para o reconhecimento de anestesistas como especialistas; os certificados eram internacionais e os membros eram considerados especialistas em vários países, sendo importante no estabelecimento de critérios para o ensino da anestesia.[3]

▮▶ Brasil

No Brasil, a primeira anestesia foi realizada com éter, em 1847, por Roberto Jorge Haddock Lobo, no Hospital Militar do Rio de Janeiro. Em 1848, a anestesia com clorofórmio foi realizada na Santa Casa de Misericórdia do Rio de Janeiro, por Manuel Feliciano Pereira de Carvalho.[1] O ensino da anestesia no Brasil, bem como das outras especialidades médicas, era informal até a criação dos programas de residência médica, sendo o primeiro o programa de residência em ortopedia e traumatologia da Faculdade de Medicina da Universidade de São Paulo (FMUSP), em 1945; depois, surgiram vários programas, culminando com a formação da Comissão Nacional de Residência Médica, em 1977, que regulamenta e fiscaliza todos os programas em âmbito nacional.

Em 1953, a Sociedade Brasileira de Anestesiologia (SBA) começa a regulamentar e controlar a formação dos especialistas com a divulgação dos serviços para treinamento em anestesiologia e elaboração dos Requisitos Essenciais para o Treinamento em Anestesiologia; em 1957, instituiu o Título de Especialista em Anestesiologia (TEA), sendo pioneira nacional na titulação de especialistas[4].

▮ SITUAÇÃO DA RESIDÊNCIA MÉDICA NO BRASIL

A residência médica de anestesiologia tem duração regulamentada de 3 anos, com carga horária semanal de 60 horas; é exigido um mínimo de 10% da carga horária anual para avaliação pré e pós-operatória, 15% da carga horária para os setores de emergência e medicina intensiva, 10% para o centro obstétrico e 45% para centro cirúrgico e procedimentos terapêuticos e diagnósticos.[5]

Atualmente, existem 112 Centros de Ensino e Treinamento (CET) credenciados pela SBA. A entidade exige que todos os médicos em especialização (ME) sejam avaliados trimestralmente por cada CET e anualmente se submetendo à prova nacional de avaliação dos ME. Para a obtenção do Título de Especialista em Anestesiologia, é necessário, além da aprovação nas avaliações, o cumprimento da carga horária mínima de 900 horas e 440 procedimentos.[6] No caso de residentes de CET não credenciados pela SBA, ao final do curso eles devem prestar a prova de Título de Especialista em Anestesiologia para obtenção do certificado.

Atualmente, há cerca de 21 mil especialistas em anestesiologia no Brasil, mais concentrados na região Sudeste.[7]

● APRENDIZADO DA ANESTESIOLOGIA

■❱ Princípios do aprendizado

Nos últimos 40 anos, pesquisas realizadas nas áreas de psicologia cognitiva, psicologia social e antropologia resultaram num melhor entendimento das bases científicas do ensino e compreensão.

Princípios importantes do aprendizado, pertinentes para estudantes de qualquer nível, são:[8]

- Alunos têm concepções pré-formadas a respeito de como o mundo funciona e, para melhor entender um material apresentado, esse conhecimento prévio deve ter alguma correlação com o conhecimento novo.

- Para adquirir competência em algum tópico, os aprendizes devem ter fundamentos sólidos sobre os fatos , entender conceitos e ideias em um contexto e organizar esse conhecimento para facilitar a evocação e aplicação ;

- Uma abordagem metacognitiva do ensino pode ajudar os aprendizes a controlar esse processo definindo metas e monitorizando seu progresso. Metacognição é a habilidade do receptor de monitorizar seu nível de conhecimento em um tópico específico.

Estilo de aprendizado se refere à maneira complexa como um indivíduo prefere adquirir e processar informação. O estilo de aprendizado VARK (Visual, Auditory, Read and Kinesthetic) utiliza a modalidade sensorial de preferência do aprendiz no processo de ensino. A compreensão dessa diversidade pelo professor, quando posta em prática, pode ajudar um aluno a aprender um tópico de difícil entendimento.

■❱ Aprendendo na anestesiologia

Em geral, o aprendizado da anestesiologia se dá por meio de treinamento formal na residência médica com ensino aos residentes ao longo de 3 anos. Além disso, o educador em anestesiologia tem contato e participa do aprendizado de diversos alunos com os mais variados níveis de experiência. Aprendizes incluem, além de médicos residentes, estudantes de medicina, *fellows*, reciclagem de profissionais anestesiologistas e, em alguns casos, médicos generalistas, enfermeiros anestesistas e técnicos em anestesia – apesar de as últimas modalidades ainda serem raridade e alvo de controvérsia no Brasil.

Consequentemente, o educador deve levar em consideração o conhecimento prévio (Tabela 24.1) e a experiência e os objetivos de cada aluno e desenvolver um currículo que satisfaça as demandas de cada um. Uma abordagem viável em meio a tanta diversidade de público alvo é considerar, depois da experiência de aprendizado, qual será a aplicabilidade da anestesiologia na prática para aquele indivíduo.

Outro aspecto que deve ser levado em consideração no processo de aprendizado é a geração a que o público-alvo pertence. Nas escolas médicas, por exemplo, a maioria dos estudantes faz parte da geração X (1965-1980) e

Tabela 24.1 Aplicação de princípios do aprendizado no ensino da Anestesiologia	
Princípio do aprendizado	*Estratégia de Ensino*
Professores devem determinar o conhecimento prévio dos alunos	• Usar perguntas abertas. • Em palestras, usar pré-testes ou respostas do público como primeiro passo. • Em discussões de caso, permitir aos estudantes compartilhar suas experiências depois da apresentação do caso.
Professores devem conhecer as principais barreiras e vieses dos conceitos e ter estratégias para superá-los	• Usar material de ensino variado. • Usar metodologias de ensino variadas.
O ambiente de aprendizado deve ser focado no conhecimento	• Dar ênfase à aplicação prática do conhecimento. • Estabelecer conexões entre o que está sendo ensinado com exemplos da prática.
Avaliações constantes para melhoria contínua	• Para revisar um tópico, usar questões práticas.

millenium (1981-1999) e, entre essas gerações, já existe diferença de dimensões na personalidade que podem afetar o aprendizado. Pesquisa realizada com mais de 800 graduandos verificou que alunos X são mais autoconfiantes, ao passo que alunos *millenium* tem mais estabilidade emocional e sensibilidade[9].

Os educadores devem ter em mente que a nova geração de aprendizes tem utilizado no processo de aprendizado muitas ferramentas interativas e tecnológicas. Contudo, os residentes devem levar em consideração a expectativa por excelência por parte dos educadores[9].

• No nível de residente em anestesiologia, existem características gerais comumente encontradas entre residentes considerados excelentes (Tabela 24.2).

• Outra abordagem é considerar tarefas fundamentais requeridas do professor e tarefas fundamentais que são requeridas do aluno. Por exemplo: o educador deve ensinar, dentro do cenário clínico, o conhecimento apropriado, habilidades e atitudes, ao passo que o aluno deve aplicar o raciocínio clínico observado, aplicar as habilidades aprendidas, descobrir e refletir a respeito de novos conceitos. Idealmente, nas primeiras semanas de adaptação, o residente deverá ser informado de forma explícita sobre qual o seu papel no serviço, suas atribuições e obrigações, seus direitos e qual o comportamento esperado dele. Uma das grandes causas de conflito é a demora que o médico em especialização tem em entender como deve se portar e quais as regras básicas que deve seguir, tudo porque não lhe foi dada nenhuma orientação a respeito.

Tabela 24.2
Características de excelência entre residentes de Anestesiologia

- Grande conhecimento teórico e habilidade para aplicar este conhecimento no cuidado com o paciente.
- Habilidade em realizar procedimentos essenciais no dia a dia.
- Curiosidade para o aprendizado; procura entender o "como" e o "porquê".
- Atitude frente a erros: aprender com o seu erro e o dos outros e utilizar esse aprendizado para melhorar a sua prática médica.
- Eficiência e efetividade no uso do tempo; gostar de fazer um bom trabalho para os pacientes e colegas.
- Iniciativa e pró-atividade para fazer o que é necessário e ir além do esperado.
- Confiabilidade: quando são demandados para alguma tarefa, têm a confiança dos pares de que a tarefa será cumprida.
- Amigáveis: tendem a ser estimados pela maioria, pois tratam as pessoas com respeito e têm sincera preocupação com o bem-estar de terceiros.
- Caráter: honestos, altruístas, tentam entender os outros, dignos de confiança. Admitem quando não sabem e solicitam orientação.

■❱ Métodos de ensino em anestesiologia

A educação médica em ensino e em metodologias de avaliação ainda é deficitária. Na última década, escolas médicas têm modificado seu currículo, incorporando novas abordagens como PBL (Problem Based Learning), aprendizado digital e treinamento com simulação realística.

Os cenários mais comuns de aprendizado na anestesiologia são o aprendizado no contexto clínico prático, com maior carga horária, e aprendizado na sala de aula.

Ensino clínico de qualidade é multifatorial, revelando que aspectos não cognitivos da educação, como desenvolver relações positivas com os estudantes, criar um ambiente de suporte ao aprendizado, habilidades comunicativas e motivação, se mostraram mais importantes do que aspectos cognitivos como conhecimento clínico, habilidades técnicas ou raciocínio clínico.

Um modelo validado para o ensino clínico é o Stanford Faculty Development Program.[10] Este modelo usa sete categorias para descrever aspectos importantes do ensino clínico:

1. Estabelecer um ambiente positivo para o aprendizado.
2. Controle sobre a sessão de ensino.
3. Comunicar os objetivos.
4. Promover entendimento e retenção do conhecimento.
5. Estabelecer técnicas de avaliação.
6. Fornecer *feedback*.
7. Promover o autoaprendizado.

O planejamento e discussão de caso antes de executá-lo (*briefing*) é fundamental para determinar qual será o papel e limites do residente naquele contexto e o que será esperado dele. Ao fim do procedimento, deve haver uma conversa revisando o que foi feito, pontos positivos e negativos, o que poderia ser melhorado e o que foi satisfatório, quais problemas foram enfrentados e a(s) possíveis maneiras de resolvê-los (*debriefing*).

Educadores experientes no ambiente clínico usam *scripts* de aprendizado nas suas interações, em que ensinam alguns pontos específicos naquele cenário, incluindo erros comuns e como evitá-los.

Outro aspecto importante no aprendizado é o ensino de habilidades para realização de procedimentos. Uma abordagem é a do *see one, do one, teach one,* em que o residente observa um procedimento; em um passo seguinte, realiza-o e, após a realização, tem condições de orientar outro estudante.

Uma teoria de aquisição motora em três estágios é mais uma alternativa. No primeiro estágio, o da cognição, o aprendiz deve entender a tarefa do ponto de vista intelectual; no segundo, o da integração, ele deve compreender e realizar a atividade motora; e no terceiro estágio, o da autonomia, o aprendiz realiza a tarefa rapidamente, com eficiência e precisão e fica cada vez mais autônomo à medida que a avaliação do seu desempenho permite. É importante que o preceptor compreenda e individualize em que estágio se encontra o residente, com o objetivo de não exigir tarefa que esteja além da capacidade do aprendiz, já que existem variações de velocidade de aprendizado entre os indivíduos de um mesmo ano, levando-se em consideração as experiências passadas e presentes e a capacidade cognitiva.

Educadores que procuram melhorar suas habilidades em ensino também devem ser submetidos a avaliações desta capacidade, uma vez que está comprovado que, no cenário clínico prático, melhoram suas habilidades quando recebem *feedback* de residentes[9]. O diálogo entre preceptores é fundamental para alinhar a conduta e as exigência dos alunos, saber quais deficiências cada um deles tem e como estimular os estudantes. É natural, na prática anestésica, o papel da particularidade de cada profissional, pois as experiências traumáticas e positivas vividas geram rotinas que só aquele anestesista tem, e um problema comum entre os residentes é a adaptação a diferentes exigências de cada profissional. Se, por um lado, a falta de padronização de algumas tarefas, como a montagem de soro ou a forma de induzir um paciente, pode gerar conflito entre educador e educando, por outro lado, essa variação pode servir como um leque de opções para o residente presenciar diversos tipos de técnica e julgar, na prática, qual lhe agrada mais.

Ensino em sala de aula também é uma habilidade importante de se desenvolver. Alguns princípios nesse contexto incluem:

- Apresentar informações que podem ser aplicadas o mais rápido possível.
- Utilizar os fundamentos e conhecimento prévio dos alunos.
- Enfatizar a importância daquele aprendizado.

- Usar diferentes modos de explicação.
- Segmentar sessões de ensino quando possível.
- Usar exemplos práticos e reais.

A utilização do Crew Resource Management (CRM), surgido na aviação, deve ser amplamente incentivado. Seus princípios adaptados para a anestesia contemplam a checagem sistemática dos equipamentos de segurança (p. ex.: fonte de oxigênio secundária, ventilador mecânico, aspirador, laringoscópio, seringas identificadas e bolsa de ventilação manual) e enfoque na comunicação da equipe. Ao solicitar uma medicação ao técnico de enfermagem da sala, este deve confirmar que entendeu a mensagem, de preferência repetindo-a, e, logo após executá-la, deve afirmar que a realizou e o anestesista que a entendeu (comunicação em alça fechada). Em situações de crise, o não fechamento da alça de comunicação causa erros de entendimento e atrasos no objetivo final, como quando se solicita uma medicação e é trazida outra ou, até mesmo, quando a medicação certa é entendida, porém silenciosamente deixada perto do anestesista e este não identificará que ela já está disponível. No âmbito do ensino prático, deve estar claro entre os pares quem é o anestesiologista principal e o residente responsável pelo caso para que se evitem divergências de condutas e falhas de comunicação. Se um outro anestesiologista e/ou residente participa da anestesia, estes devem assumir uma postura secundária na tomada de decisão com o objetivo de não causar contradições nas condutas do anestesista principal, devendo estar cientes de fechar a alça de comunicação conforme auxiliam no procedimento. Essas medidas buscam evitar a mudança repetida de conduta para o paciente e para o residente, pois cada anestesista tem suas preferências e estas podem não se somar, como no caso em que a anestesia é iniciada por um assistente que a induz com rocurônio e, momentos depois, outro colega entra na sala e utiliza cisatracúrio porque prefere esse agente. A perpetuação da melhoria de comunicação no centro cirúrgico deve ser multidirecional entre assistentes, residentes, equipe multidisciplinar de enfermagem e cirurgiões.

■I Novos modelos de ensino

Mudanças na prática clínica como implementação de novas tecnologias (p. ex.: bloqueio regional e acesso vascular guiado por ultrassom, ecocardiografia perioperatória) afetaram a educação na residência médica. A necessidade de treinar o residente para situações pouco frequentes e indesejadas em anestesia, como uma parada cardíaca ou incêndio na sala, também pede uma nova abordagem como o uso de simulação realística nesse processo.

Existem novos modos de disponibilizar conteúdo, ensinar e avaliar, prover ambientes colaborativos de aprendizado e melhorar a interatividade na sala de aula. Estes incluem *e-learning*, *wikis*, *podcasts* e sistemas de participação em palestras, como votação interativa, e têm sido cada vez mais usados. A utilização dessas novas ferramentas tecnológicas pode facilitar alguns princípios do aprendizado.

Existem vários aspectos a ser considerados para utilizar simulação realística no aprendizado médico, incluindo o propósito (treinamento, avaliação ou pesquisa), complexidade da tecnologia utilizada (uso de atores, interação dos participantes, treinamento com realidade virtual, simulação em vídeo ou uso de manequins), local de simulação (escritório, laboratório de habilidades, centro de simulação) e grau de *feedback* (nenhum, automático, em tempo real pelo instrutor ou *debriefing* em vídeos após o treinamento). Na anestesiologia, a simulação pode ser utilizada para o ensino de procedimentos como obtenção de acesso venoso periférico, ventilação com máscara facial, laringoscopia direta e intubação orotraqueal. O treinamento utilizando simulação realística com tecnologia incorporada para ensino na área de saúde é associada com desfechos positivos em conhecimento, habilidades e comportamentos, comunicação e outras habilidades não técnicas.[9]

E-learning é uma modalidade em crescimento e tem como vantagens o fácil acesso, possibilidade de ajustar o ritmo do aprendizado, montagem personalizada de um currículo sólido, flexibilidade e interatividade. É equivalente em tempo e eficiência de aprendizado quando comparado com métodos tradicionais.

Outras ferramentas incluem *wikis,* que são plataformas de colaboração *on-line*, *podcasts* e sistemas de interação com o público em palestras.

- Apresentação de *Journal Clubs* promove a atualização em temas mais recentes e o treinamento para fazer apresentações/falar em público. Mais uma opção é captar relatos de casos do serviço com desfecho indesejado e utilizá-los como forma de oportunidade para o aprimoramento de todos os residentes.

Educadores na anestesiologia, em geral, apreciam usar e aprender sobre uso de novas tecnologias,[9] e dentre estas tecnologias as modalidades mais utilizadas são de paciente simulado e *e-learning.*[9]

Os principais motivos da utilização da tecnologia pelos educadores em anestesiologia incluem a percepção de que a nova geração de aprendizes tem a expectativa de uso dessas ferramentas e que elas também são um atrativo para o programa de residência médica. Poucos acreditam que essa modalidade poderá substituir de o treinamento clínico tradicional de modo significativo.[9]

O papel do novo residente de anestesiologia é dinâmico e inclui ser aprendiz, clínico, pesquisador e, também, educador. As responsabilidades aumentaram e a demanda é que o anestesista em treinamento seja não apenas excelente no centro cirúrgico, mas também capaz de exercer função de líder em uma equipe multidisciplinar e ser referência na medicina perioperatória em variados ambientes. Mais do que nunca, é esperado que os residentes de anestesiologia tenham um ensino de qualidade, baseado em evidências e que, além de aprendiz, ele também seja influente educador: de seus pares; de alunos de medicina; pacientes e seus familiares; além de outros profissionais da área de saúde.[11]

■ DESAFIOS E FUTURO DA ANESTESIOLOGIA

Os presentes desafios no processo de ensino-aprendizagem de anestesiologia estão fortemente relacionados aos atuais obstáculos na prática da especialidade e, de forma mais abrangente, ao trabalho médico e à organização dos sistemas de saúde.

No Brasil, o cenário de subfinanciamento do Sistema Único de Saúde (SUS) engendra distorções da prática e do ensino médico. Nessa conjuntura, os programas de residência tendem a assumir um caráter laboral que prevalece sobre o caráter educacional, com o posicionamento do médico em especialização como mão de obra substitutiva de um profissional formado.

Ademais, a ampla desigualdade do cuidado em saúde observada dentro dos binômios centro-periferia e privado-público e o decorrente acesso dessemelhante à tecnologia geram diferentes práticas e ensinos em anestesiologia, fator que dificulta a aplicação e a aprendizagem de uma medicina baseada em evidências.

Esse intervalo entre a prática realizada e a baseada em evidências ainda é ampliado pela atuação da indústria farmacêutica, inclusive junto aos médicos em especialização, na produção e divulgação de conhecimento.

Finalmente, a fragilização das relações de trabalho tenderá a diminuir o vínculo entre profissionais e serviços, o que exercerá influência negativa para continuidade do processo de ensino.

A superação desses obstáculos, portanto, não se encerrará dentro dos limites do centro cirúrgico. Todavia, dentro desse difícil cenário, cabe aos envolvidos no processo de ensino-aprendizagem a criação de mecanismos que apontem para o óbvio: a formação de profissionais críticos, com amplo acesso à produção tecnológica e com as devidas supervisão e orientação.

■ REFERÊNCIAS BIBLIOGRÁFICAS

1. Rezende JM. À sombra do plátano: crônicas de história da medicina. São Paulo: Unifesp; 2009. 408 p.
2. Longnecker DE, Brown DL, Newman MF, Zapol WM. Anesthesiology. 2 ed. McGraw-Hill Education; 2012. 1748 p.
3. Barash PG, Cullen BF, Stoelting RK, Cahalan MK, Stock CM, Ortega R. Clinical Anesthesia, Seventh Edition. 7 ed. Barash PG, Cullen BF, Stoelting RK, Cahalan MK, Stock CM, Ortega R, editors. Philadephia: Lippincott Williams & Wilkins; 2013. 1880 p.
4. Bagatini A, Cangiani LM, Carneiro AF, Nunes RR. Bases do Ensino da Anestesiologia. Rio de Janeiro: Sociedade Brasileira de Anestesiologia; 2016. 1216 p.
5. Filho NM. Resolução CNRM Nº 02/2006, de 17 de maio de 2006. 2006 p. 50.
6. Sociedade Brasileira de Anestesiologia [Internet]. Disponível em: www.sbahq.org

7. Scheffer M et al. Demografia Médica no Brasil - 2015. Preventiva D de M-F de M da U, editor. São Paulo: Conselho Federal de Medicina; 2015. 284 p.

8. Brandsford JD, Brown AL, Cocking RR. How People Learn: Brain, Mind, Experience, and School. Expanded E. Washington: National Academy Press; 2000. 384 p.

9. Junior MP, Schell RM. Teaching Anesthesia. In: Miller RD, editor. Miller's Anesthesia, Eighth Edition. 8 ed. Philadephia: Saunders; 2015. p. 210–28.

10. Litzelman DK, Stratos GA, Marriott DJ, Skeff KM. Factorial validation of a widely disseminated educational framework for evaluating clinical teachers. Acad Med [Internet]. 1998 Jun;73(6):688–95. Available from: http://content.wkhealth.com/linkback/openurl?sid=WKPTLP:landingpage&an=00001888-199806000-00016.

11. Frost EAM. Comprehensive Guide to Education in Anesthesia [Internet]. 2013. 248 p. Disponível em: https://books.google.com/books?id=oQ4JAgAAQBAJ&pgis=1.

Índice Remissivo